Wszystko dla niej

DIANA PALMER

Wszystko dla niej

PRZEŁOŻYŁA:
ALINA PATKOWSKA

Tytuł oryginału:
Renegade

Pierwsze wydanie:
Harlequin Books S.A., 2004

Opracowanie graficzne okładki:
Robert Dąbrowski

Redaktor prowadzący:
Małgorzata Pogoda

Korekta:
Jolanta Spodar

Powieść ukazała się poprzednio pod tytułem *Zdrajca*.

Wydanie niniejsze zostało opublikowane
w porozumieniu z Harlequin Enterprises II B.V.

Arlekin – Wydawnictwo Harlequin Enterprises sp. z o.o.
00-975 Warszawa, ul. Starościńska 1B lokal 24-25

Skład i łamanie: COMPTEXT®, Warszawa

Druk: Drukarnia Wydawnicza im. W. L. Anczyca S.A.

ISBN 978-83-238-8311-1

ROZDZIAŁ PIERWSZY

Był ciepły, leniwy poniedziałkowy poranek i w komisariacie policji w Jacobsville w Teksasie nie działo się nic szczególnego. Trzech policjantów z patrolu parzyło kawę przy stoliku z ekspresem w kącie sali. Zastępca szeryfa wpadł na chwilę, żeby podrzucić nakaz aresztowania. Jeden z obywateli miasteczka spisywał relację z popełnienia przestępstwa przez innego obywatela, którego policjant z patrolu właśnie przyprowadził na posterunek. Brakowało tylko sekretarki, zwykle siedzącej przy biurku, które pełniło funkcję recepcji.

– Mam dość. Mam już zupełnie dość! Przecież nie muszę tutaj pracować! W sklepie Cent właśnie szukają sprzedawców, zaraz napiszę podanie!

Wszystkie głowy obróciły się w stronę zamkniętych drzwi gabinetu szefa, zza których dobiegał krzyk. Sekretarka nigdy nie krzyczała! Rozległa się przytłumiona odpowiedź i metaliczne stuknięcie jakiegoś przedmiotu, który z impetem uderzył o podłogę. Po chwili drzwi otworzyły się z rozmachem i przez salę jak burza przemknęła wściekła nastolatka ze sterczącą na wszystkie strony kolczastą fryzurą, ubrana w minispódniczkę i brokatową bluzkę z wielkim dekoltem. Usta miała pomalowane czarną szminką, a paznokcie czarnym lakierem. Wielkie kolczyki w jej uszach brzęczały niczym alarmowe dzwonki. Umundurowani policjanci w popłochu odsunęli się na bok, robiąc jej przejście. Dziewczyna podbiegła do swojego biurka, zgarnęła z niego wypchaną torebkę i ruszyła do wyjścia.

Zanim jednak zdążyła nacisnąć klamkę, w ślad za nią z gabinetu wyszedł wysoki mężczyzna o ciemnej, posępnej urodzie, ubrany w policyjny mundur. Jego włosy i ubranie pokryte były grubą warstwą fusów z kawy i strzępkami taśmy klejącej, mundur zdobiły dwie żółte karteczki samoprzylepne, a do czarnego, wyglancowanego buta przyczepiła się chusteczka higieniczna. Gdy się odwrócił, podwładni ujrzeli jeszcze jedną żółtą karteczkę zwisającą z kucyka czarnych włosów.

– Czy powiedziałem coś nie tak? – zapytał ze zdziwieniem.

Dziewczyna wymamrotała coś pod nosem i bez

dalszych wyjaśnień zatrzasnęła za sobą szklane drzwi.

Gromada funkcjonariuszy z najwyższym trudem starała się powstrzymać wybuch śmiechu. Wyglądało to tak, jakby wszystkich jednocześnie pochwycił atak kaszlu. Mężczyzna wypisujący zawiadomienie zaczął się podejrzanie krztusić.

Komendant, Cash Grier, powiódł rozzłoszczonym wzrokiem po twarzach swych podwładnych.

– Śmiejcie się, nie przeszkadzajcie sobie. Mogę mieć następną sekretarkę nawet jutro!

– Odkąd zostałeś szefem, mieliśmy już dwie – wypalił jego zastępca, Judd Dunn, z błyskiem wesołości w czarnych oczach.

– Zanim tu przyszła, pracowała w sklepie spożywczym – mruknął Cash, otrzepując mundur z kawy. – A przyjęliśmy ją tylko dlatego, że jest siostrzenicą naszego p.o. burmistrza Bena Brady'ego i Ben zagroził mi, że jak jej nie zatrudnię, to nie dostanę pieniędzy na kamizelki kuloodporne. Żałosny facet – westchnął. – Nigdy w życiu nie udałoby mu się zostać burmistrzem w normalnym trybie. Jest nim tylko dlatego, że Jack Herman zrezygnował z urzędu po zawale serca. Ale jakoś muszę wytrzymać z tym Bradym do następnych wyborów w maju.

Judd słuchał tej tyrady bez słowa komentarza.

– Jak dla mnie, wybory władz miasta mogłyby być nawet jutro – ciągnął Cash. – Brady męczy mnie tylko o wyniki w sprawach o narkotyki i nie chce nawet słuchać o inwestycjach w komendzie. Podobno Eddie Cane ma być jego kontrkandydatem.

– Myślę, że Eddie wygra. To najlepszy burmistrz, jakiego mieliśmy w tym miasteczku. – Judd pokiwał głową.

– Tym większa szkoda, że musimy na to poczekać aż do maja. – Cash odlepił karteczkę od włosów i skrzywił się boleśnie. – Jeśli Brady będzie próbował mi wcisnąć następną sekretarkę, to złożę wymówienie.

– W takim razie sam musisz znaleźć kandydatkę, zanim on ci kogoś zaproponuje – powiedział trzeźwo Judd. – O ile w tym mieście pozostał jeszcze ktokolwiek zdrowy na umyśle, kto zechciałby u ciebie pracować.

– Dam ogłoszenie do gazety. Zobaczysz, że tłumy kobiet będą się biły o przywilej przebywania ze mną w jednym pomieszczeniu! – odciął się Cash.

Judd popatrzył na niego przeciągle.

– Może powinieneś sobie wziąć trochę wolnego, żeby wrócić do równowagi. Zbliża się Boże Narodzenie. Może byś gdzieś wyjechał?

Cash podejrzliwie uniósł brwi.

– Przecież wyjeżdżałem w zeszłym miesiącu,

razem z tobą. Byliśmy na tej premierze w Nowym Jorku.

– Masz zaproszenie do Tippy – przypomniał mu Judd ze złośliwym uśmieszkiem. Tippy Moore była modelką, która ostatnio próbowała swoich sił w filmie. Jako modelka zdobyła sławę pod przydomkiem „Świetlik z Georgii". – Jej młodszy brat cię uwielbia. Pewnie przyjedzie na święta ze szkoły.

Na myśl o wizycie u Tippy Cash poczuł opór. W początkach znajomości uważał ją za pustą pożeraczkę męskich serc, potem jednak przekonał się, że dał się zwieść pozorom. Słabości Tippy przemawiały do niego bardziej niż ostentacyjne próby flirtu, a to już było niebezpieczne.

– Może zadzwonię do niej i sprawdzę, czy to zaproszenie nie było tylko grzecznościowe – mruknął.

Judd poklepał go po ramieniu.

– Mądry chłopiec. Zarezerwuj sobie miejsce w najbliższym samolocie, a ja zajmę twoje biurko i przejmę wszystkie obowiązki komendanta!

Cash popatrzył na niego podejrzliwie.

– Mam nadzieję, że to nie ma nic wspólnego z zakupem tego radiowozu, na który chcesz mnie namówić? W przyszłym tygodniu jest posiedzenie rady miejskiej...

– Odłożone ze względu na święta – zapewnił go Judd. – Nie próbowałbym ich przekonać do zakupu radiowozu, którego nie potrzebujesz. Mówię zupełnie poważnie.

Jednak uśmiech, który przy tych słowach błysnął na jego twarzy, przeczył zapewnieniom. Cash wolał nie ufać słowom swego zastępcy. Judd był zbyt podobny do niego: uśmiechał się tylko wtedy, gdy wpadał w złość albo gdy coś knuł.

– A już na pewno nie próbowałbym zatrudniać nowej sekretarki za twoimi plecami – dorzucił Judd, omijając wzrokiem twarz szefa.

– Ach, więc o to chodzi – ucieszył się Cash. – Jasna sprawa. Masz kogoś na to stanowisko. Pewnie chcesz mi tu wepchnąć jakąś wojskową emerytkę w stopniu pułkownika albo wyznawczynię teorii spiskowej, taką jak ta, która tu pracowała, gdy komendantem był mój kuzyn Chet Blake?

– Nie znam nikogo, kto by właśnie poszukiwał pracy – odrzekł Judd z niewinnym wyrazem twarzy.

– Ani żadnych kobiet w stopniu pułkownika?

Jego zastępca wzruszył ramionami.

– No, może i znam ze dwie takie. Eb Scott ma kuzynkę...

– Nie!

– Przecież nawet jej jeszcze nie widziałeś...

– I nie mam takiego zamiaru! To ja tu jestem

komendantem, jasne? – Cash wskazał na swoją odznakę. – Mam walczyć z przestępcami, a nie ze starszymi paniami!

– Ona właściwie nie jest taka stara...

– Jeśli kogokolwiek zatrudnisz podczas mojej nieobecności, to ta osoba wyleci z pracy w pięć minut po moim powrocie! A właściwie, to chyba nigdzie się nie wybieram – sapnął Cash.

Judd wzruszył ramionami i zaczął oglądać sobie paznokcie.

– Jak wolisz. Słyszałem, że wpadłeś w oko siostrze naszego specjalisty od urbanistyki. Może poprosi urzędującego burmistrza o rekomendacje.

Tego już było za wiele. Radny miejski odpowiedzialny za planowanie przestrzenne, uroczy i łagodny w obejściu człowiek, miał ukochaną siostrę, która była dwukrotną rozwódką, nosiła przezroczyste bluzki, miała trzydzieści sześć lat i pięćdziesiąt kilo nadwagi oraz robiła do Casha słodkie oczy. Radny, który na co dzień był najlepszym dentystą w okolicy, uważał ją za ósmy cud świata. Nawet dla takiego specjalisty od tajnych misji jak Cash połączenie wszystkich wyżej wymienionych czynników oznaczało sytuację grożącą niekontrolowaną eksplozją.

– Kiedy pani pułkownik chciałaby zacząć pracę? – zapytał Cash przez zaciśnięte zęby.

Judd wybuchnął donośnym śmiechem.

– Nie znam żadnego pułkownika, który chciałby u ciebie pracować, ale będę miał oczy otwarte! – Odsunął się w samą porę, by uniknąć mocnego kopniaka z półobrotu. – Ej, uważaj, przecież jestem funkcjonariuszem na służbie! Jeśli mnie uderzysz, popełnisz przestępstwo!

– To by było w samoobronie – warknął Cash, idąc do swojego gabinetu.

– Moi prawnicy skontaktują się z tobą! – zawołał za nim Judd.

Cash wyciągnął rękę i za plecami pokazał mu obraźliwy gest.

Gabinet był już zamieciony, a kosz na śmieci stał na swoim miejscu. Cash usiadł za biurkiem i zaczął się zastanawiać nad słowami Judda. Może rzeczywiście był ostatnio zbyt drażliwy. Kilka dni urlopu pomogłoby mu odzyskać równowagę. Dzieci Judda i Crissy boleśnie uświadamiały mu, jak wygląda jego własne życie.

Rory, dziewięcioletni brat Tippy Moore, uważał go za swego idola. Już od dawna nikt nie patrzył na Casha w taki sposób. Przywykł raczej do tego, że wzbudzał w innych ciekawość, niepewność, a nawet lęk. Ale w życiu tego chłopca nie było żadnego mężczyzny, oprócz kolegów ze szkoły wojskowej.

Co by szkodziło spędzić z nim trochę czasu? W końcu nie musiał mu opowiadać całego swojego życiorysu.

Usiadł za biurkiem i wyciągnął z kieszeni notes, a potem wystukał na komórce nowojorski numer.

Dwa sygnały. Trzy. Cztery. Poczuł gorzkie rozczarowanie i już miał wyłączyć telefon, gdy naraz po drugiej stronie odezwał się miękki, zmysłowy głos:

– Tu mieszkanie Tippy Moore. Przepraszam, ale nie mogę teraz odebrać telefonu. Proszę zostawić krótką wiadomość i numer, pod który mam oddzwonić.

– Mówi Cash Grier – odezwał się Cash i już zaczął dyktować swój numer, gdy w słuchawce kobiecy głos zawołał bez tchu:

– Cash!

Zaśmiał się w duchu. A więc zdążyła dobiec do telefonu. Pochlebiło mu to.

– Tak, to ja. Cześć, Tippy.

– Co u ciebie słychać? – zapytała. – Nadal jesteś w Jacobsville?

– Tak. Ale awansowałem na szefa policji. Judd zakończył karierę w Strażnikach Teksasu i teraz jest moim zastępcą – dodał niechętnie.

Wiedział, że Tippy była zauroczona Juddem, podobnie jak on sam był kiedyś zauroczony żoną Judda, Christabel.

– Tyle zmian – westchnęła. – A co słychać u Christabel?

– Jest bardzo szczęśliwa. Mają bliźnięta.

– Wiem, rozmawiałam z nimi w listopadzie – przyznała Tippy. – Chłopiec i dziewczynka, tak?

– Jared i Jessamina. – Cash się uśmiechnął, dumny ojciec chrzestny. Bliźnięta zawojowały jego serce od pierwszej chwili, gdy zobaczył je w szpitalu, i nie zamierzał ukrywać, że to Jessamina była jego ulubienicą. – Jessamina jest śliczna jak laleczka. Ma mnóstwo czarnych włosów i ciemnoniebieskie oczy. Chociaż wiem, że kolor oczu potem się zmienia.

– A Jared? – zapytała Tippy z wyraźnym rozbawieniem.

– Podobny do ojca. Jared jest ich, a Jessamina moja. Powiedziałem im to. Ale oczywiście nic z tego – westchnął. – I tak mi jej nie oddadzą.

Tippy roześmiała się głośno. Jej śmiech przypominał dźwięk srebrnych dzwoneczków w letni wieczór. Głos zdecydowanie był jej mocną stroną.

– A co u ciebie? – zapytał.

– Robię nowy film. Właśnie zaczęła się świąteczna przerwa w zdjęciach i bardzo się z tego cieszę. To wymagająca fizycznie rola, a ja mam kiepską kondycję. Muszę trochę poćwiczyć, żeby dobrze wypaść.

– A co takiego robisz?

– Turlam się, skaczę z trampoliny, spadam z dużych wysokości, stosuję sztuki walki i tak dalej – odrzekła ze znużeniem w głosie. – Cała jestem w siniakach. Rory chyba zemdleje, gdy mnie zobaczy. On mówi, że w moim wieku nie powinnam już tak się narażać.

– W twoim wieku? – zdziwił się Cash.

Tippy miała zaledwie dwadzieścia sześć lat.

– Nie wiedziałeś, że jestem stara? Z perspektywy Rory'ego powinnam już chodzić o lasce!

– To co ja mam powiedzieć – roześmiał się. Był o dwanaście lat starszy od niej. – Czy Rory przyjedzie do domu na święta?

– Oczywiście. Zawsze przyjeżdża. Mam tu ładne mieszkanie w East Village w pobliżu Piątej Alei, obok księgarni i kawiarni. Jak na wielkie miasto, to bardzo spokojne miejsce.

– Ja lubię większe przestrzenie.

– No tak. – Zawahała się. – Masz jakieś kłopoty albo coś w tym rodzaju?

Cash poczuł się nieswojo.

– Jakie kłopoty?

– Czy chcesz mnie prosić o jakąś przysługę?

Jeszcze nigdy w życiu nikt nie zadał mu takiego pytania i Cash nie miał pojęcia, co powinien odpowiedzieć.

– Nie, niczego nie potrzebuję – wykrztusił.

– W takim razie dlaczego zadzwoniłeś?

– Nie dlatego, że czegoś od ciebie chcę – odrzekł bardziej szorstko, niż zamierzał. – Nie przyszło ci do głowy, że mogłem zadzwonić po prostu po to, żeby zapytać, co u ciebie słychać?

– Chyba nie – przyznała. – Nie zrobiłam zbyt dobrego wrażenia w Jacobsville, gdy tam kręciliśmy. A już na pewno nie na tobie.

– Ale to było wcześniej, zanim postrzelono Christabel – zauważył Cash. – Zmieniłem zdanie o tobie, gdy zobaczyłem, jak bez namysłu ściągnęłaś drogi sweter, żeby zatamować krwawienie z rany. Tamtego dnia zyskałaś wielu przyjaciół.

– Dziękuję – odrzekła, wyraźnie speszona.

– Posłuchaj, zamierzam przyjechać do Nowego Jorku na kilka dni przed świętami. Czy twoje zaproszenie jest nadal aktualne? Mógłbym zabrać ciebie i Rory'ego gdzieś za miasto.

– Ooo! Rory byłby w siódmym niebie! – zawołała Tippy z podnieceniem.

– Czy on jest już w domu?

– Nie. Pojadę pociągiem do Maryland i odbiorę go ze szkoły osobiście, inaczej go nie wypuszczą. Musiałam wydać takie dyspozycje, bo inaczej moja matka by go zabrała, żeby wydusić ze mnie pieniądze – wyjaśniła z goryczą. – Wie, ile zarabiam, i bardzo by chciała, żebym się z nią podzieliła. Ona i jej facet zrobiliby wszystko, żeby zdobyć pieniądze na narkotyki.

– A gdybym to ja zabrał Rory'ego po drodze i przywiózł do Nowego Jorku?

Tippy się zawahała.

– A... mógłbyś to zrobić?

– Jasne. Mogę im przefaksować swój dowód tożsamości. Zadzwonisz do szkoły i potwierdzisz. A Rory przecież mnie pozna.

– Będzie najszczęśliwszym człowiekiem na świecie – wyznała Tippy. – Odkąd spotkaliśmy cię w zeszłym miesiącu na premierze, przez cały czas mówi tylko o tobie.

– Ja też go polubiłem. Jest szczery.

– Uczę go, że szczerość jest najważniejszą cechą charakteru. Tyle nasłuchałam się kłamstw w życiu, że niczego nie cenię bardziej – dodała cicho.

– Rozumiem cię. Planowałem wyjechać stąd dziewiętnastego. Powiedz, jak mam dojechać do tej szkoły i podaj mi adres twojego mieszkania, i powiedz jeszcze, kiedy chcesz nas widzieć u siebie, a ja się zajmę całą resztą.

Widząc ożywienie Casha po rozmowie z Tippy, Judd popatrzył na niego z rozbawieniem.

– Rzadko się ostatnio uśmiechasz – zauważył. – Dobrze wiedzieć, że jeszcze nie zapomniałeś, jak się to robi.

– Brat Tippy jest w szkole wojskowej. Zabiorę go po drodze i zawiozę do Nowego Jorku.

– Czy ten samochód da radę przejechać taką odległość? – zdziwił się Judd.

Cash jeździł dużym czarnym pikapem, który, choć nie najbrzydszy, był pojazdem z tańszej półki i miał już sporo na liczniku.

Cash przez chwilę wahał się przed odpowiedzią.

– Mam samochód – wyznał w końcu. – Stoi w garażu w Houston. Rzadko go używam, ale trzymam na wszelki wypadek.

– Zaciekawiłeś mnie – stwierdził Judd. – Co to za samochód?

Cash wzruszył ramionami.

– Po prostu samochód. – Nie miał ochoty przyznawać się koledze do marki; czułby się zażenowany. Z nikim nie rozmawiał o stanie swoich finansów. – Nic takiego. Słuchaj, czy jesteś pewien, że dasz sobie tutaj radę sam?

– Przecież byłem Strażnikiem Teksasu...

– Tak, ale to jest naprawdę ciężka praca! – Cash uśmiechnął się szeroko i w samą porę zdążył usunąć się z linii ciosu.

– Poczekaj – odgrażał się Judd z chochlikami

w oczach. – Znajdę ci najbrzydszą sekretarkę po tej stronie rzeki Brazos!

– Wiem, że jesteś do tego zdolny – westchnął Cash. – W każdym razie poszukaj kogoś, kto nie byłby taki nadpobudliwy, dobrze?

– A właściwie co ją tak zdenerwowało?

– Miała mi za złe, że zabroniłem jej zaglądać do szafki z dokumentami. Nie chciałem jej mówić, że chwilowo umieściłem tam małego pytona, więc powiedziałem, że są to ściśle tajne akta dotyczące UFO.

– I wtedy właśnie wrzuciła ci na głowę kosz ze śmieciami – domyślił się Judd.

Cash jednak potrząsnął głową.

– Nie, to było później. Powiedziałem jej, że ta szafka celowo jest zamknięta na klucz i żeby trzymała się od niej z daleka. Potem wyszedłem porozmawiać z jednym z chłopaków z patrolu, a ona w tym czasie otworzyła szafkę pilniczkiem do paznokci. Gdy wyciągnęła szufladę, Mikey akurat wysunął się z klatki i siedział na teczkach z aktami. Dlatego wrzasnęła jak opętana. Pobiegłem do gabinetu zobaczyć, co się dzieje, a ta rzuciła we mnie kajdankami i oskarżyła, że specjalnie zastawiłem pułapkę w szafce, żeby zagrać jej na nerwach!

– A, to wyjaśnia ten wrzask... – Judd pokiwał

głową. – Mówiłem ci, że to nie jest dobry pomysł, żeby trzymać klatkę z Mikeyem w szafce z aktami.

– Wstawiłem ją tam tylko na jeden dzień. Bill Harris przyniósł mi go rano i nie miałem jeszcze czasu zabrać go do domu, więc schowałem do szafki, żeby nikt się nie wystraszył na jego widok. Przecież zabiorę go stąd jeszcze dzisiaj – tłumaczył Cash urażonym tonem. – Nie mogę go narażać na takie wstrząsy, bo dostanie nerwicy!

– Siostrzenica obecnego burmistrza boi się węży. No, no – zamyślił się Judd.

– Owszem, to się nie mieści w głowie – przyznał Cash.

– Mam nadzieję, że nie dałeś jej podstaw, żeby mogła nas zaskarżyć?

Cash potrząsnął głową.

– Wspomniałem tylko, że w drugiej szafce siedzi tato Mikeya, i zapytałem, czy jego też chciałaby poznać. Wtedy uciekła. – Uśmiechnął się z satysfakcją. – Gdy kogoś zwalniam, to miasto musi mu płacić zasiłek, ale jeśli sami odchodzą, to nie. Więc ja jej pomogłem odejść na własne życzenie.

– Ty draniu – wykrztusił Judd, powstrzymując śmiech.

– To nie moja wina. Za bardzo się we mnie podkochiwała. Zdawało jej się, że skoro wujek załatwił jej tę pracę, to wystarczy, że włoży mini, błyśnie biustem i ja już na nią polecę – wyjaśnił Cash z irytacją. – Może to ja powinienem ją zaskarżyć o molestowanie seksualne?

– Och, Ben Brady bardzo by się z tego ucieszył – skomentował Judd niewinnie.

– Mam już dość sekretarek, które ganiają mnie dokoła biurka.

– To nie są sekretarki, tylko asystentki do spraw administracyjnych – poprawił go zastępca.

– Och, daj mi spokój!

– Właśnie dlatego uważam, że powinieneś pojechać do Nowego Jorku.

– Ktoś musi się zająć zwierzakami.

– Przed wyjazdem możesz zanieść Mikeya z powrotem do Billa Harrisa. On nie będzie miał nic przeciwko temu. Przyda ci się mały urlop, mówię to zupełnie szczerze.

Cash z westchnieniem wbił ręce w kieszenie.

– Przynajmniej raz mogę się z tobą zgodzić. Ale jeśli jej wujek zadzwoni i zapyta, dlaczego odeszła...

– Ani słowem nie wspomnę o wężu. Powiem mu, że kosmici chodzą za tobą przez cały dzień i z tego powodu masz kłopoty z psychiką.

Cash rzucił mu ponure spojrzenie i wrócił do pracy.

Po południu następnego dnia Cash stanął przed komendantem Wojskowej Szkoły Cannae w Annapolis w stanie Maryland. Nazwa szkoły bardzo go rozbawiła; Cannae było łacińską nazwą miasteczka, gdzie armia potężnego Rzymu poniosła druzgocącą klęskę z rąk kartagińskiego wodza, Hannibala.

Komendant, Gareth Marist, był jego znajomym. Przed laty służyli w tej samej jednostce podczas operacji „Pustynna Burza" w Iraku. Uścisnęli sobie dłonie jak bracia, którymi w głębi duszy byli. Niewielu ludzi przeżyło to co oni, gdy znaleźli się na tyłach wroga. Maristowi udało się wtedy uciec; Cash nie miał tyle szczęścia.

– Rory opowiadał mi o tobie, zanim jeszcze zorientowałem się, kim jesteś – powiedział Gareth. – Siadaj, siadaj! Cieszę się, że znowu cię widzę. Zdaje się, że zostałeś stróżem prawa?

Cash skinął głową, zajmując miejsce na krześle. Mężczyzna siedzący po przeciwnej stronie biurka był mniej więcej w jego wieku, ale wyższy i zaczynał już łysieć.

– Jestem komendantem posterunku w małej mieścinie w Teksasie.

– Trudno jest odejść od militarnego stylu życia. – Gareth pokiwał głową. – Mnie się nie udało, więc znalazłem sobie miejsce tutaj, i bardzo się z tego cieszę. Kocham tę pracę, lepienie przyszłych żołnierzy. Ten mały Rory ma duży potencjał – dodał. – Jest bardzo inteligentny i nie boi się chłopaków dwa razy większych od siebie. Nawet ci najbardziej agresywni zostawiają go w spokoju – roześmiał się.

Cash też musiał się uśmiechnąć.

– Z całą pewnością mówi, co myśli, i nie owija w bawełnę, o tym już zdążyłem się przekonać.

– A ta jego siostra! – Gareth gwizdnął z podziwem. – Gdybym nie był szczęśliwym mężem z dwójką dzieciaków, to łaziłbym za nią na kolanach. To prawdziwa piękność, i widać, że kocha tego chłopaka. Gdy go tu przywiozła po raz pierwszy, był śmiertelnie przerażony. Mieli jakieś kłopoty z matką, ale poradziła sobie z tym. Pokazała mi dokumenty przyznające jej pełne prawo do opieki nad chłopcem i bardzo jasno wytłumaczyła, że nie wolno dopuścić do niego matki. Ojca zresztą też nie. – Zatrzymał baczne spojrzenie na twarzy Casha. – Pewnie nie wiesz dlaczego?

– Może wiem, ale nie zdradzam tajemnic.

– Pamiętam. – Gareth uśmiechnął się ze smutkiem. – Nigdy się nie złamałeś podczas tortur. Znałem tylko jednego faceta, któremu też się to udało. To był Brytyjczyk z SAS, specjalnych sił lotniczych.

– Był tam ze mną – rzekł Cash. – Twardy facet. Po ucieczce wrócił prosto do swojej jednostki, jakby nic się nie zdarzyło.

– Tak samo jak ty.

Cash nie miał ochoty o tym rozmawiać, toteż szybko zmienił temat.

– A jak Rory radzi sobie z nauką?

– Bardzo dobrze. Jest w czołówce klasy. Został oficerem. – Gareth się uśmiechnął. – Od razu można zauważyć tych, którzy mają zdolności przywódcze. To się ujawnia bardzo wcześnie.

– To prawda – zgodził się Cash i po namyśle zapytał: – Nie ma problemu z opłatami za szkołę?

Komendant westchnął.

– W tej chwili nie. Ale Tippy ma nieregularne dochody, rozumiesz, i zdarzało się, że musieliśmy jej przedłużać termin...

– Jeśli to się powtórzy w przyszłości, to czy mógłbyś mnie o tym powiadomić, nie wspominając o niczym Tippy? – Wyjął z portfela wizytówkę i położył ją na biurku przed komendantem. – Możesz mnie uważać za rodzinę Rory'ego.

Gareth się wahał.

– Grier, czesne tutaj jest bardzo wysokie. Z pensji policjanta...

– Wyjrzyj na parking i zobacz, czym tu przyjechałem.

– Tam stoi dużo samochodów – odrzekł Gareth, podchodząc do okna.

– Mój na pewno zauważysz.

Komendant dostrzegł na parkingu czerwonego jaguara, model robiony na zamówienie, i gwizdnął z podziwem.

– To twój? – zapytał, przenosząc niedowierzający wzrok na twarz kolegi.

Cash skinął głową.

– Zapłaciłem za niego gotówką – dodał z premedytacją.

Drugi mężczyzna westchnął.

– Szczęściarz z ciebie. A ja jeżdżę terenówką. Zdaje się, że służby specjalne dobrze płacą.

– Nie. Zanim tam trafiłem, zajmowałem się czymś innym. Ale o tym nie rozmawiam. Nigdy i z nikim.

– Przepraszam.

– Nie ma za co. To było dawno, ale jak widzisz, dobrze zainwestowałem pieniądze. – Cash się uśmiechnął. – Może zawołasz tu Rory'ego?

Komendant zrozumiał, że rozmowa dobiegła końca.

Rory, zarumieniony z podniecenia, wpadł bez tchu do gabinetu komendanta. Za nim podążało dwóch innych chłopców, ci jednak zatrzymali się za progiem i tylko zerkali do środka przez uchylone drzwi. Na widok Casha chłopiec uśmiechnął się szeroko.

– Dzień dobry! Jak to miło, że przyjechał pan po mnie! Z siostrą przeważnie jeżdżę pociągiem.

– Pojedziemy samochodem. – Cash uśmiechnął się z odrobiną rezerwy. – Nie cierpię pociągów.

– Och, ja je lubię, szczególnie wagon restauracyjny – oświadczył chłopak. – Ja jestem wiecznie głodny.

– Zjemy coś przed wyjazdem – obiecał mu Cash. – Jesteś gotów?

– Tak, proszę pana. Mam bagaż tutaj w korytarzu! Moja siostra przechodzi samą siebie – dodał radośnie. – Już trzy razy wysprzątała całe mieszkanie i wypolerowała wszystkie meble. Posprzątała nawet pokój gościnny, żeby miał pan się gdzie zatrzymać!

– Dziękuję, ale lubię być u siebie – odrzekł Cash swobodnie. – Zarezerwowałem sobie pokój w hotelu blisko waszego mieszkania.

Na te słowa komendant zaśmiał się cicho. Cash zawsze był formalistą. Nigdy w życiu nie spędziłby nocy w mieszkaniu samotnej kobiety, choćby wszyscy dokoła uważali, że nie ma w tym niczego złego.

– Moja siostra mówiła, że pewnie nie zechce

pan zatrzymać się u nas. – Rory pokiwał głową. – Ale zależało jej, żeby dobrze wypaść. Nawet nauczyła się gotować forszmak, bo Judd Dunn powiedział jej, że pan to lubi.

– To moja ulubiona potrawa – przyznał Cash z zaskoczeniem.

– Moja też. – Chłopak się uśmiechnął. – Cieszę się, że lubimy to samo!

– Czy mam coś podpisać? – zapytał Cash komendanta.

– Tak. Chodź, załatwimy formalności. Wesołych świąt, Danbury – rzucił przełożony w stronę chłopca.

Cash poczuł zaskoczenie. Sądził, że Rory nosi nazwisko Moore, tak jak jego siostra. Rory zauważył jego zdziwienie i się roześmiał.

– Tak naprawdę Tippy też nazywa się Danbury. Moore to nazwisko naszej babci. Tippy zaczęła go używać, gdy została modelką.

To było interesujące. Cash ciekaw był, co się kryło za tą zmianą, ale nie był to odpowiedni moment na zadawanie tego typu pytań. Podpisał dokumenty, uścisnął dłonie przyjaciołom Rory'ego, którzy wpatrywali się w niego z fascynacją, i zaprowadził chłopca na parking. Gdy przycisnął guzik i klapa bagażnika w czerwonym jaguarze podskoczyła do góry, Rory stanął jak wryty.

– To pana samochód?!

– Mój – potwierdził Cash z uśmiechem. Wrzucił torbę chłopca do bagażnika i zamknął klapę. – Wskakuj do środka i ruszamy.

– Tak jest! – zawołał chłopak, szaleńczo machając rękami w stronę przyjaciół, którzy stali jak zaczarowani przy drzwiach budynku, z nosami rozpłaszczonymi na szybie.

Cash zapalił silnik i jaguar wytoczył się na ulicę.

ROZDZIAŁ DRUGI

Najpierw podjechał do swojego hotelu i zameldował się w recepcji, a dopiero potem zawiózł Rory'ego do mieszkania Tippy na Manhattanie. Czekała na nich w drzwiach, uprzedzona przez dzwonek domofonu. W dżinsach i żółtym swetrze, ze złotorudymi włosami luźno opuszczonymi na plecy, sprawiała wrażenie zupełnie obcej osoby. W codziennym ubraniu, bez makijażu, w niczym nie przypominała pięknej, eleganckiej kobiety, którą Cash zapamiętał z premiery filmu miesiąc wcześniej.

– Wejdźcie – powiedziała szybko, z wyraźnym zdenerwowaniem. – Mam nadzieję, że obydwaj jesteście głodni. Przygotowałam stroganowa.

Ciemne brwi Casha powędrowały do góry.

– Moja ulubiona potrawa. Skąd wiedziałaś? – zapytał z błyskiem w oku.

Tippy odchrząknęła.

– Moja też – zaśmiał się Rory, przychodząc jej na ratunek. – Tippy zawsze to gotuje, gdy przyjeżdżam do domu!

– Aha, więc wszystko jasne. – Cash się uśmiechnął.

Tippy rozejrzała się i zapytała ze zdziwieniem:

– Nie masz żadnych bagaży? Przygotowałam pokój gościnny...

– Dziękuję, ale zatrzymałem się w hotelu Hilton w centrum – wyjaśnił z ciepłym uśmiechem. – Lubię mieć własną przestrzeń.

– Rozumiem – odrzekła niepewnie i pochyliła się, by uścisnąć brata. – Tak się cieszę, że jesteś w domu! Podobno zbierasz w szkole dobre stopnie.

– To prawda. – Skinął głową.

– A poza tym musiałeś za karę zostać po lekcjach – dodała Tippy.

Rory odchrząknął.

– Bo jeden starszy chłopak brzydko mnie nazwał.

– Jak? – zapytała siostra, krzyżując ręce na piersiach i patrząc mu prosto w twarz.

W oczach Rory'ego błysnęła złość.

– Nazwał mnie gnojem.

Zielone oczy Tippy zaiskrzyły.

– Mam nadzieję, że dostał porządnie w nos?

– Tak – odrzekł Rory z szerokim uśmiechem. – Teraz jest moim kolegą! – Zerknął z ukosa na

Casha, który przysłuchiwał się tej rozmowie z wyraźnym zainteresowaniem. – Nikt więcej nie miał odwagi mu się przeciwstawić, a on prześladował innych coraz bardziej. Uratowałem go przed okropną przyszłością!

Cash wybuchnął głośnym śmiechem.

– Spełniłeś dobry uczynek!

– Chodźmy do stołu – włączyła się Tippy, wsuwając włosy za uszy. – Nie jadłam jeszcze lunchu.

Weszli do małej, lecz przytulnej kuchni. Stół nakryty był haftowanym obrusem, na którym stały kolorowe talerze, a obok leżały srebrne sztućce. Tippy wyjęła z lodówki dzbanek z mlekiem i napełniła dwie kryształowe szklanki.

– Masz jeszcze jedną szklankę? – zapytał Cash. – Ja też lubię mleko.

Tippy zatrzymała zdziwiony wzrok na jego twarzy.

– Zamierzałam zaproponować ci whisky...

Na twarzy Casha pojawiło się napięcie.

– Nie piję alkoholu. Nigdy.

– Och – mruknęła z zażenowaniem.

Odkąd Cash przekroczył próg jej domu, nie udało jej się powiedzieć ani jednej właściwej rzeczy. Czuła się jak idiotka. Co za dziwny mężczyzna. Wyjęła z szafki trzecią szklankę i napełniła ją mlekiem po same brzegi.

Cash poczekał, aż Tippy zajmie swoje miejsce, i dopiero wtedy usiadł przy stole.

– Widzisz? – Spojrzała na Rory'ego. – Dobre maniery nie bolą. Twoja matka musiała być czarującą kobietą – dodała, zwracając się do Casha.

Upił łyk mleka i dopiero wtedy odpowiedział krótko:

– Tak, była czarująca.

Nie dodał nic więcej. Tippy przełknęła ślinę, myśląc, że jeśli gość przez cały czas będzie tak małomówny, wieczór stanie się torturą. Przypomniała sobie, co powiedziała jej kiedyś Christabel Gaines: rodzice Casha rozwiedli się z powodu jakiejś modelki. Widocznie pozostał mu po tym bolesny uraz.

– Rory, zmów modlitwę – wymamrotała szybko, po raz kolejny zadziwiając Casha.

Cała trójka pochyliła głowy. Po chwili Tippy podniosła swoją i zerknęła na gościa z błyskiem w oczach.

– Tradycje są bardzo ważne. A my z Rorym nie wynieśliśmy z domu żadnych tradycji, więc postanowiłam sama je wprowadzić. To właśnie jedna z nich.

– A jakie są inne? – zapytał Cash, sięgając po naczynie ze stroganowem.

Nieśmiały uśmiech odmłodził jej twarz. Oprócz szminki na ustach nie miała makijażu. Jej włosy luźno opadały na ramiona.

– Co roku dodajemy nową ozdobę na choinkę i wieszamy na niej kiszony ogórek.

Widelec Casha zatrzymał się w drodze do ust.
– Co wieszacie?
– Kiszony ogórek – potwierdził Rory. – To taki niemiecki zwyczaj, ma przynosić szczęście. Nasz dziadek ze strony mamy był Niemcem. A jakie ty masz pochodzenie?
– Chyba marsjańskie – odrzekł poważnie.
Tippy uniosła brwi.
– Akurat – zachichotał chłopiec.
Cash uśmiechnął się do niego.
– Matka mojej matki pochodziła z Andaluzji w Hiszpanii. A ze strony ojca miałem wśród przodków Szwajcarów oraz Indian Cherokee.
– Niezła kombinacja – zauważyła Tippy, przyglądając mu się uważniej.
Odpowiedział jej tym samym.
– A wy musieliście mieć wśród przodków Irlandczyków albo Szkotów – rzekł z wyraźną aluzją do koloru jej włosów.
– Chyba tak – zgodziła się, omijając wzrokiem jego twarz.
– Nasza mama jest ruda – wtrącił Rory. – To jest prawdziwy kolor włosów Tippy, chociaż dużo ludzi uważa, że je farbuje.
Tippy sięgnęła po szklankę z mlekiem, ale nic nie odpowiedziała.
– Ja miałem ochotę ufarbować się na fioletowo,

ale kuzyn, który wcześniej był moim szefem, stwierdził, że to by obrażało ludzi – westchnął Cash. – A do tego jeszcze kazał mi zdjąć kolczyk – dodał z niesmakiem.

Tippy omal nie zakrztusiła się mlekiem.

– Nosiłeś kolczyk?! – zawołał Rory z zachwytem.

– Takie zwykłe złote kółko. Pracowałem wtedy dla rządu, a mój szef był tak poprawny politycznie, że nosił nawet znaczek, na którym wypisane były przeprosiny za to, że rozdeptuje bakterie. Naprawdę tak było. – Pokiwał głową.

Tippy śmiała się tak, że musiała otrzeć łzy z oczu. Już dawno nikt jej tak nie rozbawił. Rozmowa zaczęła nabierać rumieńców.

– Ona nigdy się nie śmieje – zauważył Rory. – A już szczególnie na planie. Nienawidzi fotografów, bo kiedyś jeden kazał jej siedzieć na kamieniu w bikini i mewa ją dziobnęła.

– To głupie ptaszysko zaatakowało mnie pięć razy! – wykrzyknęła Tippy z oburzeniem. – A na koniec wyrwało mi pęk włosów z głowy!

– Opowiedz jeszcze, co gołębie zrobiły ci we Włoszech – podsunął Rory.

Jego siostra wzdrygnęła się z niechęcią.

– Przez cały czas próbuję o tym zapomnieć. A kiedyś lubiłam gołębie...

– Ja je uwielbiam – oznajmił Cash z szerokim uśmiechem. – Jeśli nigdy nie jadłaś gołębia w cieście, smażonego na oliwie z oliwek, to nic o nich nie wiesz.

– Ty barbarzyńco!

– Nie mów tak. Nie ograniczam się przecież do gołębi, jadam również węże i jaszczurki.

Rory tarzał się po podłodze ze śmiechu.

– Boże, Cash, to będą najweselsze święta w moim życiu!

Tippy również była tego zdania. Mężczyzna siedzący naprzeciwko niej w niczym nie przypominał nieżyczliwego, niesympatycznego przedstawiciela prawa, którego poznała podczas zdjęć w Jacobsville. Wszyscy uważali Casha Griera za tajemniczego, niebezpiecznego człowieka. Nikt jej nie powiedział, że ma on niesłychane poczucie humoru.

Widząc jej zmieszanie, Cash pochylił się do Rory'ego i oznajmił donośnym szeptem:

– Twoja siostra nie wie, co ma o mnie myśleć. W Teksasie słyszała, że pilnuję wojskowych tajemnic dotyczących latających spodków. Trzymam je zamknięte w szafce.

– Nie, słyszałam, że chodzi o kosmitów – wymamrotała Tippy z kamienną twarzą.

– Nie trzymam kosmitów w szafce na dokumenty – sprostował Cash z urazą w głosie, choć w jego oczach pojawiły się wesołe iskierki. – Kosmitów przechowuję w domu, w szafie na ubrania.

– A ja myślałam, że to aktorom odbija – wykrztusiła Tippy między salwami śmiechu.

Po lunchu Cash oznajmił, że zabiera ich do parku. Tippy przebrała się w szmaragdowy kostium i zaplotła włosy w warkocz.

Jej mieszkanie leżało przy spokojnej, zadrzewionej uliczce w przejściowej okolicy między dość niebezpiecznym rejonem miasta a dzielnicą zamieszkaną przez klasę średnią. Widać było, że prowadzone są tu liczne inwestycje. Do dwupoziomowego mieszkania Tippy prowadziły kamienne schodki z ręcznie kutą żelazną poręczą.

U szczytu kariery modelki praktycznie spała na pieniądzach i przez krótki okres mogła sobie pozwolić na mieszkanie w okolicy Park Avenue. Ale po roku przerwy w pracy oferty pojawiały się już tylko sporadycznie i musiała zacząć oszczędzać. Przeprowadziła się tutaj tuż przed rozpoczęciem zdjęć do filmu kręconego w Jacobsville. Ten film nieoczekiwanie nadał nowy impet jej karierze i teraz już byłoby ją stać na lepsze mieszkanie, ale przywiązała się do sąsiadów i do cichej uliczki. Tuż za rogiem miała księgarnię i sklep spożywczy, a także małą rodzinną kawiarnię, gdzie podawano najlepszą kawę w okolicy. Wiosną było tu pięknie. Teraz, w zimie, drzewa straszyły nagimi gałęziami; całe miasto wydawało się szare i zimne.

Czerwony jaguar Casha stał zaparkowany tuż przy schodkach. Na jego widok Tippy stanęła jak wryta, ale nie skomentowała go ani słowem. Rory wskoczył na tylne siedzenie; Tippy zajęła miejsce z przodu.

– Myślałem, że w Central Parku jest niebezpiecznie – zdziwił się chłopiec po kilku minutach, gdy szli już chodnikiem, podziwiając czekające na pasażerów dorożki. – I czy można tutaj parkować? – zapytał, spoglądając przez ramię na jaguara stojącego przy krawężniku.

Cash wzruszył ramionami.

– Central Park teraz jest znacznie bezpieczniejszy niż kiedyś. A moim samochodem może się przejechać każdy, kto poradzi sobie z grzechotnikiem.

– Z czym? – przeraziła się Tippy, nerwowo rozglądając się dokoła.

Cash rzucił jej uspokajający uśmiech.

– Z moim alarmem. Tak go nazywam. Mam elektroniczny system monitorowania zainstalowany gdzieś pod maską. Jeśli ktokolwiek spróbuje uruchomić samochód bez kluczyka albo go ukradnie, policja znajdzie go najdalej po dziesięciu minutach. Nawet tutaj, w Nowym Jorku – dodał z lekką kpiną.

– To nic dziwnego, że się nie boisz – zauważył Rory. – Ten samochód jest naprawdę super – dodał z nostalgią w głosie.

– To prawda. – Skinęła głową jego siostra. – Mam prawo jazdy, ale w tym mieście posiadanie samochodu nie jest praktycznym pomysłem. – Wskazała na tabuny taksówek przesuwające się ulicami. – Gdy pracowałam jako modelka, przeważnie szkoda mi było czasu na szukanie miejsca do parkowania. Zawsze tych miejsc brakuje. Gdy się śpieszysz, szybciej jest pojechać taksówką lub metrem.

– Racja – zgodził się Cash, patrząc na nią z przyjemnością. Brak makijażu podkreślał tylko świeżość jej urody. – A gdzie teraz kręcisz?

– Większość zdjęć odbywa się tutaj, w mieście. To komedia z wątkiem szpiegowskim. W jednej scenie szamoczę się z agentem obcego wywiadu, a w następnej uciekam przed uzbrojonym napastnikiem. – Skrzywiła się zabawnie. – Zdjęcia dopiero się zaczęły, a już cała jestem w siniakach po przećwiczeniu tych scen. I muszę się nauczyć aikido!

– To bardzo pożyteczna sztuka walki – pocieszył ją Cash. – Jedna z pierwszych, jakie poznałem.

– A ile ich znasz? – zapytał natychmiast Rory.

Cash wzruszył ramionami.

– Karate, taekwondo, hapkido, kung fu, i jeszcze kilka innych, mniej znanych. Nigdy nie wiadomo, kiedy i do czego te umiejętności mogą się przydać. Na pewno są pożyteczne w pracy policjanta, szczególnie teraz, gdy już nie tkwię całymi dniami za biurkiem.

– Judd mówił, że pracowałeś w Houston w biurze prokuratora okręgowego – zauważyła Tippy.

Cash skinął głową.

– Byłem specjalistą od cyberprzestępczości. Ale ta praca nie była zbyt ciekawa. Nie lubię zajęć rutynowych i zbyt przewidywalnych.

– A co dokładnie robisz w Jacobsville? – dopytywał się Rory.

– Uciekam przed sekretarkami. – Roześmiał się. – Tuż przedtem, zanim zadzwoniłem do twojej siostry i zapowiedziałem się z wizytą, ostatnia z moich sekretarek zrezygnowała z pracy, a wcześniej wyrzuciła mi na głowę zawartość kosza ze śmieciami. – Wykrzywił komicznie twarz i przesunął dłonią po głowie. – Ciągle jeszcze znajduję we włosach fusy z kawy.

Tippy zatrzymała się w miejscu i przyjrzała mu się szeroko otwartymi oczami. Nie mogła uwierzyć, że Cash mówi prawdę; pamiętała przecież, jak gładko poradził sobie z asystentem reżysera jej pierwszego filmu, który próbował jej co chwilę dotykać.

– Naprawdę? – wykrztusił Rory, zanosząc się śmiechem.

– Nie nadawała się do pracy w policji – westchnął. – Nie potrafiła jednocześnie rozmawiać przez telefon i pisać na komputerze, więc prawie nic nie pisała.

– A dlaczego... – zaczęła Tippy.

– Dlaczego wysypała mi śmieci na głowę? – dokończył za nią. – Nie mam pojęcia! Mówiłem jej, żeby nie próbowała otwierać szafki z dokumentami, ale nie posłuchała mnie. Czy to moja wina, że Mikey, mój pytonek, wyskoczył na nią z szuflady? Przestraszyła go, a on jest bardzo nerwowy!

Teraz już obydwoje, brat i siostra, zatrzymali się pośrodku chodnika i wlepili oczy w jego twarz.

– To dziwne, ale niektórzy ludzie okropnie się denerwują na widok węża – westchnął Cash filozoficznie.

– Masz pytona, który nazywa się Mikey?! – wykrzyknęła Tippy.

– Cag Hart miał pytona albinosa. Po swoim ślubie zaniósł go do rozmnożenia. Partnerka pytona powiła cały miot ślicznych małych pytoników. Wziąłem jednego, ale nie miałem czasu, żeby od razu zanieść go do domu, więc tymczasowo włożyłem do szafki z aktami. Siedział w małym plastikowym akwarium, miał tam wodę i patyk, po którym mógł się wspinać. I wszystko byłoby w porządku, gdyby moja sekretarka się tam nie włamała. Niestety, Mikey uciekł z akwarium i siedział na teczkach w szufladzie z aktami.

– I co ona zrobiła? – zapytał Rory z wielką ciekawością.

Cash skrzywił się boleśnie.

– Śmiertelnie wystraszyła to biedne zwierzątko – wymamrotał. – Jestem pewien, że będzie miał problemy z psychiką już do końca...

– Ale potem! – przerwał mu chłopiec niecierpliwie.

Brwi Casha podjechały do góry.

– To znaczy po tym, jak już wrzasnęła ile sił w płucach i rzuciła we mnie zapasowymi kajdankami?

Tippy patrzyła na niego w milczeniu, mrugając powiekami.

– Właśnie wtedy wysypała mi na głowę śmieci z kosza. Ale warto było się poświęcić. Nosiła kolczastą fryzurę, czarną szminkę, czarny lakier na paznokciach i srebrne kolczyki chyba na całym ciele. Mikey powoli wydobywa się z szoku. Teraz mieszka u mnie w domu.

Tippy śmiała się tak bardzo, że nie mogła wykrztusić ani słowa. Jej brat potrząsnął głową.

– Ja kiedyś też prawie miałem węża.

– I co się z nim stało? – zainteresował się Cash.

Chłopak westchnął i wskazał na siostrę.

– Ona nie pozwoliła mi wyjść z nim ze sklepu zoologicznego.

– Hm, widocznie nie lubi węży – przeciągnął, zerkając na nią spod oka.

– To nie dlatego, że się go bałam – pośpiesznie wyjaśniła dziewczyna – tylko dlatego, że Rory nie mógłby zabrać go ze sobą do szkoły, a ja za mało czasu spędzam w domu, żeby zajmować się zwierzakiem. Ale jeśli naprawdę potrzebna ci sekretarka, to jak tylko skończę ten film, mogę sobie założyć kolczyk w nosie i ułożyć włosy w kolce.

Cash błysnął w uśmiechu białymi zębami.

– Sam nie wiem. A czy potrafisz jednocześnie pisać i żuć gumę?

– Ona nawet nie ma pojęcia, jak się włącza komputer. I naprawdę boi się węży... – wsypał ją brat.

– Ani słowa więcej – wymamrotała Tippy ostrzegawczo. – I nie daj mu się przekupić! Chyba że chcesz, żebym opowiedziała mu o twoich największych słabościach...

Rory uniósł obie ręce do góry w geście kapitulacji.

– Przepraszam. Bardzo cię przepraszam. Serio!

Tippy wydęła usta.

– No dobrze.

– Popatrzcie, kobziarz! Dasz mi dwudziestkę? – ożywił się chłopak, wskazując mężczyznę w kilcie i z kobzą na plecach, stojącego przy drzwiach hotelu. Usłyszeli melodię „Amazing Grace".

Tippy wyciągnęła z plecaczka banknot i podała bratu.

– Idź. Poczekamy na ciebie – rzekła pobłażliwie.

– Dobrze gra – zauważył Cash.

– Rory chciał mieć kobzę, ale wątpię, żeby komendant pozwolił mu ćwiczyć grę w internacie.

– Zgadzam się. Czy ten kobziarz często się tu pojawia?

– Chodzi po całej okolicy. To jeden z sympatyczniejszych włóczęgów. Oczywiście jest bezdomny. Zawsze daję mu jakieś pieniądze, żeby mógł sobie kupić koc czy coś ciepłego do picia. Wielu ludzi traktuje go z sympatią. Ma talent, prawda?

– Tak. Wiesz o nim coś więcej?

– Niewiele. Podobno cała jego rodzina nie żyje, ale nie wiem, jak to się stało... ani kiedy. On nie mówi zbyt wiele – wyjaśniła, patrząc, jak Rory podaje mężczyźnie banknot. Kobziarz na chwilę przestał grać i podziękował lekkim uśmiechem. – Nowy Jork jest pełen bezdomnych. Większość z nich ma jakiś talent i znajduje sposób, żeby trochę zarobić. Widuje się ich, jak śpią w kartonowych pudłach i przeszukują kontenery na śmieci. A podobno jesteśmy najbogatszym krajem na świecie. – Potrząsnęła głową.

– Nie uwierzyłabyś, gdybyś zobaczyła, jak ludzie potrafią żyć w krajach Trzeciego Świata – zauważył Cash.

Podniosła na niego wzrok.

– Miałam kiedyś sesję fotograficzną na Jamajce, w pobliżu Montenegro Bay. Na wzgórzu stał pięciogwiazdkowy hotel z papugami w klatkach, olbrzymim basenem i wszelkimi możliwymi udogodnieniami. A pod wzgórzem, o kilkaset metrów dalej, była sobie mała wioska z domkami z zardzewiałej blachy stojącymi w błocie. I tam naprawdę mieszkali ludzie.

Oczy Casha pociemniały. Powoli pokiwał głową.

– Byłem na Bliskim Wschodzie. Wielu ludzi mieszka tam w domach bez prądu, bez wody bieżącej i bez żadnych wygód. Sami robią sobie ubrania, a podróżują wózkami ciągniętymi przez osły. Na widok naszego standardu życia odebrałoby im mowę.

– Nie miałam pojęcia – wymamrotała Tippy, zmieszana.

– Ale wszędzie przyjmowano mnie bardzo serdecznie. Nawet najuboższe rodziny chętnie dzieliły się ze mną wszystkim, co miały. To są dobrzy ludzie. Dobrzy i uczciwi. Ale lepiej nie być ich wrogiem.

Tippy zatrzymała wzrok na bliznach widocznych na jego twarzy.

– Komendant Rory'ego mówił, że byłeś torturowany – powiedziała cicho.

Skinął głową i odnalazł jej wzrok.

– Nie rozmawiam o tym. Po tylu latach nadal miewam koszmary.

– Ja też mam koszmary – powiedziała tonem bez wyrazu.

Przyjrzał jej się uważnie, coraz bardziej ciekaw, co kryje się pod powierzchnią.

– Przez dłuższy czas mieszkałaś ze starszym aktorem, który był znany jako najbardziej rozwiązły człowiek w Hollywood – powiedział śmiało.

Tippy poszukała wzrokiem Rory'ego. Siedział na ławce i słuchał kobziarza. Złożyła ręce na piersiach i opuściła głowę.

Cash stanął tuż przed nią.

– Powiedz mi – powiedział cicho.

Poraziła ją intensywność jego spojrzenia. Wzięła głęboki oddech i rzuciła się na głęboką wodę.

– Uciekłam z domu, gdy miałam dwanaście lat. Miałam trafić do rodziny zastępczej i bardzo się bałam, że matce uda się zabrać mnie stamtąd. Z zemsty za to, że zadzwoniłam na policję i doniosłam na nią i na ojczyma po tym, jak... – urwała.

– Mów.

– Zgwałcił mnie wielokrotnie – wyznała, nie patrząc na niego. – Nawet gdybym miała przymierać głodem, nie wróciłabym do domu. Poszłam na ulicę w Atlancie, bo nie miałam innego sposobu, żeby zarobić na jedzenie. – Twarz jej ściągnęła się mocno.

Twarz Casha była jak wykuta z kamienia. Nie był zaskoczony. Podejrzewał coś takiego na podstawie tych strzępków informacji o jej życiu, do jakich udało mu się dotrzeć wcześniej.

– Pierwszy mężczyzna, który mnie zaczepił, był bardzo przystojny – mówiła cicho. – Chciał mnie zabrać do domu. Byłam głodna, przemarznięta i śmiertelnie przerażona. Nie chciałam z nim iść. Ale miał dobre oczy... – Przymknęła oczy i przełknęła ślinę. – Zabrał mnie do hotelu. Miał wielki, królewski apartament. Śmiał się ze mnie, kiedy zobaczył, jaka jestem zdenerwowana. Obiecał, że nie zrobi mi nic złego, że chce mi tylko pomóc. A ja tak się bałam, że wylałam sobie na bluzkę szklankę wody – uśmiechnęła się. – Do końca życia nie zapomnę wyrazu jego twarzy. Nie byłam jakoś szczególnie dobrze rozwinięta fizycznie, ale ta mokra koszula... – Dopiero teraz podniosła wzrok na jego twarz. – Ale, oczywiście, on nie interesował się mną od tej strony...

– Cullen Cannon, wielki kochanek o międzynarodowej renomie, był gejem? – zapytał Cash ze zdumieniem.

Dziewczyna skinęła głową.

– Tak. Ale ukrywał to z pomocą swoich przyjaciółek. Był dobrym człowiekiem – dodała ze smutkiem. – Chciałam sobie pójść, ale nie pozwolił mi. Powiedział, że czuje się samotny. Rodzina wyrzekła się go i nie miał nikogo bliskiego. Więc zostałam. Kupował mi ubrania, zapisał mnie do szkoły, bronił przed moją przeszłością. Postarał się o to, by matka mnie nie znalazła. Kochałam go. Zrobiłabym dla niego wszystko. Ale on chciał tylko opiekować się mną. Może już później, gdy zapisał mnie do szkoły modelek w Nowym Jorku, odpowiadało mu to, że wszyscy wiedzą, że mieszka z nim młoda, ładna kobieta. Nie wiem. Ale zostałam z nim aż do jego śmierci.

– Gazety pisały, że zmarł na serce.

Potrząsnęła głową.

– To był AIDS. Na koniec biologiczne dzieci przyjechały go odwiedzić i udało im się pogrzebać przeszłość. Na początku byli do mnie uprzedzeni, podejrzewali, że próbuję się dobrać do jego pieniędzy. Ale w końcu chyba zrozumieli, że naprawdę jest mi bliski. Gdy zmarł, chcieli mi oddać jego mieszkanie i założyć rachunek powierniczy z pieniędzy, które odziedziczyli, ale odmówiłam. Widzisz, pielęgnowałam go przez ostatni rok jego życia.

– To dlatego miałaś rok przerwy w pracy modelki? To było przed tym, zanim dostałaś pierwszą propozycję filmową, tak? Gazety pisały, że miałaś wypadek i przechodzisz rekonwalescencję – przypomniał sobie Cash.

Pochlebiło jej to, że wiedział o niej tak wiele, choć w Jacobsville odnosiła wrażenie, że jej nie cierpi.

– Tak. On nie chciał, żeby ktokolwiek dowiedział się prawdy. Nawet wtedy.

– Biedny facet.

– Nigdy nie znałam lepszego człowieka – rzekła ze smutkiem. – Często noszę kwiaty na jego grób. Ocalił mnie.

– A co się stało z tym mężczyzną, który cię gwałcił? – zapytał Cash wprost.

Tippy spojrzała na brata, który teraz rozmawiał z kobziarzem.

– Moja matka twierdzi, że to on jest ojcem Rory'ego – przyznała niechętnie.

– A ty kochasz Rory'ego – zauważył Cash spokojnie.

Zwróciła się twarzą w jego stronę.

– Z całego serca. Moja matka nadal jest z Samem. Schodzą się i rozchodzą, ale nigdy się nie rozstali na dobre. Obydwoje są narkomanami. Biją się. On ją bije, a ona dzwoni na policję, ale zawsze potem wraca do niego.

– A jak to się stało, że Rory znalazł się pod twoją opieką?

– Ten sam policjant, który pomógł mi ostatniego dnia, gdy byłam w domu, gdy Sam mnie zgwałcił, zadzwonił do mnie, gdy Rory miał cztery lata. Mieszkałam wtedy z Cullenem. On był bogaty i miał wpływy. Rory znalazł się w szpitalu, bo ojciec ciężko go pobił. Cullen pojechał tam ze mną. Oczarował moją matkę – dodała chłodno. – I gdy Rory wyszedł ze szpitala, przywieźli go prosto do naszego hotelu. Liczyli na pieniądze. Cullen zaproponował, że może go kupić. I matka go sprzedała – dodała Tippy lodowatym tonem. – Za pięćdziesiąt tysięcy dolarów.

– Boże – westchnął Cash. – A ja myślałem, że nic mnie już w życiu nie zdziwi.

– Od tamtej pory Rory mieszka ze mną. Traktuję go jak własne dziecko.

– A ty sama nigdy nie byłaś w ciąży...?

Potrząsnęła głową.

– Późno dojrzewałam. Pierwszą miesiączkę miałam dopiero w wieku piętnastu lat. Miałam szczęście, prawda? – Odgarnęła do tyłu pasma rudych włosów. – Wielkie szczęście.

– Ale twoja matka teraz chce odzyskać Rory'ego?

– Te pieniądze skończyły się jej już dawno.

Teraz musi pracować w sklepie spożywczym i wcale jej się to nie podoba. Sam pracuje wtedy, gdy najdzie go ochota, i zdaje się, że wyłącznie na czarno. Mój prawnik zapłacił matce w zeszłym roku, gdy zaczęła grozić, że opowie brukowcom o tym, jak nieludzko ją traktuję – prychnęła. – Bogata gwiazda pozwala, by jej matka żyła w ubóstwie, podczas gdy sama rozbija się limuzynami, wyrecytowała z cynicznym uśmiechem. – Łapiesz klimat?

– W pełnych barwach – zgodził się.

– Więc teraz uznała, że chce odzyskać Rory'ego. Wysłała jego ojca do szkoły, żeby próbował go stamtąd zabrać. Rory opowiedział komendantowi, co ojciec mu zrobił, i mnie też, i komendant wezwał policję. Ten szczur uciekł stamtąd, zanim policja przyjechała.

– Brawo dla komendanta.

– Ale obawiam się porwania. Oni dobrze wiedzą, że w takiej sytuacji zapłaciłabym każde pieniądze, żeby odzyskać Rory'ego. Kiepsko sypiam ostatnio – westchnęła. – Kuzyn ojca Rory'ego mieszka niedaleko mnie, w podejrzanej dzielnicy. Są w dobrych stosunkach. A ten kuzyn maczał już palce w wielu ciemnych sprawkach.

Umysł Casha pracował na zwiększonych obrotach.

– A jakie są uczucia Rory'ego do matki i ojca?

– Nienawidzi matki i nie wie o tym, że Sam Stanton jest jego prawdziwym ojcem.

– Nie powiedziałaś mu? – zdziwił się Cash.

– Nie miałam serca tego zrobić. Sam bił go okropnie. Psycholog powiedział, że uraz psychiczny zostanie mu do końca życia.

– A co powiedział o tobie?

– Ja przeszłam już tyle, że czuję się silna. Od czasu do czasu bywa gorzej. Ale w zasadzie jestem twarda – mruknęła.

– Chyba jednak nie jesteś aż tak twarda. Ale w moim towarzystwie masz szansę stwardnieć jeszcze bardziej.

Spojrzała na niego z prowokującym uśmiechem.

– Naprawdę?

– To zależy od ciebie. – Wzruszył ramionami. – Mam swoje dziwactwa.

– Ja też. I do tego jeszcze trochę lęków.

Wsunął ręce w kieszenie i przypatrywał się jej na tle muzyki nowojorskich ulic.

– Nie lubię się wiązać. Nie chcę ci niczego obiecywać. Chcę się z tobą widywać, dopóki tu jestem. Kropka.

– Nie lubisz owijać w bawełnę.

Skinął głową. Tippy poszukała jego spojrzenia.

– Nie czuję do ciebie niechęci – przyznała wprost. – To dla mnie coś nowego. Ale ja też jestem mocno poraniona. W towarzystwie mężczyzn potrafię zachowywać się uwodzicielsko, ale to tylko pozory. Nigdy nie byłam z nikim w łóżku za obopólną zgodą.

Cash gwizdnął.

– To wielkie obciążenie dla mężczyzny.

Skinęła głową. Na jego twarz powoli wypełzł uśmiech.

– To znaczy, że masz braki w podstawach. Musimy je uzupełnić.

– Nie myślałam o tym w ten sposób – roześmiała się.

– Będziemy to przerabiać powoli – zapewnił ją i zwrócił się do Rory'ego, który właśnie pojawił się obok nich: – Sporo czasu ci to zajęło.

– Pytał mnie o szkołę. Wiecie co? On walczył w Wietnamie. To smutne, że tak skończył.

Cash przyjrzał się mężczyźnie z nowym zainteresowaniem. Kobziarz podniósł rękę i pomachał im, a potem wrócił do grania.

– Zbyt wielu weteranów kończy w ten sposób – stwierdził Cash cicho.

– Ale nie ty – rzekł chłopiec z dumą.

Cash z uśmiechem pogładził go po głowie.

– Nie, ja nie. Może wybierzemy się pod Statuę Wolności? Jest zamknięta, więc nie wejdziemy na górę, ale możemy obejrzeć ją z zewnątrz. Chcecie?

– Prowadź, wodzu! – wykrzyknął Rory.

Cash ujął Tippy za rękę i splótł palce z jej palcami. Jej dłonie były chłodne i drżały. Poczuł, jak przepływa między nimi iskra elektryczna. Tippy głośno wciągnęła oddech i spojrzała na niego rozszerzonymi ze zdziwienia oczami. Miała wrażenie, jakby ziemia pod jej stopami zaczęła się kołysać; to było fantastyczne uczucie!

– Lekcja pierwsza, strona pierwsza. Trzymanie za ręce – wymruczał, korzystając z tego, że Rory właśnie zatrzymał się przed wystawą jakiegoś sklepu.

Zaśmiała się cicho.

ROZDZIAŁ TRZECI

Dzień spędzony w towarzystwie Casha uznała później za jeden z najpiękniejszych w całym swoim życiu. Cash znał Nowy Jork na wylot i chętnie opowiadał im obydwojgu różne mało znane ciekawostki.

– Skąd wiesz tyle o tym mieście? – zapytał Rory wieczorem, już po powrocie do mieszkania Tippy.

– Mój najlepszy kolega z wojska pochodził z Nowego Jorku. Był prawdziwą kopalnią informacji.

– Ja mam przyjaciółkę, która wie wszystko o Nassau. – Tippy się roześmiała. – To modelka. Teraz wyjechała do pracy w Rosji.

– A co prezentuje?

Tippy zerknęła na niego spod oka.

– Kostiumy kąpielowe!

– Chyba żartujesz!

– Naprawdę! Siły wyższe uznały, że sesja z Kremlem w tle w futrzanych butach i czapie będzie bardzo sexy.

– Tutaj pewnie obdarto by ją ze skóry za te futra.

– Futro jest sztuczne. – Tippy się uśmiechnęła. – Ale bardzo drogie, wygląda zupełnie jak prawdziwe.

– Cash, chcesz kanapkę?! – zawołał Rory z kuchni.

– Nie, dziękuję. Wracam do swojego hotelu. To był bardzo miły dzień – dodał z uśmiechem.

– Ja też tak myślę – przyświadczył chłopiec gorąco. – A jutro też przyjdziesz?

– No właśnie? – podchwyciła Tippy. – Przyjdziesz?

– Dlaczego nie... – Uśmiechnął się. – Jeśli chcecie, to możemy się wybrać do muzeum.

– Uwielbiam muzea! – ucieszył się Rory.

– W porządku, jeśli tylko nie będę musiała pozować tam do zdjęć – westchnęła jego siostra. – Mam uraz od czasu, gdy musiałam przez cztery godziny stać pod rzeźbą Rodina z jedną nogą w powietrzu i plecami odchylonymi do tyłu.

– Czy to ta rzeźba, o której myślę? – zapytał Cash i roześmiał się cicho na widok jej rumieńca.

– Na pewno myślisz o jakiejś rzeźbie przedstawiającej ludzi w kompletnym ubraniu.

– Nic z tego. – Potrząsnął głową. – O której wstajecie w wolne dni?

– O ósmej – rzekł Rory, a jego siostra skinęła głową.

– Nie należymy do nocnych marków. Jedno z nas przywykło do wojskowego trybu życia, gdzie dzień zaczyna się o świcie, a drugie też musi wstawać przed świtem, żeby zdążyć na plan zdjęciowy.

– W takim razie o ósmej. Znam dobrą piekarnię. Mają tam bułeczki cynamonowe, drożdżówki z migdałami, pączki z nadzieniem...

– Mnie nie wolno jeść słodyczy – oznajmił Rory ze smutkiem i wskazał na siostrę. – Ona w ogóle nie ma silnej woli. Rzuca się na wszystko, co słodkie.

– To prawda! – Tippy się roześmiała. – Większa część życia schodzi mi na walce z nadwagą. Na śniadanie jemy jajka na bekonie. Samo białko. Żadnego pieczywa.

– Zupełnie jak na unitarce – wymamrotał i westchnął. – No dobrze. W takim razie czy możemy zjeść śniadanie u was? Ale zaparzysz kawę – dodał surowo. – Nie zjem śniadania bez kawy, nawet gdybym miał ją przynieść z automatu.

– W styropianowym kubku?

– Ze styropianowym kubkiem w ręku wyglądam bardzo atrakcyjnie – uśmiechnął się.

Już od dawna nie uśmiechał się tak szczerze do żadnej kobiety.

No, może poza Christabel Gaines; ta jednak, jako żona przyjaciela, nie liczyła się w konkurencji.

– Muszę zjeść kanapkę, zanim pójdę spać – oznajmił Rory. – Dobranoc, Cash! Do jutra!

– Do jutra! – odkrzyknął w stronę kuchni i pociągnął Tippy za rękę do drzwi wyjściowych. – Jeśli masz ochotę, to mogę sprawdzić, czy jest jakaś godna uwagi opera albo balet...

– Uwielbiam jedno i drugie! – ucieszyła się.

– A orkiestry symfoniczne? – sondował; Tippy nadal entuzjastycznie kiwała głową.

– Zdaje się, że będę musiał wyciągnąć garnitur. Chyba nie umrę od tego – skrzywił się komicznie.

– O ile pamiętam, w Houston zabrałeś Christabel Gaines na balet – przypomniała mu z odcieniem zazdrości w głosie. Zdziwiło go to.

– Zgadza się. Nigdy wcześniej nie widziała baletu. A teraz przecież nazywa się Christabel Dunn.

– Uważałam ją za rozpieszczoną księżniczkę – przyznała Tippy. – Bardzo się myliłam. To wyjątkowa kobieta, a Judd jest szczęściarzem.

Cash musiał się z tym zgodzić. Christabel nie była mu jeszcze zupełnie obojętna.

– Teraz obydwoje skupili się na dzieciach.

– Dzieci są fajne – oświadczyła Tippy. – Rory był uroczy jeszcze jako czterolatek. Przy dziecku każdy dzień to nowa przygoda.

– Coś o tym wiem.

Podniosła na niego wzrok, zdziwiona nagłą zmianą wyrazu jego twarzy. Odwrócił spojrzenie.

– Muszę już iść. Do zobaczenia rano.

Puścił jej rękę i zniknął. Tippy jeszcze przez chwilę stała, nie poruszając się. A więc była w jego życiu jakaś głęboka rana związana z dzieckiem. Judd wspominał jej, że Cash był już kiedyś żonaty, ale nic nie mówił o dzieciach. Ten mężczyzna stawał się dla niej coraz większą zagadką.

Pojawił się następnego ranka, punktualnie o ósmej, ze srebrnym termosem w jednej dłoni i papierową torebką w drugiej.

– Zaparzyłam kawę – powiedziała Tippy szybko.

Pomachał jej przed twarzą termosem.

– Waniliowe cappuccino, moja jedyna prawdziwa słabość. No, może oprócz jeszcze tych – wskazał na torebkę.

– Co tam masz? – zaciekawiła się, idąc za nim do stołu, przy którym siedział już Rory.

– Drożdżówki z serem. Bardzo mi przykro, nie potrafię wyrzec się cukru. Moim zdaniem, jest to jeden z czterech głównych składników pokarmowych, jakich człowiek potrzebuje do życia. Pozostałe trzy to czekolada, lody i pizza.

Rory wybuchnął śmiechem.

– Zdumiewające – stwierdziła Tippy, patrząc na potężną sylwetkę Casha. – A wyglądasz tak, jakbyś nigdy w życiu nie poznał smaku cukru.

– Ćwiczę codziennie – przyznał. – Muszę. Specjalnie szyją nam bardzo ciasne mundury, żeby wszyscy widzieli, jakie mamy fantastyczne mięśnie.

Wzrok Tippy zatrzymał się na jego bicepsach, wyraźnie rysujących się przez dzianinową koszulkę.

– Nie skomentujesz? – Uśmiechnął się.

– Właśnie zauważyłam te mięśnie – mruknęła sucho.

Rory wyszedł do łazienki. Cash wykorzystał okazję i pociągnął Tippy za spódnicę, zmuszając ją, by podeszła do jego krzesła.

– Jeśli rozegrasz to sprytnie, to może kiedyś uda ci się skłonić mnie, bym zdjął dla ciebie koszulkę – wymruczał.

Tippy nie wiedziała, czy ma się śmiać, czy protestować. Ten człowiek był zupełnie nieprzewidywalny.

– Oczywiście jeszcze nie teraz – dodał. – Nie jestem taki łatwy!

Teraz już musiała się roześmiać. On także się uśmiechnął.

– Proszę, poczęstuj się drożdżówką. Kupiłem dla wszystkich.

Sięgnęła do torebki, czując na sobie spojrzenie jego ciemnych oczu.

– Masz piękną cerę, nawet bez makijażu – zauważył. – Zupełnie jak jedwab.

Serce jej zabiło mocniej. Spojrzała mu prosto w oczy.

– O czym myślisz? – zapytał cicho.

– Na pewno wiesz wszystko, co tylko można wiedzieć o kobietach.

– A ty nic nie wiesz o mężczyznach – odrzekł, przymrużając oczy.

– Nigdy mi na tym nie zależało – przyznała, opuszczając wzrok na jego wargi.

– Uważaj – ostrzegł ją. – Już od dawna nie byłem blisko żadnej kobiety.

– Ty byś mnie nie skrzywdził – szepnęła śmiało. – Szkoda, że...

– Szkoda, że co? – powtórzył, wdychając jej zapach. Stała tuż obok niego; widział pulsowanie żyłek na jej szyi.

Tippy wpatrywała się w jego usta i zastanawiała, jakie to byłoby uczucie całować je tak, jak całowała swojego partnera w filmie, który kręcili na ranczu Dunnów. Od tych fantazji zakręciło jej się w głowie.

– Szkoda, że... – powtórzyła bezwiednie.

Na odgłos wody spuszczanej w toalecie odskoczyli od siebie. Tippy zupełnie zapomniała o drożdżówce. Podeszła do zlewu i umyła ręce.

Rory, zupełnie nieświadomy sceny, jaką przerwał, natychmiast rzucił się na drożdżówki. Tippy nalała mu soku pomarańczowego, a sobie kawy i usiadła przy stole, jak gdyby nigdy nic.

Najpierw wybrali się do Muzeum Historii Naturalnej. Zrekonstruowane dinozaury znajdowały się na czwartym piętrze. Ze względu na kilka specjalnych wystaw, w tym jedną poświęconą Albertowi Einsteinowi, ponad godzinę stali w kolejce po bilety.

Rory wędrował od jednej skamieliny do drugiej, a przy najwyższym szkielecie wspiął się na specjalne schodki, by dokładnie obejrzeć masywne kości grzbietu dinozaura.

– Uwielbia dinozaury – zauważyła Tippy.

Tego dnia ubrana była w długą spódnicę z zielonego aksamitu, wysokie buty, białą jedwabną bluzkę i czarną skórzaną kurtkę. Z luźno rozpuszczonymi włosami zwracała na siebie uwagę zarówno mężczyzn, jak i kobiet. Cash czuł się dumny, że ma obok siebie taką kobietę.

– Ja też lubię dinozaury – uśmiechnął się. – Byłem w tym muzeum już kilka lat temu, ale wtedy ich nie widziałem, bo właśnie rekonstruowano ten największy szkielet. Rzeczywiście robi wrażenie.

Tippy pochyliła się nad tabliczką z opisem.

– Nie wzięłaś z domu okularów – zauważył Cash.

Zaśmiała się z zażenowaniem.

– Nie nadaję się do tego, żeby je nosić. Przecieram je wszystkim, co mi wpadnie pod rękę. W rezultacie szkła ciągle są porysowane, już dwa razy musiałam je zmieniać.

– Teraz są takie nowe szkła, które bardzo trudno jest porysować.

– Właśnie takie mam. Ale te też nie są niezniszczalne. A niestety, nie mogę nosić szkieł kontaktowych, bo moje oczy źle reagują i ciągle mam jakieś infekcje.

Cash wyciągnął rękę i ujął kosmyk jej włosów między palce.

– Twoje włosy są żywe – powiedział cicho. – Jeszcze nigdy nie widziałem rudego koloru, który by wyglądał tak naturalnie.

– Jest naturalny – upewniła go, wdychając jednocześnie jego zapach, atrakcyjny zapach mydła i męskiej wody po goleniu.

– Nie ma w tobie nic sztucznego? – zapytał prowokująco.

– Przynajmniej fizycznie – uśmiechnęła się.

Przez dłuższą chwilę patrzył jej w oczy. Stał tak

blisko, że obawiała się, że usłyszy przyśpieszone bicie jej serca, ale nic na to nie mogła poradzić. Był niesłychanie męski i kobieca strona jej duszy natychmiast reagowała na każdy, najlżejszy nawet jego dotyk.

– Z zasady nie wierzę kobietom.

– Byłeś już żonaty – przypomniała sobie.

Skinął głową i okręcił kosmyk jej włosów na palcu. Jego twarz pociemniała.

– Kochałem ją i myślałem, że ona też mnie kocha. Z całą pewnością kochała to, co mogłem jej kupić – powiedział zimno.

Tippy poczuła lodowaty dreszcz na plecach.

– W twojej przeszłości jest wiele rzeczy, o których nie chcesz mówić. Jesteś bardzo tajemniczym człowiekiem.

– Trudno mi komuś zaufać. Jeśli dopuścisz kogoś blisko, to ryzykujesz, że może cię zranić.

– A więc najlepiej jest trzymać wszystkich na dystans?

– A ty tak nie robisz? – odparował. – Nie przypominam sobie, żebym cię kiedyś widział w czyimkolwiek towarzystwie, oprócz Rory'ego i może jeszcze Judda Dunna. A już na pewno nie widziałem cię w towarzystwie żadnego mężczyzny.

Spuściła głowę.

– Mężczyźni bardzo źle mi się kojarzą. Jedyny

wyjątek to oczywiście Cullen, ale to był szczególny związek. Lubił przyjaźnić się z kobietami, ale fizycznie były dla niego odpychające.

– Kochałaś go?

– W pewien sposób tak – odpowiedziała ku jego zdziwieniu. – Był jedną z dwóch osób w całym moim życiu, które były dla mnie dobre, nie oczekując niczego w zamian. – Uśmiechnęła się cynicznie. – Nie masz pojęcia, ilu facetów oświadcza się modelkom. Całe lata mi zeszły, zanim wreszcie wypracowałam sobie skuteczny sposób odmowy.

– Tippy, nie możesz winić mężczyzn za to, że próbowali – westchnął Cash. – Wyglądasz jak marzenie każdego faceta.

– Twoje też? – zapytała kpiąco, choć serce podskoczyło jej mocniej.

Puścił jej włosy.

– Ja już dawno dałem sobie spokój z kobietami.

– I nie czujesz się samotny?

– A ty?

– Za dużo mam lęków – westchnęła. – Raz czy dwa próbowałam się spotykać z kimś, kto wydawał mi się miły. Ale żaden z nich nie chciał ze mną rozmawiać. Nie zależało im na tym, żeby mnie naprawdę poznać. Chcieli tylko pójść ze mną do łóżka.

– A czy możesz...? – zapytał powoli Cash.

Spojrzała na jego szeroką pierś. Pod cienkim dżersejem wyraźnie rysowały się mięśnie.

– Nie wiem – odrzekła szczerze. – Nie próbowałam...

– A chciałabyś?

Przygryzła usta, wpatrując się w dinozaura niewidzącym spojrzeniem.

– Mam dwadzieścia sześć lat. Nie ryzykuję złamanego serca i czuję się całkiem szczęśliwa bez tego. Mam Rory'ego i swoją karierę. Chyba to jest wszystko, czego potrzebuję.

– To wegetacja, nie życie.

– Takie samo jak twoje. – Wzruszyła ramionami.

– Ja mam jeszcze lepsze powody niż ty, żeby unikać zaangażowania – rzekł zimno.

– Ale nie chcesz mi powiedzieć, jakie to powody. Bo mi nie ufasz.

Cash ze złością wbił ręce w ciasne kieszenie spodni.

– Byłem już raz żonaty, wiele lat temu. Po raz pierwszy w życiu byłem wtedy zakochany i chciałem dzielić się z moją żoną absolutnie wszystkim. Gdy mi powiedziała, że jest w ciąży, omal nie oszalałem ze szczęścia. Chciałem jej opowiedzieć wszystko o moim życiu... wszystko, co się zdarzyło, zanim ją poznałem. – W jego wzroku pojawił się chłód. – I opowiedziałem. A ona siedziała i słuchała, bardzo spokojnie. Nie przerywała mi ani słowem, tylko słuchała, tak jakby wszystko rozumiała. Trochę pobladła, ale nie byłem tym zdziwiony. Robiłem w swojej pracy okropne rzeczy... naprawdę okropne. A potem musiałem wyjechać na kilka dni. Pożegnała się ze mną bardzo naturalnie, bez żadnych scen. Wróciłem z prezentami dla niej i dla dziecka, chociaż to były dopiero pierwsze tygodnie ciąży. Zastałem ją spakowaną i gotową do wyjścia. – Pochylił się i oparł o barierkę. Mówiąc, omijał wzrokiem twarz Tippy. – Usłyszałem, że gdy mnie nie było, poszła do szpitala na zabieg. Skontaktowała się też z prawnikiem. Zanim wyszła, powiedziała mi jeszcze, że nie zamierza wydać na ten świat dziecka człowieka, który potrafi mordować z zimną krwią.

To wyznanie wiele mówiło Tippy. Już wcześniej przypuszczała, że rodzaj wykonywanej pracy nie wyjaśniał wszystkich urazów Casha i że w jego życiu musiał się kryć jeszcze jakiś osobisty dramat. Teraz już rozumiała jego wielki sentyment do dzieci Christabel i Judda. Była poruszona zaufaniem, jakie Cash jej okazał.

– Nic nie powiesz? – zapytał przeciągle, nadal omijając ją wzrokiem.

– Czy ona była bardzo młoda?

– Byliśmy w tym samym wieku.

Wzrok Tippy zatrzymał się na jego dłoniach

zaciśniętych na barierce. Kostki palców były zupełnie białe, choć głos nie zdradzał żadnych emocji.

– Nie rozdeptuję owadów, jeśli mogę je ominąć – powiedziała cicho. – Nigdy w życiu nie przespałabym się bez zabezpieczenia z mężczyzną, którego bym nie kochała. Myślę, że dziecko jest częścią tego obrazu.

Powoli obrócił głowę i przyjrzał się jej ciekawie.

– Ona miała rację. Mordowałem ludzi z zimną krwią – rzekł głosem bez wyrazu.

Tippy patrzyła na niego ze współczuciem.

– Nie wierzę w to.

– Jak to?

– Komendant mówił Rory'emu, że byłeś w doborowej jednostce sił specjalnych. Posyłano cię tam, gdzie negocjacje zawiodły i stawką było życie ludzkie. Więc nie próbuj mnie przekonać, że byłeś zabójcą na usługach mafii albo że zabijałeś dla pieniędzy. Nie należysz do takich ludzi.

Cash prawie przestał oddychać.

– Nic o mnie nie wiesz – powiedział ostro.

– Moja babcia była Irlandką i miała wielką intuicję. Taki dar. Wszystkie kobiety w mojej rodzinie to mają, oprócz matki. Wiem rzeczy, o których nie powinnam wiedzieć. Z wyprzedzeniem wyczuwam, co ma się zdarzyć. Ostatnio bardzo się martwiłam o Rory'ego, bo czuję wokół niego coś złego.

– Nie wierzę w jasnowidzenie – stwierdził Cash sztywno. – To mit.

– Dla ciebie może tak, ale dla mnie nie. – Rozejrzała się po muzealnej sali, szukając brata.

Rory właśnie wpatrywał się w wypchaną latimerię zawieszoną pod sufitem.

Cash miał nieprzyjemne wrażenie, jakby wbrew jego woli przeniknęła go na wylot. Wcale mu się to nie podobało. Nie lubił dzielić się sobą z innymi i nie chciał, by Tippy miała nieskrępowany wgląd w jego myśli.

– Rozzłościłeś się na mnie. Przepraszam – powiedziała łagodnie, nie patrząc na niego. – Idę do sklepiku przy wystawie o Einsteinie. Rory chciałby mieć z nim koszulkę. Spotkajmy się w holu za jakąś godzinę.

Pochwycił ją za rękę i przyciągnął bliżej.

– Nie. Pójdziemy razem. Kiedyś powiedziałem Rory'emu, że cenię szczerość.

– Ale nie wtedy, gdy ktoś odgaduje sprawy należące do twojego życia prywatnego.

– Przecież sam ci opowiedziałem o mojej przeszłości. Nikomu wcześniej nie mówiłem o dziecku.

– To przez to, że ja mam taką twarz – uśmiechnęła się blado.

– Masz – potwierdził i lekko dotknął jej policzka. – Jestem bardziej poraniony emocjonalnie niż ty, a to już wiele znaczy. Obydwoje jesteśmy poranieni. Dlatego związek między nami to zupełnie niedorzeczny pomysł. Nie będzie żadnego związku.

W jej oczach zamigotała ciekawość pomieszana z odrobiną nieśmiałości.

– To znaczy, że ty... myślałeś o tym, żeby... brałeś to pod uwagę... żeby się ze mną związać? – zapytała z niedowierzaniem.

Najwyraźniej pochlebiało jej to. Cash był zdziwiony. Nie sądził, by odczuwała do niego jakikolwiek pociąg, przede wszystkim ze względu na jej przeszłość.

– Biorąc pod uwagę twoją przeszłość... – mruknął.

Przysunęła się o krok bliżej.

– Zapomniałeś o czymś. Jesteś policjantem.

– I dlatego nie boisz się mnie?

Ramiona Tippy drgnęły nerwowo.

– Judd Dunn był Strażnikiem Teksasu i przy nim też czułam się bezpiecznie.

– Chcesz mi coś przez to powiedzieć?

Przygryzła wargę i zarumieniła się nieco.

– Przy tobie czuję się... „bezpiecznie" to chyba nie jest najlepsze słowo. Poruszasz coś we mnie. Czuję się... rozedrgana. Przez cały czas myślę o tym, że chciałabym cię dotknąć, i zastanawiam się, jak bym się poczuła, gdybyś mnie pocałował.

Nie wierzył własnym uszom. Ale wyraz twarzy

Tippy świadczył o tym, że mówi prawdę. Objął ją, przytulił i zatrzymał wzrok na jej ustach.

– Ja też ciągle myślę o tym, że chciałbym cię dotknąć – powiedział cicho, pochylony nad nią tak nisko, że czuła na twarzy jego oddech. – Ja też wyobrażam sobie różne rzeczy.

Zadrżała i oparła czoło o jego pierś, próbując uspokoić oddech.

– Cash – szepnęła.

Czuł, że zaczyna tracić kontrolę nad sobą. Porywał go wielki wir. Chciał się odsunąć, ale Tippy lekko poruszyła biodrami i Cash odniósł wrażenie, jakby prąd elektryczny przeszył go od stóp do głów.

Podniosła wzrok, zdziwiona jego reakcją. Wiedziała, że ciała mężczyzn reagują w ten sposób, ale dotychczas wydawało jej się to odrażające. Teraz zaś, po raz pierwszy w życiu, było fascynujące, wspaniałe. Cash jej pragnął!

Mocniej przycisnęła się do jego ciała, ale unieruchomił ją, zaciskając dłonie na jej ramionach.

– Jeśli jeszcze raz to zrobisz – wymamrotał przez zaciśnięte zęby – skończy się to publiczną obrazą moralności.

– Och! Och! – wykrztusiła i rozejrzała się dokoła, mocno zarumieniona. Na szczęście chyba nikt na nich nie patrzył.

Cash odsunął ją od siebie i zaczął powtarzać w myślach tabliczkę mnożenia. Już od dawna nie był blisko z żadną kobietą, ale mimo to jego reakcja na Tippy była zbyt gwałtowna. Ona również miała podobne wrażenie. W ciągu zaledwie kilku sekund wszystkie jej wewnętrzne bariery znikły i teraz miała przed oczami tylko jeden obraz: łóżko, a na nim Cash. Bez ubrania...

Za żadne skarby świata nie spojrzałaby mu teraz w twarz.

On zaś zaśmiał się cicho. Tippy była jak otwarta książka. Pochlebiało mu, że potrafił ją tak rozbudzić niewinnymi sposobami; mimo to nie ufał jej. A może jednak? Przecież nikomu jeszcze nie opowiadał o swojej żonie.

Oparła piękne, wypielęgnowane dłonie o jego pierś, ale nadal nie odważała się podnieść wzroku. Objął dłońmi jej talię.

– Mogę cię zranić – wyrzucił z siebie. – Ryzykujesz. Przywykłem do własnej przestrzeni. Nie umiem się dzielić. Nie jestem zbyt emocjonalny.

Podniosła głowę i gdy jej oczy spotkały się z jego oczami, przeszył ją gwałtowny dreszcz.

– Nigdy nie sądziłam, że będę w stanie czuć takie rzeczy...

Cash zacisnął zęby.

– To czyste samobójstwo!

Przypomniała sobie zdanie z jakiejś książki i szepnęła z rozbawieniem:

– Czyżbyś zamierzał żyć wiecznie?

Udało jej się rozładować napięcie. Cash się roześmiał.

– Jeszcze kilka dni temu nie uwierzyłabym, że mogę być z jakimś mężczyzną – wyznała nieśmiało. – A teraz jestem prawie pewna, że mogłabym być z tobą. Wiem, że mogłabym!

Zapadło milczenie. Cash przez chwilę przyglądał się jej uważnie.

– Ale w jakim celu, Tippy? – zapytał w końcu.

– W jakim celu? – powtórzyła, nie rozumiejąc.

– Nie chcę się żenić po raz drugi – odrzekł Cash bezbarwnym tonem. – I tyle. Kropka.

Otworzyła szerzej oczy; dopiero teraz dotarł do niej sens własnych słów. Zostało jej jeszcze tyle przytomności umysłu, by nie pogrążać się bardziej.

– Zaraz, poczekaj chwilę – rzekła z gniewem – to nie były żadne oświadczyny! Przecież prawie cię nie znam. Umiesz gotować i sprzątać? Prowadzić rachunki? Cerować skarpetki? Robić zakupy w centrum handlowym? Nie mogłabym myśleć serio o mężczyźnie, który nie lubi zakupów!

Zamrugał i przechylił głowę w jej stronę.

– Mogłabyś to powtórzyć? – zapytał uprzejmie. – Mój mózg chyba wyłączył się na chwilę...

– Poza tym, mam wysokie wymagania wobec przyszłego męża, a ty nawet nie jesteś jeszcze na liście kandydatów – ciągnęła niezrażona. – Nie wybiegaj przed szereg. Jesteś zaledwie w okresie próbnym!

W jego oczach pojawiły się wesołe błyski.

– No doooobra...

Odsunęła się od niego i odrzuciła włosy do tyłu.

– Niech ci woda sodowa nie uderza do głowy tylko dlatego, że się z tobą spotykam. A poza tym nie zapominaj, że mamy przyzwoitkę.

Cash uśmiechał się coraz szerzej.

– No dobra.

– Znasz jakieś słowa, które mają więcej niż dwie sylaby?

Otworzył usta, ale Tippy nie dała mu dojść do słowa.

– Lepiej ich nie wypowiadaj! Wiem, że nie wierzysz w odczytywanie cudzych myśli, ale ja właśnie przeniknęłam twoje i gdybym była twoją matką, to wyszorowałabym ci usta mydłem!

Na wzmiankę o matce uśmiech Casha natychmiast zgasł. Tippy się skrzywiła.

– Przepraszam, bardzo cię przepraszam. Nie powinnam tego mówić.

– Dlaczego? – zapytał, marszcząc brwi.

Nie patrząc na niego, pociągnęła go w stronę gabloty ze szkieletami.

– Wiem o twojej matce. Crissy mi mówiła.

– Kiedy?

– Wtedy, gdy doprowadziłeś mnie do płaczu – wyznała, z niechęcią wracając do tego wspomnienia. – Powiedziała mi, że nie było w tym nic osobistego, tylko po prostu masz uraz do modelek, i wyjaśniła dlaczego.

Cash wbił ręce w kieszenie spodni. Tippy powędrowała wzrokiem do jego twarzy.

– Nadal nie możesz o tym zapomnieć? Nienawiść jest trucizną, Cash. Zżera od środka. I nie krzywdzi nikogo oprócz ciebie samego.

– Ty chyba powinnaś to wiedzieć najlepiej – odrzekł krótko.

– Tak, wiem – odpowiedziała bez urazy. – Wiem, co to nienawiść. Ojczym bił mnie do krwi tak bardzo, że nawet już nie byłam w stanie się bronić. A potem gwałcił mnie wiele razy. Wołałam o pomoc, ale pomoc nie nadchodziła. A moja matka wtedy... – Urwała i odwróciła wzrok.

Cash poczuł, że robi mu się niedobrze.

– Ktoś powinien go wtedy zabić – powiedział bezbarwnie.

– Nasz sąsiad był policjantem – westchnęła Tippy. – Zawsze myślałam, że może to on jest moim prawdziwym ojcem, bo zawsze się o mnie troszczył. Usłyszał krzyki i przybiegł. Na szczęście tego wieczoru akurat nie był w pracy. Z miejsca zabrał Stantona i moją matkę do aresztu, a mnie odwiózł do izby dziecka. Był dla mnie bardzo miły. Wszyscy byli dla mnie mili. Ale moja matka potrafiłaby przegadać samego diabła. Stanton też, kiedy mu zależało. Wiedziałam, że znajdą jakiś sposób, żeby mnie odzyskać. A ja wolałabym umrzeć, niż wrócić do domu. Więc poczekałam, aż wartownik uśnie, i uciekłam stamtąd.

– Nie szukali cię?

– Chyba tak, ale Cullen zatarł ślady. Miał dość pieniędzy, żeby zapewnić mi bezpieczeństwo. Gdy skończyłam czternaście lat, uzyskał legalne prawo do opieki nade mną. A moja matka nie była na tyle głupia, by próbować mnie odebrać. Cullen znał ludzi uprawiających niebezpieczne zawody – dodała z ironicznym uśmiechem. – Przyjaźnił się z Marcusem Carrerą, ważną szyszką w kręgach mafii. Carrera teraz prowadzi legalne interesy. Ma sieć kasyn na Bahamach i w innych miejscach. On i Cullen byli partnerami w jakimś przedsięwzięciu. Carrera bardzo się zmienił w ostatnich latach, choć dawna reputacja w dalszym ciągu chroni go przed kłopotami.

– Znam Carrerę. Nie jest gejem – zauważył Cash. – Jak na byłego gangstera to bardzo przyzwoity facet.

– W każdym razie Cullen powiedział mojej matce, że jeśli będzie próbowała odzyskać prawo do opieki nade mną, to on porozmawia z Marcusem. Matka o nim słyszała, więc potem już nie próbowała walczyć o Rory'ego.

– Widujesz się z nią?

Tippy złożyła ręce na piersiach.

– Nie. Nie widuję się ani nie rozmawiam z nią osobiście. Wyłącznie przez prawnika. Ostatnio, kiedy miałam o niej wiadomości, znów była doszczętnie spłukana i groziła, że porozmawia z brukowcami. – Podniosła na niego wzrok. – Zaczynam nową karierę. Nie mogę sobie pozwolić na to, by szargano moje nazwisko. Błoto przywiera na długo. Gdyby zaczęła opowiadać wszystkim o mojej przeszłości, mogłabym wiele stracić, na przykład Rory'ego. A ona nie ma nic do stracenia.

ROZDZIAŁ CZWARTY

– Nie znasz mnie jeszcze – powiedział Cash cicho. – Ale mam nadzieję, że wiesz, że dla ciebie i Rory'ego zrobiłbym wszystko, co w mojej mocy. Wystarczy, że zadzwonisz i powiesz, czego potrzebujesz.

Popatrzyła na niego z troską w oczach.

– Nie chciałabym cię w to wciągać. To nie byłoby uczciwe wobec ciebie.

– Nie mam rodziny – odrzekł gładko. – Nie mam nikogo na całym świecie.

– Ależ masz! Mówiłeś mi przecież, że masz braci i że twój ojciec jeszcze żyje...

Twarz Casha się ściągnęła.

– Z wyjątkiem Garona, najstarszego brata, nie widziałem ich wszystkich już od lat. Nie rozmawiam z ojcem.

– A z braćmi?

– Tylko z Garonem – powtórzył. – Odwiedził mnie kilka tygodni temu i powiedział, że pozostali chcieliby zakopać topór wojenny.

– Więc rozmawiasz z nimi.

– Można tak powiedzieć.

Tippy ściągnęła brwi.

– Nigdy niczego nie wybaczasz?

Odwrócił wzrok i nie odpowiedział. Wpatrywał się w szkielet, przed którym stali.

– Twoja matka musiała być niezwykłą kobietą – zaryzykowała Tippy.

– Była cicha i łagodna, nieśmiała wobec obcych. Lubiła szyć, haftować i robić na drutach. – Te słowa brzmiały tak, jakby ktoś wydzierał je z Casha siłą. – Nie była piękna ani ekscytująca. Na wystawie bydła ojciec poznał początkującą modelkę. Równocześnie filmowano tam pokaz mody. Zupełnie stracił głowę. Matka nie była dla niej żadną konkurencją. Był dla niej okrutny, bo zaczęła mu krzyżować plany. Dowiedziała się, że jest chora na raka, ale nikomu o tym nie wspomniała. Po prostu się poddała. – Przymknął oczy. – Byłem przy niej w szpitalu przez cały czas. Przestałem nawet chodzić do szkoły, ojciec w końcu dał sobie spokój z przekonywaniem mnie, że powinienem. Gdy umierała, trzymałem ją za rękę. Miałem dziewięć lat.

Nie zwracając najmniejszej uwagi na otaczających ich ludzi, Tippy objęła go mocno.

– Mów dalej – szepnęła.

Nienawidził swojej słabości, ale mocno zacisnął ramiona wokół dziewczyny. Ta propozycja pociechy była nie do odrzucenia. Zbyt długo dusił wszystko w sobie...

Westchnął prosto w jej ucho.

– Ojciec przyprowadził swoją kochankę na pogrzeb... na pogrzeb mojej matki – rzekł zimnym tonem. – Nienawidziłem jej z wzajemnością. Ale udało jej się przekonać do siebie moich dwóch braci. Zwariowali na jej punkcie i byli wściekli na mnie, że nie pozwalałem jej się do siebie zbliżyć. A ja przejrzałem ją na wylot. Wiedziałem, że chodzi jej tylko o majątek ojca. Żeby wyrównać ze mną rachunki, wyrzuciła wszystkie rzeczy matki, a ojcu mówiła, że ją przezywam i odgrażam się, że zmuszę ojca, by wyrzucił ją z domu. Rezultat chyba był łatwy do przewidzenia, chociaż ja niczego wcześniej się nie domyśliłem. Ojciec wysłał mnie do szkoły wojskowej i nie pozwalał przyjeżdżać do domu nawet na święta, dopóki jej nie przeproszę. – Zaśmiał się zimno i jego ramiona zacisnęły się na ciele Tippy tak mocno, że aż ją to zabolało; nie odezwała się jednak ani słowem. – Wyjeżdżając, powiedziałem mu, że będę go nienawidził do końca swoich dni i że nigdy więcej moja noga nie postanie w jego domu.

– Ale w końcu musiał się przekonać, kim ona naprawdę jest – zauważyła Tippy.

Jego uścisk zelżał nieco.

– Gdy miałem dwanaście lat, przyłapał ją w łóżku z jednym ze swoich przyjaciół i wyrzucił z domu. A ona zaskarżyła go na pełną wysokość jego majątku. Wtedy przyznała też, że kłamała na mój temat, bo chciała się mnie pozbyć. Mówiła to ze śmiechem. Przegrała sprawę w sądzie, ale ojciec stracił najstarszego syna. W ten sposób wyrównała rachunki.

– Skąd o tym wszystkim wiesz?

– Ojciec napisał do mnie list, bo nie chciałem z nim rozmawiać przez telefon. Pisał, że żałuje i że chciałby, bym wrócił do domu. Że tęskni za mną.

– Ale nie pojechałeś – domyśliła się.

– Nie. Nie mogłem. Powiedziałem mu, że nigdy mu nie wybaczę tego, co zrobił matce, i że nie chcę, by się ze mną więcej kontaktował. A jeśli nie będzie płacił za szkołę, to mogę pracować na swoje utrzymanie, ale i tak nie wrócę do domu. – Cash przymknął oczy. – Zostałem w szkole wojskowej i przechodziłem z klasy do klasy z dobrymi ocenami. Podobno ojciec był na uroczystości zakończenia szkoły, ale ja go nie widziałem. A potem trafiłem prosto do armii. Przechodziłem z jednego oddziału specjalnego do drugiego, od czasu do czasu brałem udział w operacjach prowadzonych wspólnie z obcymi rządami. A po wyjściu z wojska zostałem wolnym najemnikiem. Nie miałem żadnego celu w życiu ani nic do stracenia, i stałem się bogaty. – Jego ciało się napięło. – W tamtych czasach nie potrzebowałem nikogo. Byłem twardy jak skała. To zabawne, nikt nas wcześniej nie uprzedzał, że są rzeczy, z którymi nie da się żyć. Dowiadujesz się o tym, gdy już jest za późno.

Tippy uniosła dłoń i pogładziła go po szczupłym, poznaczonym bliznami policzku.

– Nadal tym żyjesz – powiedziała cicho, spoglądając mu prosto w oczy. – Jesteś więźniem własnej przeszłości. Nie potrafisz się od tego uwolnić, bo nie potrafisz zrezygnować z bólu i goryczy.

– A ty potrafisz? – odparował. – Potrafisz wybaczyć swojemu ojczymowi?

– Jeszcze nie – przyznała z głębokim westchnieniem. – Ale próbowałam i przynajmniej nauczyłam się o tym nie myśleć. Przez długi czas nienawidziłam całego świata, a potem Rory zamieszkał ze mną i zrozumiałam, że muszę przestać żyć przeszłością, bo on jest ważniejszy. Jeszcze nie potrafię się do końca od tego uwolnić, ale nie jest to już taki ciężar jak kiedyś.

Cash przesunął palcami po jej brwiach.

– Nigdy nikomu o tym nie mówiłem. Nigdy. Nikomu.

– Możesz się niczego nie obawiać. Jestem jak ostryga. W pracy wszyscy mi się zwierzają.

– Tak samo jest ze mną – wyznał z bladym uśmiechem. – Zawsze powtarzam, że niejeden rząd by upadł, gdybym ujawnił wszystkie tajemnice, które mi powierzono.

– Moje tajemnice nie są aż tak ważne. Lepiej się teraz czujesz? – uśmiechnęła się.

– Szczerze mówiąc, tak – westchnął ze zdziwieniem. – Może jesteś czarownicą i rzuciłaś na mnie jakiś czar?

– Jeden z moich wujków twierdził, że nasza rodzina pochodzi od staroirlandzkich druidów. Ale oczywiście mieliśmy w rodzinie również księży, a nawet jednego koniokrada. – Zaśmiała się. – Ten wujek nienawidził mojej matki i gdy miałam dziesięć lat, próbował uzyskać prawo do opieki nade mną. Ale w tym samym roku zmarł na serce.

– To musiał być dla ciebie cios.

– Moje życie składało się z samych ciosów, tak jak twoje. Obydwoje jesteśmy weteranami wojen.

– Ale ty nie masz moich wspomnień – rzekł Cash cicho.

– Złe wspomnienia są jak wrzody; dopóki się ich nie przetnie, jest coraz gorzej.

– Nie moje, skarbie.

Tippy podniosła głowę. To słowo w jego ustach brzmiało jak pieszczota; nie miało w sobie nic z protekcjonalności, jaką przywykła w nim słyszeć. Na widok jej twarzy Cash lekko przymrużył oko.

– Widzę, że ci się podoba. I chyba wiesz, że rzadko zwracam się do kogoś tak czule?

Skinęła głową.

– Wiem o tobie wiele rzeczy, których nie powinnam wiedzieć.

Cash zmierzył ją groźnym spojrzeniem.

– W Jacobsville tylko przypuszczałem, że możesz być niebezpieczna. Teraz wiem to na pewno.

– Cieszę się, że to zauważyłeś – odpaliła.

Roześmiał się i puścił ją.

– Chodź, bo jeśli będziemy tak tu stali, to w końcu dopiszą nas do listy eksponatów muzeum.

Na lunch wybrali się do japońskiej restauracji. Tippy i Rory słuchali z fascynacją, jak Cash rozmawiał z kelnerem po japońsku. Wprawnie też posługiwał się pałeczkami.

– Nie wiedziałam, że znasz japoński. Byłeś w Japonii? – zapytała go Tippy.

– Kilka razy. Bardzo mi się podoba ten kraj.

– A znasz jeszcze jakieś języki? – dopytywał się Rory.

Cash uśmiechnął się na widok jego zafascynowanej twarzy.

– Sześć. Gdybyś kiedyś chciał pracować w wywiadzie, to pamiętaj, że znajomość języków doprowadzi cię znacznie dalej niż studia prawnicze.

– O, nic z tego! – zawołała szybko Tippy. – Będziesz technikiem komputerowym, ożenisz się i założysz rodzinę!

Rory popatrzył na nią spod oka.

– Ożenię się wtedy, kiedy i ty.

Cash zachichotał.

– A jeszcze lepiej – ożywił się chłopak – ożenię się dopiero po nim! – Wskazał na dużego przyjaciela.

– Ja bym wolał nie zawierać z nim takiej umowy – mruknął Cash do Tippy.

– Ja też nie – westchnęła zupełnie poważnie.

Popatrzył na nią i poczuł lęk. Przy tej kobiecie zaczynał pragnąć rzeczy, których obawiał się bardziej niż kul. Przyjazd na święta do Nowego Jorku nie był jednak dobrym pomysłem.

Tippy zauważyła zmianę w jego nastroju i w jej zachowaniu również pojawił się dystans.

Gdy wrócili do domu, przed drzwiami mieszkania Tippy zastali chłopca w wieku Rory'ego, który zapamiętale naciskał dzwonek. Na ich widok się rozpromienił.

– Hej, Rory! Mama chce nas zabrać do kina na ten nowy film fantasy i możesz potem zostać u mnie na noc! Ale skoro macie gości, to może nie będziesz chciał...

– Cash to nie gość, tylko rodzina! – wyjaśnił Rory bez wahania, zupełnie nie zauważając wyrazu twarzy Casha. – Bardzo bym chciał pójść! Mogę, siostro?

Don Hartley mieszkał tuż obok. Jego rodzina wiedziała o kłopotach Tippy z matką i gdy mieli okazję gościć Rory'ego u siebie, nie spuszczali go z oka ani na chwilę.

Tippy się zawahała.

– Cash na pewno chciałby pójść gdzieś tylko z tobą – kusił ją Rory. – I nawet nie musisz mnie przekupywać!

Cash wybuchnął śmiechem.

– Moglibyśmy wybrać się na balet – zaproponował. – Mam już bilety, chociaż nie wiedziałem, czy zechcesz pójść...

– Uwielbiam balet – odrzekła poruszona Tippy. – Chciałam się uczyć tańca klasycznego, gdy byłam mała, ale... jakoś nigdy nie było okazji. – Przeniosła wzrok na chłopców. – Dobrze, możecie iść. Ale wróć jutro przed śniadaniem. Nie mam dużo czasu, żeby nacieszyć się Rorym – wyjaśniła w stronę Dona – bo już drugiego stycznia wracam do pracy.

– Chyba żartujesz! – zdumiał się Cash.

– Nie żartuję. Reżyser zaczyna zdjęcia do nowego filmu w Europie już w marcu, więc bardzo się spieszy – westchnęła.

– To znowu będziesz miała siniaki – zmartwił się Rory.

Tippy wzruszyła ramionami.

– Co mam ci powiedzieć? Takie jest życie gwiazdy!

Rory spakował rzeczy potrzebne na jedną noc do podręcznej torby i poszedł do sąsiadów. Cash wrócił do hotelu i przebrał się w garnitur, a Tippy przerzuciła całą szafę, szukając odpowiedniej sukienki. Znalazła ją dopiero wtedy, gdy Cash już dzwonił do drzwi.

Wstrzymała oddech, gdy ujrzała go w wieczorowym stroju i butach tak wyglansowanych, że odbijał się w nich sufit. Włosy miał luźno rozpuszczone, kruczoczarne i lekko falujące. Był niesłychanie przystojny.

– Idziesz w tym szlafroku? – zapytał na jej widok.

Tippy ściągnęła mocniej pasek.

– Właśnie szukałam w szafie odpowiedniej sukienki.

Cash popatrzył na zegarek.

– Masz pięć minut, żeby ją znaleźć. Na szóstą zarezerwowałem stolik w Bull and Bear.

– To jedna z najbardziej ekskluzywnych restauracji w tym mieście – jęknęła Tippy słabym głosem.

– Wiem – stwierdził Cash krótko. – Balet zaczyna się o ósmej. Ja jestem gotowy, a ty, jeśli nie zamierzasz iść w tym – ruchem głowy wskazał jej długą do kostek, niebieską podomkę – to przebieraj się jak najszybciej.

Umknęła do sypialni, zostawiając za sobą smugę miłego zapachu. Po chwili wróciła w białej aksamitnej sukience ozdobionej czarną kokardą. Na sukienkę narzuciła czarny żakiet z białą lamówką. Włosy miała rozpuszczone, a makijaż bardzo delikatny. Całość stroju uzupełniały brylantowe kolczyki, także bransoletka i naszyjnik.

Gdy weszła do salonu, Cash stał przy półce z książkami. Odwrócił się w jej stronę i znieruchomiał. Tippy poczuła zdenerwowanie.

– Czy powinnam włożyć coś innego? – zapytała niepewnie.

Przez chwilę patrzył na nią bez słowa.

– Widziałem kiedyś obraz w galerii – powiedział wreszcie, powoli idąc w jej stronę. – Przedstawiał roześmianego duszka tańczącego w świetle księżyca. Wyglądasz zupełnie tak samo.

– Ten duszek też miał aksamitną sukienkę? – zapytała żartobliwie.

– Ja nie żartuję. – Ujął jej twarz w dłonie.

– Myślałem, że już nigdy w życiu nie zobaczę piękniejszej istoty. Ale ty jesteś piękniejsza. Na twój widok zapiera mi dech!

Powoli, łagodnie, nie chcąc jej przestraszyć, przyciągnął ją do siebie i dotknął ustami jej ust. Po chwili poczuł, że jej ciało się rozluźnia. Z głębokim westchnieniem Tippy przytuliła się do jego piersi i zarzuciła mu ręce na szyję.

Uniósł nieco głowę i spojrzał jej w oczy. Widział, że jest trochę wystraszona, ale nie próbowała się wyrywać. W jej oczach błyszczało pragnienie.

– Nie zrobię ci krzywdy – obiecał cicho.

– Nie boję się ciebie – odrzekła bez tchu.

– Jesteś pewna? – zapytał z ustami tuż przy jej ustach, zasypując je serią drobnych, szybkich pocałunków. Oparł dłonie na jej biodrach i mocno przycisnął je do swoich. Tippy westchnęła i zadrżała, ogarnięta falą niespodziewanej przyjemności.

– Wiesz, co to znaczy, prawda? – szeptał Cash, przyciskając ją mocniej. – Chciałabyś to poczuć w środku?

– Cash! – Szarpnęła się w jego ramionach i gdy nie udało jej się wyswobodzić, w jej oczach pojawił się lęk.

Cash natychmiast rozluźnił uścisk.

– Przepraszam.

Nie odsuwając się, poszukała jego wzroku.

– Ja też przepraszam. Zapomniałam, że mężczyźni... tracą nad sobą kontrolę.

– Nie ja – odrzekł krótko. – Nigdy. Aż do tej pory.

Patrzyła na niego z fascynacją. Powinna poczuć lęk, ale było zupełnie przeciwnie. Cash nie zdawał sobie sprawy, że jego wyznanie odkryło przed nią jego słabość i w rezultacie cały lęk uleciał.

– Wszystko w porządku – szepnęła ze słabym uśmiechem. – Już się nie boję.

Dotknął palcami jej twarzy i obrysował kształt ust. Każdy jego dotyk wywoływał rozkoszne dreszcze na całym jej ciele. Przymknęła oczy i uniosła twarz.

– Smakujesz jak wata cukrowa – szeptał Cash. – Mógłbym cię zjeść...

Nie wydawał się już groźny. Przestała się bać. Upajała się jego dotykiem, zapachem, głosem. Dreszcze rozprzestrzeniały się na całe ciało. Przysunęła się bliżej i zaplotła dłonie na jego karku.

Cash wyczuł zmianę i znów uważnie popatrzył na jej twarz.

– Pragniesz mnie. Widzę to, ale nie będę cię wykorzystywał. Jesteś bezpieczna. Do niczego nie będę cię zmuszał. Jasne?

Nadal nie do końca pewna, skinęła głową i znów przymknęła oczy w oczekiwaniu. Jej ufność była rozbrajająca. Cash dobrze wiedział, jak trudno jest jej się przełamać i zaufać mężczyźnie po doświadczeniach z dzieciństwa, toteż trzymał swoje pożądanie w ryzach i pozwolił, by to ona dyktowała tempo pieszczot.

Tippy wspięła się na palce i przywarła do niego całym ciałem. Podniósł ją do góry, nie przestając całować. Czuła siłę jego podniecenia i naraz przyszło jej do głowy: a jeśli jednak nie będzie potrafił już się zatrzymać?

Cash natychmiast wyczuł, że jej ciało zesztywniało. Opuścił ją na podłogę, odsunął się o krok i patrzył na nią z twarzą wypraną z wszelkiego wyrazu.

Tippy przełknęła ślinę.

– Chciałam tylko sprawdzić – wymamrotała.

– Sprawdzić, czy naprawdę jestem w stanie się kontrolować? – Uśmiechnął się.

Skinęła głową z zażenowaniem.

Pochylił się i pocałował czubek jej nosa.

– Chodźmy już.

Patrzyła na niego z wahaniem.

– A gdybym cię poprosiła...

– Tak?

Zmusiła się, by dokończyć zdanie.

– Gdybym cię poprosiła, żebyś poszedł ze mną do łóżka...

Cash położył palec na jej ustach. W jego oczach zamigotał dziwny błysk.

– Bardzo bym chciał! Nie masz nawet pojęcia, jak bardzo. Ale z zasady nie zaczynam czegoś, czego nie jestem w stanie skończyć.

– Ale ja bym mogła skończyć – odrzekła z naciskiem. – Z tobą mogłabym!

Cash opanował dreszcz. Nie miał odwagi przyjąć tej propozycji. Tego wieczoru i tak już powiedział i zrobił o wiele za dużo.

– Nic z tego. W każdym razie nie dzisiaj. Zaprosiłem cię na kolację i na balet – rzekł szorstko, idąc w stronę drzwi. – I to wszystko!

Tippy zawstydziła się tego, co powiedziała, i poczuła złość na Casha. To on ją do tego doprowadził. W końcu sam zaczął. Najpierw rzucił się na nią, a potem wylał jej na głowę kubeł zimnej wody! Czy wszyscy mężczyźni tak się zachowują?

– Kolacja i balet – powtórzyła sucho, narzucając płaszcz. – Nie martw się, nie będę próbowała cię uwieść w samochodzie!

– Dzięki, bo już zaczynałem się niepokoić.

Wyminęła go bez słowa i bez jednego spojrzenia.

Jedli, nie wiedząc, co jedzą. Tippy miała z tego powodu poczucie winy, bo kolacja była znakomita. W teatrze siedziała obok Casha, nie mając pojęcia, co się dzieje na scenie. Widziała tylko feerię kolorowych świateł ślizgających się po postaciach tancerzy. Czuła jednocześnie złość, euforię i pożądanie. Miała ochotę rzucić się na Casha i ściągnąć z niego ubranie pośrodku widowni. Przerażona własnymi instynktami, ignorowała go przez cały czas trwania spektaklu.

Cash chyba wyczuł, co się z nią dzieje, bo on również nie odzywał się do niej ani nie próbował jej dotykać. Dopiero gdy po spektaklu przechodzili na drugą stronę ulicy, gdzie znajdował się parking, wziął ją pod rękę. Była sztywna jak drewno.

Żałował, że musiał odrzucić jej propozycję, ale był z nią szczery. Nie miał jej nic do zaoferowania. Zupełnie nic. Nie byłoby z jego strony uczciwie, gdyby wykorzystał emocje, na które ona nie miała żadnego wpływu. Jej reakcja na niego pochlebiała mu, ale nie mógł jej zaufać. Nadal się dziwił, że powierzył jej swoje sekrety. Przecież była mu zupełnie obca... choć z drugiej strony, wydawało mu się, że zna ją od lat.

Tippy zauważyła, że ruszył z parkingu zbyt gwałtownie. Odwróciła głowę i patrzyła przez okno na migoczące neony, obracając w rękach torebkę.

– Mam nadzieję, że woda sodowa nie uderzy ci za bardzo do głowy – powiedziała ostro. – Na tym świecie na pewno jest jeszcze kilku mężczyzn, którzy są w stanie wzbudzić we mnie podobne uczucia jak ty.

Cash mruknął coś niewyraźnie.

– A poza tym zawsze mogę wziąć zimny prysznic albo zapisać się na jakieś zajęcia sportowe... – ciągnęła.

Samochód zarzucił mocno w lewo, a potem w prawo.

– Dasz wreszcie spokój? – warknął Cash. – Przecież obydwoje dobrze wiemy, że gdyby rzeczywiście miało do czegoś dojść, natychmiast zaczęłabyś krzyczeć.

Tippy drgnęła ze zdziwieniem.

– Naprawdę tak myślisz?

– Większą część życia spędziłem w policji i wojsku – westchnął. – Wiem więcej niż ty o tym, jak się zachowują ofiary gwałtu.

Nic nie powiedziała, ale nie spuszczała badawczego wzroku z jego twarzy i najwyraźniej czekała na więcej.

Skręcił w lewo i popatrzył na nią.

– Możesz mieć najlepsze chęci, ale nie będzie ci łatwo być z mężczyzną, nawet z mężczyzną, którego pragniesz. Widziałem kiedyś podobną sytuację. Byłem świadkiem w sprawie. To był jeden z najgorszych przypadków gwałtu, z jakimi się zetknąłem... Ta ofiara, dziewczyna, próbowała później pójść do łóżka ze swoim chłopakiem, ale nie mogła się przemóc, a on już nie potrafił się zatrzymać.

– I co się stało?

– Zaczęła krzyczeć i akurat wtedy jej rodzice wrócili do domu. Wezwali policję i chłopak został aresztowany. Dziewczyna próbowała wycofać oskarżenie, ale było już za późno. Chłopak dostał wyrok w zawieszeniu, bo to było jego pierwsze przestępstwo, ale już nigdy się do niej nie odezwał. A ona naprawdę go kochała, tylko nie była w stanie się przełamać.

Tippy złożyła ramiona na piersiach i zadrżała.

– Teraz rozumiesz? – zapytał ją Cash szorstko.

Skinęła głową i znów wyjrzała przez okno.

– Nie potrafiłbym sobie wybaczyć, gdybym stracił nad sobą kontrolę i zmusił cię do czegokolwiek, rozumiesz? – powiedział po chwili.

– Ale przecież sama ci to zaproponowałam – odrzekła.

Spojrzał na nią ze złością.

– Naprawdę chcesz, żebym zostawił cię jeszcze bardziej poranioną, niż już jesteś?

Jej złość z kolei uleciała. Przez chwilę patrzyła na niego spokojnie.

– Nigdy jeszcze nie czułam czegoś takiego. Przy żadnym mężczyźnie – wyznała wreszcie. – Pociągał mnie Cullen, ale jego nie interesowały kobiety. Mimo wszystko to nie było tak jak teraz. Mam wrażenie, że zaraz wybuchnę i rozsypię się na kawałki – wyznała z nerwowym śmiechem. – Całe ciało mnie boli i potrafię myśleć tylko o tym, jak to by było, gdybym mogła spędzić z tobą całą noc.

Dłonie Casha mocno zacisnęły się na kierownicy.

– Ale jeśli cię moja propozycja nie interesuje, to trudno. Przypuszczam, że boisz się, bo myślisz, że będę cię próbowała zmusić do małżeństwa. Wiedz, że nie mam żadnego zamiaru oświadczać ci się, nawet gdybyś był najlepszym na świecie kochankiem.

Cash wbrew sobie musiał się roześmiać.

– Nadal nic nie rozumiesz.

– Jesteś impotentem? – zapytała sucho.

– Nie jestem impotentem – obruszył się.

– Jest jakaś kobieta, o której mi nie powiedziałeś?

– Do diabła!

– Próbuję ci tylko wyjaśnić, że potrzebuję twojej współpracy przy projekcie naukowym – ciągnęła Tippy, nie zrażając się.

– Przy czym?!

– Przy projekcie naukowym. Z dziedziny anatomii. – Uśmiechnęła się szeroko.

Cash poczuł, że zaczyna tracić grunt pod nogami.

– Nawet nie będę cię prosić, żebyś zostawił światło zapalone.

– A dlaczego miałbym chcieć je gasić? – Zmarszczył brwi.

– No cóż, w twoim wieku – mruknęła, oglądając sobie paznokcie. – Możliwe, że masz jakieś kompleksy na punkcie własnego ciała.

Zerknęła na niego spod rzęs. Cash zesztywniał. Czy ona nie zdawała sobie sprawy, jak podniecająca była ta rozmowa?

– Dziękuję ci bardzo za troskę, ale nie mam zastrzeżeń do swojego ciała.

– Skoro tak, to możemy zostawić światło.

Westchnął z desperacją i zatrzymał samochód przed jej domem, ale nie zgasił silnika.

– Chcesz to zrobić tutaj, przy włączonym silniku? – zdumiała się Tippy, rozglądając się czujnie dokoła.

– Nie!

– To może jednak wejdziemy na górę? Inaczej sąsiedzi mogliby się zgorszyć...

Pochwycił jej wzrok i próbował przez chwilę pomyśleć logicznie, ale było to trudne zadanie. Za długo już nie był z żadną kobietą. O wiele za długo. Czas był najwyższy na beztroską, namiętną noc. Ale przecież nie z kobietą, która nigdy nie poradziła sobie psychicznie z konsekwencjami gwałtu.

– Ostatnia szansa – powiedziała bez tchu, wbijając paznokcie w torebkę.

– Posłuchaj... – westchnął Cash.

Tippy podniosła dłoń do góry.

– Dość już tych wykrętów. Przykro mi, ale nie kupuję twoich wymówek. Po prostu nie masz ochoty, i tyle. Dobrze. Rozumiem. Dziękuję za kolację i miły wieczór. Naprawdę był bardzo udany.

Otworzyła drzwi i wysiadła z wymuszonym uśmiechem.

– Jutro jest Wigilia. Zobaczymy się?

– Nie wiem. – Zmarszczył brwi.

– Na kolację będzie indyk ze wszystkimi dodatkami.

Cash sam nie wiedział, jak powinien się teraz zachować. Nigdy jeszcze nie był w tak trudnej sytuacji. Pragnął jej jak nikogo dotąd, ale był pewien, że Tippy prezentuje nadmierny optymizm i tak naprawdę nigdy nie poradziła sobie z doświadczeniami przeszłości.

– Przeszłaś jakąś terapię? – zapytał prosto z mostu.

– Myślisz, że skoro zaproponowałam ci seks, to znaczy, że potrzebuję terapii?

– Do diabła! – wybuchnął. – Nie możesz nawet przez chwilę mówić poważnie?

– Przez całe dorosłe życie musiałam być poważna i do niczego dobrego mnie to nie doprowadziło.

– Potrzebujesz dobrego psychologa – powtórzył z uporem.

– Nie potrzebuję – odrzekła z irytacją. – Potrzebuję tylko... zresztą, mniejsza o to. I tak cię to nie interesuje.

– Nie uwolniłaś się jeszcze od przeszłości.

– Właśnie że tak. Pomimo tego, co myślisz, umiem już żyć ze swoją przeszłością. A ty?

Odwróciła się i weszła na schodki. Złość nie zdołała wyprzeć pożądania. Nierozładowane napięcie przesycało każdą jej komórkę. Cash uważał, że ona nie jest w stanie funkcjonować jako kobieta. Ona zaś była przekonana, że potrafi, w każdym razie przy nim. Ale skoro nie chciał jej uwierzyć, to nie miała żadnej możliwości, by go o tym przekonać.

Przystanęła przed drzwiami i obejrzała się przez ramię. Siedział w samochodzie z dziwnym grymasem na twarzy. Silnik nadal pracował. Pomachała mu ręką i weszła do środka, wiedząc, że może go już nigdy nie zobaczyć. Każdy inny facet na jego miejscu już dawno popędziłby do sypialni. A on tak bardzo się przejmował jej urazami, że odrzucił jednoznaczną propozycję!

ROZDZIAŁ PIĄTY

Cash patrzył za odchodzącą Tippy ze ściśniętym sercem. Doskonale wiedział, dlaczego nie może przyjąć jej propozycji. Jeden raz by mu nie wystarczył. Obawiał się, że wreszcie spotkał kobietę, od której nie będzie potrafił odejść, a nie chciał, by ta jedna noc doprowadziła go do obsesji na punkcie Tippy. Przekonał się już, co kobiety uważają za miłość. Już raz zniszczyło mu to życie.

Ale Tippy nie była taka, jak inne kobiety. Ona również miała za sobą bolesną przeszłość i rozumiała go chyba lepiej niż ktokolwiek inny. Przypomniał sobie współczucie Christabel, która wysłuchiwała kiedyś jego zwierzeń. Cash chłonął jej dobroć i troskę, ale wypływały one z przyjaźni, nie z miłości. Z Tippy było inaczej.

Nie przestając przekonywać się w duchu, że

powinien natychmiast zawrócić i odjechać z tego miejsca, zgasił silnik i otworzył drzwi. Nie potrafił już myśleć o niczym poza rozładowaniem napięcia buzującego w każdej komórce.

Przycisnął guzik domofonu, nie zostawiając sobie ani chwili na opamiętanie i ucieczkę. W odpowiedzi rozległo się brzęczenie; drzwi były otwarte. Nie zastanawiając się już nad niczym, pobiegł na górę po schodach.

Czekała na niego przy drzwiach. Zdjęła już płaszcz, ale nadal miała na sobie tę samą sukienkę. Rude włosy opadały na nagie, kremowe ramiona. W jej oczach błyszczały jeszcze resztki lęku; oddech miała przyśpieszony.

Cash zamknął za sobą drzwi i zasunął zasuwę.

Tippy cofnęła się o krok. W pierwszej chwili przyszło mu do głowy, że zmieniła zdanie, ale ona prowadziła go do sypialni. Poszedł za nią powoli i tu również starannie zamknął za sobą drzwi, a potem stanął pośrodku pokoju, patrząc na łóżko przykryte schludną narzutą.

– Światło – szepnęła, rumieniąc się.

– Chcesz, żebym zgasił?

Skinęła głową.

– Muszę ci najpierw coś powiedzieć. Nie mam ze sobą żadnego zabezpieczenia.

Tippy pochwyciła jego spojrzenie.

– Mnie to nie przeszkadza.

Poczuł, że serce zaczyna mu bić jak szalone. Pomyślał o Jessaminie, córeczce Christabel. Dziecko. Tippy nie odrzuciła go z powodu braku zabezpieczenia. Kochała dzieci. W wyobraźni mignął mu obraz dziewczynki o rudych włosach i zielonych oczach.

– Obydwoje zwariowaliśmy ze szczętem – wykrztusił.

Powoli skinęła głową i rozchyliła usta.

– Zgaś światło... proszę.

To były ostatnie słowa, jakie wypowiedziała.

W mroku sypialni najpierw odnalazły ją jego dłonie, a potem usta. Wtopiła się w niego i poczuła, jak zamek błyskawiczny na jej plecach powoli się rozsuwa. Westchnęła głęboko, gdy po chwili jego dłonie dotknęły jej nagiej skóry.

– Tak – szepnął Cash do jej ucha. – Ty też to czujesz, prawda? To jak prąd elektryczny. Jeszcze nigdy nie dotykałem takiej gładkiej skóry jak twoja.

Jego ręce wędrowały w górę i w dół, powoli uwalniając ją z sukienki i z rajstop.

– Niewiele masz na sobie – szepnął z rozbawieniem.

– Pod taką sukienkę nie da się wiele założyć – odpowiedziała również szeptem.

Jego usta, w ślad za dłońmi, wędrowały w dół po jej ciele. Zadrżała, gdy dotarły do piersi. Cash znieruchomiał.

– Boisz się? – zapytał cicho.

– Nie! – zaprzeczyła gorąco, wsuwając palce między jego włosy.

– Podoba ci się? – zaśmiał się lekko. – A to dopiero początek!

Dopiero po chwili, gdy Cash odkrywał coraz to nowe obszary jej ciała, zrozumiała, co miał na myśli. Nie spieszył się; celebrował każdy nowo odkryty fragment skóry, bacznie obserwując jej reakcje, upajając się wrażeniem jedności, jakie niosło ze sobą zetknięcie nagich ciał.

Drgnęła, gdy delikatnie rozsunął jej nogi. Przytulił ją do siebie i uspokajająco gładził po plecach, jednocześnie przesuwając nieco jej biodra.

– Pamiętasz, o co pytałem cię wcześniej? – zapytał z ustami na jej ustach. – Pytałem, czy chcesz mnie poczuć w sobie. Chcesz, prawda? – dokończył urywanym szeptem, przymykając oczy. – Ja też chcę cię poczuć, jak najbliżej... tak blisko, jak to tylko możliwe!

– Cash! – wykrzyknęła, zaciskając dłonie na jego muskularnych ramionach. – Jesteś taki duży...

– Ćśś – szepnął. – Zobaczysz, że będziemy do siebie doskonale pasować. Nie zrobię nic gwałtownego. Nie będę się spieszył. Nie skrzywdzę cię, kochanie. Rozluźnij się. O tak. Tak jak teraz. Ja jestem kierowcą, a ty pasażerem.

Zaśmiała się i zaczęła się powoli poruszać razem z nim. Zesztywniała nieco, gdy zaczął w nią wchodzić, ale nie sprawiło jej to żadnego bólu. Przymknęła oczy i mruczała cicho w rytm jego powolnych ruchów, które pobudzały nieznane jej dotychczas zakończenia nerwów. Cash jedną rękę wsunął pod jej głowę, a drugą pod biodra, unosząc ją lekko.

– Właśnie tak – szepnął. – Miłość jest jak blues; im wolniej, tym lepiej.

Przy każdym ruchu zanurzał się głębiej i wkrótce Tippy poczuła płomień ogarniający jej wnętrze.

– Czuję cię – szepnęła z podnieceniem, mocniej przyciskając się do jego ciała.

– Ja też cię czuję. Masz taką miękką skórę. Nie mogę się tobą nasycić...

Wrażenia z chwili na chwilę stawały się coraz bardziej intensywne. Tippy drżała z ekstazy. To było piękne! Czuła, jak Cash wypełnia ją po brzegi. Pod zamkniętymi powiekami migotały gwiazdy zlewające się w jeden płomień.

– Nie... miałam... pojęcia! – wykrzyknęła urywanym głosem. – Proszę, proszę... nie przestawaj, nie... nie przestawaj!

Jak przez mgłę usłyszała jego zduszony szept:

– Daj mi dziecko, Tippy! Chcę mieć z tobą dziecko!

Uświadomiła sobie w półśnie, że Cash się ubiera. Słyszała szelest ubrań ocierających się o jego skórę i zamrugała powiekami. Jeszcze nie zaczęło świtać. Spojrzała na zegar. Miał wielkie cyfry, dostrzegała je nawet bez okularów. Była czwarta nad ranem.

– Wychodzisz? – zapytała nieprzytomnie.

Nie odpowiedział. Skończył się ubierać i usiadł na fotelu obok łóżka, żeby włożyć buty.

– Przecież jeszcze jest noc – zdziwiła się.

W dalszym ciągu nic nie odpowiadał. Usłyszała, że wstaje; uchylił drzwi sypialni, wpuszczając do środka światło z salonu, które zapomnieli zgasić wieczorem. Odwrócił się w progu i spojrzał na nią. Siedziała na łóżku, zakrywając piersi prześcieradłem w niebieskie i różowe kwiatki. Wyglądała... wyglądała jak kobieta, która czuje się kochana.

Jego twarz była ściągnięta, pozbawiona wyrazu.

– Nie powiesz ani słowa? – zapytała w końcu, próbując ukryć własną niepewność.

– Obydwoje zachowaliśmy się nieodpowiedzialnie – mruknął z niechęcią. – To było głupie. Ale ty zaczęłaś.

– Och, Boże – westchnęła Tippy, opadając z rozmachem na plecy. – Włosiennica i bicz.

Cash nie wierzył własnym uszom.

– Nie zamierzam się z tobą żenić! – ciągnął ze złością. – Ale jeśli okaże się, że jesteś w ciąży, to wezmę na siebie odpowiedzialność. I chcę, żebyś mnie o tym zawiadomiła!

Wyciągnęła się na łóżku, pozwalając, by prześcieradło osunęło się i odsłoniło jej piersi. Była pewna, że przyciągną jego wzrok. Czuła się dziwnie. Zmysłowo. Po raz pierwszy w życiu czuła się kobietą. Uśmiechnęła się do siebie.

– Naprawdę tego chcesz? – mruknęła, patrząc na jego twarz.

Cash głośno wciągnął oddech.

– Masz najpiękniejsze piersi, jakie widziałem – powiedział wbrew sobie.

Odrzuciła prześcieradło i wygięła ciało w łuk.

– A co powiesz na inne części mojego ciała?

– Do śmierci nie uda mi się ich zapomnieć.

Znów odwrócił się do drzwi.

– A dlaczego chcesz zapominać? Przecież o nic cię nie prosiłam.

Cash przymknął oczy.

– Nie chcę się z nikim wiązać – rzucił szorstko.

– Nie masz ochoty zostać choćby do świtu? – kusiła Tippy, przeciągając się na łóżku.

– Nic by ci z tego nie przyszło. Jestem wyczerpany. Ty zresztą pewnie też.

– Trochę – westchnęła. – Wszystkie moje przyjaciółki mają kochanków, i wszystkie twierdzą, że żaden mężczyzna nie potrafi tego zrobić dwa razy z rzędu.

Jedna brew Casha powędrowała do góry.

– Mają rację.

Tippy patrzyła na niego bez słowa.

– Abstynencja. – Wzruszył ramionami.

Nic nie odpowiedziała. Cash odchrząknął.

– Abstynencja i odpowiednia kobieta. – Teraz już obie jego brwi uniosły się wyżej. – Czego ode mnie chcesz? – zapytał cicho.

Wreszcie dotarli do sedna. Cash emanował podejrzliwością.

– Mam pieniądze w banku – odrzekła Tippy, przykrywając się prześcieradłem. – Nie miewam kochanków. Oczywiście, z wyjątkiem tej nocy. Nie potrzebuję kucharza ani ochroniarza. Sam sobie wyciągnij wnioski.

Od lat bez trudu zdobywał kobiety dlatego, że był bogaty. Tym razem też się udało. Ale Tippy rzeczywiście miała pieniądze i sławę, choć w jej zawodzie przyszłość zawsze była niepewna. Wyglądało więc na to, że pragnęła go dla niego samego. Albo dla seksu, skorygował w myślach, przypominając sobie, że nigdy wcześniej nie spała z mężczyzną z własnej woli. Czy tu chodziło o hormony, euforię pierwszego razu?

– Tak, oczywiście – powiedziała, jakby czytała w jego myślach. – Jesteś moim pierwszym kochankiem. Zachwyciła mnie ta noc, więc naturalnie robię, co mogę, żeby zatrzymać cię tu jak najdłużej.

– Przestań – rzekł ponuro. – Nie lubię, kiedy ktoś czyta w moich myślach.

– Dobrze.

– To była tylko ta jedna noc i kropka.

– W takim razie dlaczego chciałeś, żebym zaszła w ciążę?

Otworzył szeroko oczy. Nie zdawał sobie sprawy... Teraz był naprawdę zły.

– Mężczyźni mówią kobietom najrozmaitsze rzeczy, gdy chcą je podniecić!

– Aha, więc o to chodziło. – Pokiwała głową. – Niezła sztuczka. Naprawdę działa.

– Wychodzę – oznajmił zimno.

– Zauważyłam.

– Wracam do domu.

– Wyślę ci kartkę na święta.

– Nie zdążysz. Boże Narodzenie jest pojutrze.

– Skoro tak, to wesołych świąt.

– Dziękuję. Nawzajem.

– Nie pożegnasz się z Rorym? – zapytała.

Cash zawahał się z ręką na klamce. Zapomniał o Rorym. Chłopiec miał nadzieję, że spędzą razem Wigilię.

– Możemy przecież zjeść razem kolację jak cywilizowani ludzie. Ze względu na Rory'ego – uśmiechnęła się. – Jeśli to pomoże, mogę ci obiecać, że nie rzucę cię na środek stołu i nie zgwałcę w półmisku z kartoflami.

Chciało mu się jednocześnie krzyczeć i śmiać. Sam właściwie nie wiedział, czego chce.

– Wychodzę – powtórzył.

– Już to mówiłeś – westchnęła z niewymownym zachwytem.

Czuł się zagubiony jak rozbitek na pełnym morzu, a ona dobrze wiedziała dlaczego. Nie była mu obojętna. Łączyło ich coś potężnego, wiedział jednak, że będzie z tym walczył.

– Przyjdę na kolację – powiedział w końcu. – Tylko na kolację. I zaraz potem wyjeżdżam.

– Dobrze.

Popatrzył na nią pociemniałymi oczami i się zawahał.

– Nie zadałem ci bólu?

– Oczywiście, że nie – odrzekła miękko.

Westchnął z ulgą. Złość zaczynała już z niego wyparowywać.

– Nawet ostatnim razem? Byłem dość brutalny. Ale nie robiłem tego celowo.

– Wiem. Nie bałam się ciebie. To było fantastyczne! – Wzruszyła ramionami z bladym uśmiechem. – Nigdy nie przypuszczałam... To było... prawie nie do zniesienia.

– Dla mnie też. – Skinął głową, nie spuszczając z niej uważnego spojrzenia. – Ale mimo wszystko zachowałem się nieodpowiedzialnie. Powinienem był czegoś użyć.

– Następnym razem przypomnę ci o tym – obiecała.

– Mówiłem ci przecież, że nie będzie następnego razu! – wykrzyknął z odnowioną złością.

– Teraz też tak mówiłeś.

– Naprawdę wyjeżdżam.

– Uważaj na drodze.

Posłał jej zimne spojrzenie i zatrzasnął za sobą drzwi. Po chwili Tippy usłyszała ryk silnika na parkingu. Nic dziwnego, że ten samochód nazywa się jaguar, pomyślała, krzywiąc się boleśnie na dźwięk pisku opon.

Poruszała się po mieszkaniu tanecznym krokiem. Sprzątała, pucowała, gotowała i czuła się tak szczęśliwa, jak jeszcze nigdy w życiu. Zupełnie zwariowała na punkcie Casha. Głowę miała pełną zakazanych wyobrażeń; wciąż na nowo przeżywała sceny z ostatniej nocy.

Trudno było ukryć ten stan przed Rorym. Chłopiec chyba był jeszcze za mały, by zrozumieć, co zaszło w tym mieszkaniu. A może nie. Tippy jednak nie chciała umniejszać Casha w jego oczach, nie chciała, by jej bratu przyszło do głowy, że Cash wykorzystał albo skrzywdził jego siostrę.

– Jesteś dziś bardzo wesoła – zauważył Rory, gdy wyjmowała indyka z piecyka.

– Dobrze się czuję – zaśmiała się.

– Udał ci się wczorajszy wieczór?

– Bardzo – przyznała.

– Słyszałem nad ranem, jak jakiś wariat wyjeżdżał z parkingu – wymamrotał chłopak, nie patrząc na nią. – Przed domem są jeszcze ślady opon.

– Cash i ja... posprzeczaliśmy się – wyjaśniła, omijając go wzrokiem. – Tylko trochę. Ale przyjdzie dzisiaj na kolację.

– Siostro, on nie jest taki, na jakiego wygląda – stwierdził Rory, zdumiewająco poważnie jak na dziewięciolatka. – Ma za sobą trudne przeżycia i w ogóle nie ma bliskich przyjaciół.

– No tak, twój komendant przecież go zna. Zapomniałam o tym.

Rory skinął głową.

– Ja go bardzo lubię, ale nie chcę, żebyś ty cierpiała.

Tippy zesztywniała, gdy usłyszała, jak jej brat mówi głośno to, co ona sama zaledwie odważała się pomyśleć. Do tej pory nie pozwalała sobie wyjść z przyjemnego obłoczku iluzji. Uwiodła Casha i po cichu marzyła o szczęśliwych latach spędzonych razem z nim, a tymczasem jej dziewięcioletni brat lepiej niż ona wiedział, jak naprawdę przedstawia się sytuacja. Cash nie chciał żadnego ciągu dalszego. Przecież powiedział to wyraźnie. W ogóle nie chciał jej dotykać; to ona zagrała na jego słabościach i potrzebach i zaciągnęła go do łóżka. Nie potrafił się jej oprzeć, ale to jeszcze nie znaczyło, że ją kochał. Nawet prośba o dziecko oznaczała tylko tyle, że czuł się samotny i zazdrościł Juddowi. A może jemu chodziło o dziecko Christabel? Może nadal podkochiwał się w niej? Czyżby przyjął zaloty Tippy tylko dlatego, że nie mógł mieć kobiety, na której naprawdę mu zależało?

W jednej chwili obraz sytuacji zmienił się diametralnie. Cała radość uleciała z duszy Tippy. Zrobiło jej się zimno.

Rory przyglądał się jej uważnie ze zmartwioną twarzą.

– Bardzo mi przykro – powiedział i podszedł, by ją uścisnąć. – Naprawdę mi przykro!

Pod powiekami zapiekły ją łzy, ale była zbyt dumna, by się rozpłakać. Przytuliła brata mocno. Czuła się oszukana.

– Będziemy mieli wspaniałe święta – powiedziała po dłuższej chwili, ukradkiem ocierając oczy. – Masz ochotę upiec ciasteczka?

– A jeśli ja upiekę, to czy ty je zjesz? – odparował.

Musiała się roześmiać. Zawsze znakomicie się dogadywali, nawet gdy Rory był jeszcze małym dzieckiem.

– W takim razie już wiadomo, kto będzie piekł. Jeśli Cash przyjdzie, gdy ja będę w kuchni, to pozabawiaj go trochę.

Rory zerknął na nią z ukosa.

– Dobra, nie ma problemu. Zaraz poszukam cylindra i piłeczek do żonglowania...

Rzuciła w niego ścierką do naczyń, ale gdy wyszedł z kuchni, spochmurniała. Nie miała pojęcia, czy Cash w ogóle się pojawi. Poprzedni wieczór okazał się katastrofą i to wyłącznie z jej winy. Gdyby go do niczego nie zmuszała, nadal pozostaliby przyjaciółmi i może wtedy, z czasem, pojawiłyby się jakieś szanse na stały związek. Tymczasem ona zamieniła wszystkie swe marzenia o szczęściu na jednonocną przygodę.

Gdyby tylko mogła cofnąć czas... Ale jedyna dostępna droga wiodła w przyszłość.

Jednak przyszedł. Stół był już zastawiony do kolacji, a Tippy ze zdenerwowania obgryzła wszystkie paznokcie. Na dźwięk dzwonka serce podskoczyło jej w piersi. Rory pobiegł otworzyć drzwi.

Tippy miała na sobie proste szmaragdowe spodnie i bluzkę z białego jedwabiu. Włosy związała szmaragdową apaszką. Strój był odświętny, lecz swobodny. Nie spodziewała się, by Cash przyszedł elegancko ubrany, i miała rację. Znów był na czarno: czarne spodnie, czarna koszulka i skórzana kurtka. Popatrzył na nią niewidzącym wzrokiem, a Rory'emu rzucił wymuszony uśmiech.

– Ten stół robi wrażenie – powiedział.

– To nic nadzwyczajnego, normalna kolacja. Siadajcie. Rory, zmów modlitwę.

Rory zmówił modlitwę, zerkając niepewnie raz na jedno, raz na drugie.

W porównaniu z poprzednimi posiłkami, które jedli wspólnie, ten przebiegał w niemal zupełnej ciszy. Tippy miała okropne wyrzuty sumienia, że zrujnowała święta całej trójce, a przede wszystkim bratu.

– Proponowałem Tippy, że zrobię biszkopty – powiedział w końcu Rory – ale ona stwierdziła, że woli, żeby były jadalne.

– Taki z ciebie kiepski kucharz? – zaśmiał się Cash.

– Umiem zrobić dużo rzeczy, ale z ciastem kiepsko mi idzie.

– Mnie też – pocieszył go Cash. – Kiedyś potrafiłem zrobić jadalne biszkopty, ale teraz po prostu kupuję je w puszkach i podgrzewam.

– Tippy robi ciasto sama.

– Masz utalentowaną siostrę – stwierdził Cash, nie patrząc na nią.

I całe szczęście, pomyślała, bo czuła, że czerwieni się jak burak. Czym prędzej zerwała się z miejsca i pobiegła do kuchni po ciasto z wiśniami, które udekorowała lodami waniliowymi.

Cash zauważył, że ręce jej drżą, i w duchu przeklinał samego siebie za to, że poprzedniego wieczoru stracił głowę. Tippy obwiniała się za wszystko, a przecież to on był za siebie odpowiedzialny.

Z lodowatym uśmiechem podała im miseczki z deserem.

– To mrożone ciasto, ja tylko je upiekłam. Nie miałam czasu robić wszystkiego od początku, ale jest całkiem niezłe.

– Wszystko było bardzo dobre, Tippy – powiedział Cash przepraszającym tonem.

– Cieszę się, że ci smakowało – odrzekła, omijając go wzrokiem.

Poczuł się jak ostatni łajdak. Już teraz czuła się

winna, a wiedział, że po jego wyjeździe będzie jeszcze gorzej: Tippy przekona siebie, że nie jest w niczym lepsza od zwykłej dziwki, i już nigdy nie zechce z nim rozmawiać.

Potrząsnął głową, zdziwiony, że poznał ją tak dobrze nie wiadomo kiedy. Oskarżał ją o czytanie w myślach, ale on również potrafił przeniknąć jej odczucia. To było dziwne: miał wrażenie, jakby byli ze sobą połączeni.

– To ciasto jest bardzo dobre, Tippy – oświadczył Rory. – Chcesz, żebym pozmywał?

– Nie musisz – odpowiedziała natychmiast.

– Niech Rory pozmywa. Chciałbym z tobą porozmawiać – rzekł Cash stanowczo, wstając z miejsca. Wziął ją za rękę i poprowadził do salonu, niewidocznego z kuchni.

– To nie jest niczyja wina – powiedział stanowczo, patrząc jej w twarz. – Tak się po prostu stało. Nie zamartwiaj się na śmierć. Cokolwiek zdarzy się dalej, ja sobie z tym poradzę.

Pochyliła głowę i nic nie odpowiedziała. Cash ujął jej twarz w dłonie i znów spojrzał prosto w oczy. Wyraz jej oczu poraził go.

– Puść mnie – szepnęła. – Nie jestem dzieckiem. Nie musisz się martwić, że... będę cię prześladować czy coś takiego.

Ogarnęło go obrzydzenie do samego siebie.

Narobił znacznie większych szkód, niż przypuszczał.

– W ogóle by mi to nie przyszło do głowy – wymamrotał.

Tippy cofnęła się o krok, zmuszając się do uśmiechu.

– Mam nadzieję, że uda ci się szczęśliwie dojechać do domu. Pozdrów ode mnie Judda i Christabel. Na pewno jest teraz bardzo szczęśliwa. Będzie wspaniałą matką.

– Tak – potwierdził z sentymentem w głosie.

Tippy odwróciła wzrok.

– Pójdę pomóc Rory'emu w zmywaniu. Przyślę go tu, żeby się z tobą pożegnał. Dziękuję ci za przywiezienie go ze szkoły. I za wycieczkę po mieście.

Sytuacja stawała się coraz bardziej niewygodna dla Casha. Nie miał pojęcia, co mógłby powiedzieć albo zrobić, żeby jej jeszcze bardziej nie pogarszać, i ogarniała go coraz większa złość na siebie. Zanim zdążył cokolwiek wymyślić, Tippy zniknęła, a do salonu wszedł Rory.

– Szkoda, że nie możesz zostać dłużej – powiedział z żalem. – To najlepsze święta w całym moim życiu.

Cash był poruszony. Zdążył polubić chłopca przez tych kilka dni. Wyciągnął rękę i mocno potrząsnął dłonią Rory'ego.

– Gdybyś mnie kiedykolwiek potrzebował, Tippy zna mój numer. Albo możesz po prostu zadzwonić na komisariat policji w Jacobsville i poprosić mnie do telefonu. Dobrze?

– Nie będę potrzebował. – Rory uśmiechnął się. – Ale dzięki, Cash.

– Nigdy nie wiadomo. Opiekuj się nią – dodał, zerkając w stronę kuchni. – Jest znacznie bardziej delikatna, niż się wydaje.

– Da sobie radę – stwierdził chłopak. – Po prostu nikt do tej pory nie poświęcał jej tyle uwagi, chyba że czegoś od niej chciał. Więc skoro mężczyzna zainteresował się nią dla niej samej, to trochę za bardzo jej to uderzyło do głowy, rozumiesz? – Skrzywił się. – Nie wiem, jak to dobrze wyrazić...

Cash położył rękę na jego ramieniu.

– Rozumiem, co chcesz powiedzieć. Przejdzie jej.

– Jasne, że tak.

Żaden z nich w to nie wierzył.

– Uważaj na siebie. Jeszcze się kiedyś spotkamy – obiecał Cash.

Rory wyszczerzył zęby w uśmiechu.

– Ty też uważaj. I nie pakuj się w żadne bójki.

Cash uniósł wysoko brwi.

– Obiecam ci to, jeśli ty mi obiecasz to samo.

– Postaram się.

– Ja też. Do zobaczenia. Do widzenia, Tippy! – krzyknął Cash w głąb mieszkania.

– Szczęśliwej podróży! – odkrzyknęła, nie wychodząc z kuchni.

Cash zamknął za sobą drzwi mieszkania z wrażeniem, że zostawia w środku część samego siebie.

ROZDZIAŁ SZÓSTY

Po wyjeździe Casha Tippy poczuła się bardzo samotna. Tęskniła za nim, choć dziwiło ją to, bo przecież znała go krótko. Przeskoczyli jednak kilka etapów i za każdym razem, gdy przypominała sobie jego twarz, serce zaczynało bić jej szybciej. Nie miała pojęcia, jak uda jej się żyć dalej bez niego.

Na początku stycznia Rory wrócił do szkoły, a Tippy na plan filmowy. Zaczęła mieć dziwne mdłości i gdy sprawdziła w kalendarzu, stwierdziła, że noc z Cashem wypadła akurat w najbardziej niebezpiecznym czasie. W dodatku spóźniał jej się okres, a to nie zdarzało się nigdy.

W miesiąc po wyjeździe Casha kupiła w aptece test ciążowy. Wynik był zgodny z przewidywaniami i nieco przerażający. Nie mogła zadzwonić do Casha i zrujnować mu życia, a z drugiej strony czuła już potrzebę ochrony tej małej istoty, którą nosiła w sobie.

Będzie miała dziecko. Zastanawiała się, czy urodzi się podobne do niej, czy do Casha. A może odziedziczy wygląd po jakimś nieznanym bliżej przodku? Myśl o pieluchach, mieszankach i karmieniu o drugiej w nocy sprawiała jej niewymowną przyjemność. Była pewna, że Rory wpadnie w zachwyt na wieść o siostrzeńcu lub siostrzenicy.

Ciąża oznaczała jednak konieczność rezygnacji z pracy. Nie od razu, ale za kilka miesięcy, gdy jej stan będzie już widoczny. Wśród gwiazd filmowych urodzenie nieślubnego dziecka nie było niczym niezwykłym, Tippy jednak wiedziała, że taki fakt stałby się doskonałą bronią w rękach jej matki, która, nie zważając na własną przeszłość, natychmiast opowiedziałaby kolorowym pismom, jak to jej córka puszcza się na prawo i lewo, a co za tym idzie, nie nadaje się na opiekunkę młodszego brata.

Kolejny problem polegał na tym, że Cash zdecydowanie nie chciał małżeństwa i w gruncie rzeczy nie chciał też mieć z nią dziecka. Słowa, które usłyszała od niego tamtej pamiętnej nocy, zapewne były tylko słowami. Mężczyźni potrafili mówić różne rzeczy, gdy chcieli wzbudzić w kobiecie namiętność. Tippy wielokrotnie słyszała podobne historie od koleżanek.

Nie miała więc pojęcia, co zrobić. Nie mogła do końca życia ukrywać się przed całym światem. Wiedziała, że w końcu trzeba będzie pójść do lekarza, kobiety w ciąży musiały przecież zażywać specjalne witaminy. Prawidłowe odżywianie też było bardzo ważne. Tymczasem Tippy podpisała w kontrakcie zobowiązanie, że do końca kręcenia filmu nie przytyje więcej niż dwa kilogramy. A pieniądze były jej bardzo potrzebne. Musiała opłacić szkołę Rory'ego, czynsz za własne mieszkanie, rachunki za jedzenie. Nie mogła sobie pozwolić na utratę pracy.

Z drugiej strony bardzo mocno pragnęła tego dziecka. Wieczorami, po powrocie z pracy, siadała i wyobrażała sobie, jakie będzie. Jej własne dziecko, ciało z jej ciała i krew z jej krwi. Miała zostać matką. Zdawała sobie sprawę, jaka to wielka odpowiedzialność, ale zarazem sprawiało jej to ogromną radość. Gładząc się po płaskim brzuchu, wyobrażała sobie dzień, gdy wreszcie weźmie swoje dziecko w ramiona.

Rzeczywistość jednak była mniej upajająca. Pierwszy asystent reżysera wziął kilka dni urlopu z przyczyn osobistych i stery przejął drugi asystent, nadgorliwy młody człowiek o imieniu Ben. Uparł się, że Tippy musi przebiec po desce między dwoma budynkami i wykonać kontrolowany upadek na dach domu, znajdujący się trochę niżej. Nie wydawało się to zbyt trudne ani niebezpieczne, Tippy jednak bała się ryzykować.

– Nie zrobię tego – oświadczyła stanowczo.

– Skoczysz albo wylatujesz z pracy – odparował Ben zimno.

– Jestem w ciąży. Możesz wynająć dublerkę.

– Nic z tego! Budżet jest już przekroczony i jeśli zacznę nabijać dodatkowe koszty, to sam wylecę. Nie będę płacił za dublerkę, bo nie ma takiej potrzeby. Ten skok jest zupełnie bezpieczny.

– A czy możesz mi zagwarantować, że nic się nie stanie ani mnie, ani mojemu dziecku?

– Ile razy mam to powtarzać? Nic ci nie będzie! – warknął.

– Skoro jesteś tego absolutnie pewien... – zawahała się, nie chciała jednak ustąpić tak łatwo. – Ale jeśli moje dziecko na tym ucierpi, to nie wypłacisz się do końca życia! – ostrzegła.

– Dobra, dobra. Myślisz, że szef w ogóle będzie cię słuchał? On pracuje na co dzień z prawdziwymi gwiazdami! – Ben wzruszył ramionami. – Wracaj na plan.

Wróciła, zupełnie nie dostrzegając otaczającego ją zgiełku, kamerzystów, dźwiękowców, charakteryzatorów i kierownika planu. Myślała tylko o tym, ile ma do stracenia w wypadku, gdyby coś jednak poszło nie tak. Cash o niczym jeszcze nie wiedział. Będzie musiała go zawiadomić, a także porozmawiać z Joelem Harperem o tym aroganckim gówniarzu. Tymczasem jednak trzeba było się skupić na scenie. Przymknęła oczy, w duchu odmówiła krótką modlitwę i pobiegła przed siebie. Bez okularów źle oceniła odległość i zamiast odbić się do kontrolowanego upadku, bezwładnie poleciała w dół. Poczuła przeszywający ból w podbrzuszu i krzyknęła.

Joel Harper, który przyjechał na plan właśnie w chwili, gdy Tippy leżała zgięta wpół po upadku, natychmiast zadzwonił po karetkę. Joel i Ben przyjechali do szpitala razem z nią. Joel przez całą drogę obrzucał asystenta stekiem niewybrednych epitetów.

– Ty idioto, przecież ona jest w ciąży! Jak myślisz, dlaczego tak się z nią cackałem przez cały ubiegły tydzień? Jeśli straci dziecko, to puści mnie w skarpetkach, i będzie miała do tego pełne prawo! Niech cię jasny szlag! – wybuchnął Joel, gdy Tippy zniknęła w izbie przyjęć.

– Ale, proszę pana... – jąkał pobladły Ben.

– Ty już nie pracujesz przy tym filmie – oznajmił reżyser lodowato. – I nigdy więcej nie dostaniesz u mnie pracy! Zejdź mi z oczu!

Ben wycofał się, przeklinając pod nosem swój podły los. Nie wyszedł jednak ze szpitala, tylko przystanął o kilka kroków dalej, czekając na wiadomości o stanie Tippy.

Po dłuższej chwili drzwi otworzyły się i do Harpera podszedł lekarz.

– Czy ona jest mężatką? – zapytał krótko.

– Nie. Ma młodszego brata...

– Straciła dziecko – przerwał mu lekarz. – Na oko to była sześciotygodniowa ciąża. Jest załamana. Musiałem jej dać środek uspokajający.

Zdruzgotany Joel bez słowa popatrzył na roztrzęsionego Bena.

– Ty sukinsynu – powiedział dobitnie. Podszedł do byłego asystenta i pochwycił go za klapy ubrania. – Straciła dziecko, bo kazałeś jej wykonać numer, którego w żadnej sytuacji nie powinna robić osobiście!

– Sama chciała! – pisnął Ben. – Ja jej nie zmuszałem! Nie zależało jej na tym dziecku!

– Akurat!

Na widok wyrazu twarzy szefa Ben uznał, że bezpieczniej będzie nie wdawać się w dalsze dyskusje. Obrócił się na pięcie i uciekł ze szpitala. Żaden z nich dwóch nie zauważył stojącego nieopodal mężczyzny z notesem i długopisem, który w tej chwili, wyraźnie ożywiony, zaczął coś notować. Był to reporter jednego z największych kolorowych pism. Przyjechał do szpitala w ślad za rannym zbiegiem z więzienia, którego przywiozła tu policja, ale oto trafiło mu się coś znacznie lepszego. Natychmiast sięgnął do kieszeni po telefon.

– Harry? Notuj szybko. Tippy Moore, królowa modelek, poświęciła własne dziecko dla kontraktu w filmie!

Wszystkie sklepy spożywcze w kraju sprzedawały kolorowe pisemka. Te w Jacobsville też. Cash Grier wstąpił do supermarketu po jajka na omlet i zobaczył przed sobą wielkie zdjęcie Tippy. Czerwony nagłówek głosił, że słynna modelka złożyła własne dziecko na ołtarzu egoizmu.

Z wrażenia nie mógł złapać tchu. Tippy była w ciąży. Z jego dzieckiem. Sześciotygodniowa ciąża, tak pisała gazeta. Od Bożego Narodzenia minęło właśnie sześć tygodni.

– Okropne, prawda? – Stojąca obok starsza kobieta, widząc zainteresowanie Casha, pokiwała głową ze smutkiem. – Rok temu kręciła tu u nas jakiś film. Ładna dziewczyna. Ale teraz kobietom nie zależy na domu i dzieciach. Może i lepiej, że straciła tę ciążę. Co by z niej była za matka?

Cash nie zwrócił na nią uwagi. Z pobladłą twarzą zapłacił za jajka i wrócił do domu. Nie zapalił świateł ani nie włączył telewizora; po ciemku usiadł w fotelu i myślał o tym, że historia lubi się powtarzać.

Tippy czuła się zdruzgotana i nie była w stanie wrócić do pracy, chociaż wypisano ją ze szpitala już po niecałej dobie. Joel Harper odłożył na jakiś czas kręcenie scen z jej udziałem, zatrudnił dublerkę i przez cały czas przepraszał Tippy za niekompetencję swojego asystenta. Sam wniósł oskarżenie przeciwko Benowi i namawiał Tippy, by również to zrobiła.

Jej jednak było wszystko jedno. Nie potrafiła się otrząsnąć z rozpaczy. Nie mogła nawet zadzwonić do Casha i powiedzieć mu, jak bardzo cierpi z powodu straty, bo wiedziała, że on na pewno przeczytał już o wszystkim w gazetach i uznał, że Tippy pozbyła się ciąży celowo, podobnie jak jego była żona. Na pewno był przekonany, że nie chciała mieć jego dziecka. A może nawet uznał, że zamierzała w ten sposób zemścić się na nim za to, że ją zostawił.

Widząc, że stan Tippy nie poprawia się ani na jotę, Joel Harper zadzwonił w końcu do komendanta szkoły Rory'ego i wyjaśnił mu sytuację. Na koszt reżysera komendant wsadził chłopca do pierwszego samolotu lecącego do Newark. Joel wyjechał po niego na lotnisko.

Pierwsze pytanie Rory'ego brzmiało:

– Jak ona się czuje?

– Czytałeś gazety? – zapytał Joel, prowadząc chłopca do czarnej limuzyny czekającej na parkingu.

Chłopiec ponuro przytaknął.

– A właściwie to czytali mi je koledzy. Na głos.

Harper się skrzywił.

– Rory, nie ściągałbym cię tutaj, ale z nią nie jest dobrze.

– Wiem. Wczoraj były moje urodziny i nie zadzwoniła. To do niej zupełnie niepodobne. Zawsze dzwoniła i przysyłała mi prezent.

Joel westchnął.

– Wpadła w depresję i nawet nie jest w stanie pracować. Ktoś powinien przy niej być.

Rory starał się trzymać fason, ale w jego oczach błysnęły łzy.

– Czy wiesz, kto był ojcem tego dziecka? Może on mógłby się nią zająć?

– Może. Ale zanim do niego zadzwonię, najpierw chciałbym porozmawiać z siostrą.

Rozsądek i dojrzałość chłopca były zdumiewające.

– W porządku – zgodził się Joel. – Sam będziesz wiedział najlepiej, co zrobić.

Tippy, w podkoszulku i spodniach od dresu,

oglądała jakiś stary film. Gdy w drzwiach stanął Rory, bez słowa wyciągnęła do niego ramiona i rozpłakała się jak dziecko. Rory głaskał ją po plecach i niezdarnie próbował pocieszyć. Joel przywitał się z nią i zaraz wyszedł, zapowiadając, że przyjdzie następnego dnia po południu, żeby zabrać Rory'ego na lotnisko; chłopiec musiał wrócić do szkoły.

Rory usiadł na kanapie obok siostry. Dopiero teraz dostrzegł, jak źle wygląda; rysy twarzy miała napięte i wyostrzone, a oczy pełne cierpienia.

– Joel prosił, żebym zadzwonił do Casha – powiedział powoli.

– Nie!

– Ale, Tippy...

Nie pozwoliła mu skończyć.

– Obiecaj mi, że nie będziesz próbował kontaktować się z nim. Daj słowo!

– Ale przecież wszystko jest w gazetach – zdziwił się chłopak. – On i tak już wie!

– Rory, wiem, że będzie ci to trudno zrozumieć, ale... Cash był kiedyś żonaty i jego żona... pozbyła się ciąży. Nigdy się z tym nie pogodził. On nie chce się żenić drugi raz i tak naprawdę nie chce też dziecka, ale mimo wszystko będzie mnie obwiniał o to, co się stało. Znienawidzi mnie za to. – Przymknęła oczy. – Chciałam urodzić to dziecko, bardzo chciałam! Ale Cash w to nie uwierzy. Znienawidzi mnie za to, że nie odmówiłam udziału w tej scenie. Będzie przekonany, że zrobiłam to celowo, rozumiesz? Nie mogę do niego zadzwonić, bo tylko pogorszę sytuację. Myślę, że on też teraz cierpi, może jeszcze bardziej niż ja. Nie możemy dokładać mu jeszcze więcej cierpienia.

Rory nie wierzył, by Cash mógł obwiniać Tippy o to, co się stało. Jego zdaniem Cash był na to o wiele za szlachetny.

Dlatego też zdziwił się ogromnie, gdy się przekonał, że Cash nie chce z nim rozmawiać. Gdy Tippy poszła pod prysznic, Rory zadzwonił na posterunek w Jacobsville. Po chwili odłożył słuchawkę. Czuł się samotny i przerażony. Nie przyznał się siostrze, że próbował porozmawiać z Cashem.

Cash przesiedział jeden dzień w domu, a potem wrócił do pracy. Nikt nie wiedział, że to on był ojcem dziecka Tippy Moore, toteż współpracownicy nie potrafili zrozumieć, dlaczego nagłe stał się nieprzystępny i opryskliwy. Jedynie Judd Dunn mógł coś podejrzewać, ale i on wołał nie ryzykować otwartej konfrontacji z przyjacielem.

Zdziwił się jednak kilka dni później, gdy usłyszał o dyspozycjach, jakie Cash wydał, a mianowicie, by nie przekazywano mu połączeń od nikogo o nazwisku Danbury. Judd wiedział, że jest to prawdziwe nazwisko Tippy; sama mu o tym powiedziała, gdy kręciła film na jego ranczu.

– Kto to był? – zapytał Judd dyżurnego policjanta, który po kilku słowach odłożył słuchawkę telefonu.

Tamten wzruszył ramionami.

– Jakiś dzieciak o nazwisku Danbury.

– Czy Cash zabronił również łączenia go z dziećmi?

– Jeśli masz ochotę wejść do jego gabinetu i zarobić pięścią w nos, to proszę bardzo – uniósł się dyżurny. – Już raz na mnie dzisiaj naskoczył. Wolę więcej nie ryzykować!

Judd wszedł do gabinetu Casha bez pukania i przez chwilę spokojnie przyglądał się szefowi.

– Jakoś blado wyglądasz – zauważył.

Cash nawet nie podniósł głowy.

– Jestem zajęty.

Judd zamknął drzwi i przysiadł na rogu biurka.

– Ona by tego nie zrobiła celowo.

Cash spojrzał na niego strasznym wzrokiem.

– Dlaczego nie? Moja była żona zrobiła!

Judd ze zdziwienia szerzej otworzył oczy.

– Kobiety nie chcą mieć dzieci, bo to za dużo kłopotu. Wolą robić kariery!

Judd poczuł, że traci cierpliwość.

– Jasne. I właśnie dlatego Tippy wzięła brata na wychowanie.

Cash popatrzył na niego w milczeniu, ale coś się zmieniło w jego twarzy.

– Zresztą, czy Tippy była za to odpowiedzialna, czy też nie, to na pewno nie jest wina tego chłopca. Nie powinieneś się na nim wyładowywać.

– Przecież w ogóle z nim nie rozmawiałem – zdziwił się Cash.

– Twój dyżurny sierżant właśnie powiedział mu przez telefon, że nie chcesz z nim rozmawiać. Jak chcesz, to spróbuj do niego zadzwonić i przekonasz się, czy teraz on będzie chciał z tobą rozmawiać. Skoro do ciebie zadzwonił, to na pewno dlatego, że martwi się o siostrę. Chyba nie zaszła w ciążę sama ze sobą?

Zeskoczył z biurka i nie oglądając się, wyszedł z gabinetu. Cash patrzył za nim z niedowierzaniem. Było mu niedobrze. Przeżył wstrząs, gdy się dowiedział, że Tippy była w ciąży i nie powiedziała mu o tym. Kolejnym wstrząsem była wiadomość, że specjalnie zdecydowała się wykonać kaskaderski numer, by doprowadzić do poronienia. Mówił jej przecież, że weźmie na siebie odpowiedzialność za wszelkie możliwe konsekwencje ich wspólnej nocy, a jednak nawet do niego nie zadzwoniła.

Tylko dlaczego miałaby dzwonić, skoro na wszelkie sposoby starał się jej okazać, że nie chce ani jej, ani tego dziecka? Tippy i tak miała niską samoocenę, a on zrobił, co mógł, by obniżyć ją jeszcze bardziej. Rory musiał się o nią bardzo martwić, skoro zdecydował się zadzwonić. Widocznie chłopiec nie czuł do niego żalu i podejrzewał, że to właśnie Cash był ojcem dziecka. A teraz, za sprawą nadgorliwego sierżanta, Rory jest przekonany, że Cash zawiódł jego zaufanie.

Nie próbował zadzwonić do chłopca. Nie chciał rozmawiać z Tippy ani o Tippy; jeszcze nie. Najpierw musiał pogodzić się jakoś z tym, co zrobiła. Wiedział, że kariera była dla niej ważna, nie przypuszczał jednak, że okaże się ważniejsza niż wszystko inne. A teraz, gdy już o tym wiedział, nienawidził siebie za to, co zrobił. W ciągu ostatnich tygodni kilkakrotnie przychodziło mu do głowy, by wrócić do Nowego Jorku i zaryzykować związek, ale kończyło się tylko na myśleniu. Brakowało mu do tego odwagi. A skoro okazało się, że dla niej kariera jest ważniejsza od dziecka, to chyba lepiej, że nie zdobył się na ten krok. Miał teraz namacalny dowód na to, że Tippy nie chce już mieć z nim nic do czynienia.

Dopiero po kilku tygodniach Tippy wzięła się w garść na tyle, by móc wrócić do pracy. Zaczęła jednak pić; po raz pierwszy w swym dorosłym życiu piła po to, by zagłuszyć wspomnienia i ból. Próbowała to ukrywać w pracy, a także przed Rorym. Nie widziała brata od tamtego weekendu, gdy Joel go przywiózł. Rory w końcu przyznał się, że próbował zadzwonić do Casha, ten jednak nakazał swoim podwładnym, by nie łączyli go z nikim o nazwisku Danbury. Po usłyszeniu tej wiadomości Tippy poczuła się jeszcze gorzej.

Jej matka również czytała gazety. Zadzwoniła do niej tuż po wyjeździe Rory'ego.

– Teraz zobaczysz, co potrafię – powiedziała, przeciągając słowa. Było oczywiste, że znów piła. – Albo znów zapłacisz, żeby mieć Rory'ego, albo znajdzie się u mnie!

– Nie mam w tej chwili pracy – skłamała Tippy. – Nie mam pieniędzy. Musisz zaczekać, aż dostanę tantiemy za pierwszy film.

– A kiedy to będzie?

– Nie wiem. W przyszłym roku.

– Nic z tego. Ja potrzebuję pieniędzy teraz. Słuchaj no, nie mam zamiaru przymierać głodem, kiedy ty rozbijasz się limuzynami i jesz w najdroższych knajpach! Coś mi się w końcu należy za to całe piekło, które przeszłam przez ciebie i przez tego gówniarza!

Tippy zacisnęła słuchawkę w dłoni tak mocno, że kostki jej palców zbielały.

– Ty wiedźmo, zasługujesz na to, żeby smażyć się w piekle przez całe wieki! – wybuchnęła. – Nigdy nas nie broniłaś przed Samem, jeszcze pomagałaś mu znęcać się nad nami!

Matka się roześmiała.

– Pomagałam ci tylko dorosnąć – wybełkotała. – W końcu by ci się spodobało.

– W końcu zabiłabym was oboje – oświadczyła Tippy zimno. – Jesteście siebie warci.

– Ty masz pieniądze, a my ich potrzebujemy. Dobrze ci radzę, podziel się z nami, bo jak nie, to ja jestem gotowa na wszystko!

– Idź do gazet i opowiedz im, jak twój kochanek gwałcił mnie, gdy miałam dwanaście lat! Zresztą mogę im to sama opowiedzieć.

Przez chwilę w słuchawce panowało milczenie.

– Miałaś więcej... – odezwała się matka niepewnym głosem.

– Nie miałam więcej.

– Chcę pieniędzy! Nie powinnam pracować, skoro ty jesteś bogata! Należy mi się. Oddałam ci chłopaka!

– Sprzedałaś mi go za pięćdziesiąt tysięcy – poprawiła ją Tippy lodowato.

– To była tylko pierwsza rata. Chcę więcej. Nie wiesz, jak to jest, kiedy się nie ma pieniędzy – bełkotała matka. – Muszę mieć. Muszę. Jak mi nie przyślesz, to ja wyślę do ciebie Sama. On ma znajomych na Manhattanie. Narobi ci kłopotów. Przekonasz się.

– Ty nędzna kreaturo! Jak ty możesz wytrzymać sama ze sobą?

– Wyślij mi czek, bo zobaczysz – powtórzyła matka i się rozłączyła.

Po tym telefonie Tippy przez kilka dni nie potrafiła otrząsnąć się z wściekłości. Zastanawiała się, jak to jest, gdy się ma kochających, wspierających rodziców. Przecież na tym świecie są również i dobre kobiety. Dlaczego ona nie miała szczęścia na taką trafić?

Naprawdę nie miała teraz pieniędzy. Nie pracowała i następnego czeku mogła się spodziewać dopiero po powrocie na plan. Tymczasem jednak brakowało jej na czesne dla Rory'ego i na bieżące rachunki.

Wyobraziła sobie, jak ona sama przymiera głodem, Rory trafia do rodziny zastępczej, a matka tymczasem opowiada całemu światu, jaką ma niewdzięczną córkę, i wybuchnęła histerycznym śmiechem. Wyjęła z szafki butelkę whisky i nalała sobie szklaneczkę. Był weekend. Nie pracowała i mogła robić, co chciała. A skoro i tak miała stracić wszystko, to mogła przynajmniej trochę złagodzić swoje cierpienie.

Ferie wielkanocne wypadały w tym roku na początku kwietnia. Tippy zastawiła część biżuterii, by zapłacić za szkołę Rory'ego do wakacji. Brat przyjechał do domu pociągiem i na stacji z trudem ją poznał. Tippy była chuda niczym szkielet. Uścisnęła go z uśmiechem, ale w oczach miała pustkę, a pod oczami wielkie, ciemne sińce. Wyglądała jak zombie.

– Wróciłaś już do pracy? – zapytał Rory z troską.

Skinęła głową.

– Kończymy film w przyszłym tygodniu. Joel wynajął dla mnie dublerkę. Trochę za późno... ale co tam. Lepiej późno niż wcale!

– Tippy, czy wszystko z tobą w porządku?

– Jasne, że tak! – zawołała z fałszywym entuzjazmem. – Spędzimy razem fantastyczne święta. Upiekłam ciasto i narysowałam na nim kremem uśmiechniętą buźkę.

– Jestem już trochę za stary na takie rzeczy – zaoponował.

– Bzdura. Będziemy się dobrze bawić. Będziemy jak... jak rodzina – stwierdziła i zachwiała się lekko na nogach.

– Piłaś! – rzekł Rory cicho, ze zdumieniem w głosie. – Tippy, przecież wiesz, że nie powinnaś pić. Przypomnij sobie matkę!

Tippy poczuła się nieswojo, ale pokryła to śmiechem.

– Skłonność do alkoholizmu jest dziedziczna – zauważył chłopiec.

Znów się roześmiała.

– Rory, na litość boską, to tylko kilka drinków, żeby się rozluźnić... Nie praw mi kazań, dobrze? – Uścisnęła go jeszcze raz. – Mój braciszek... Cieszę się, że jesteś już w domu.

– Ja też się cieszę – powiedział Rory bez uśmiechu.

Pierwszego wieczoru po przyjeździe Rory'ego zadzwonił telefon. Chłopiec odebrał, ale dzwoniący natychmiast się rozłączył. Na wyświetlaczu nie pokazał się żaden numer. Może to Cash, pomyślał chłopiec z nadzieją. Może przemyślał wszystko i chciał zapytać, co u nich słychać.

– Czy Cash odzywał się do ciebie? – zapytał nieoczekiwanie.

Twarz Tippy natychmiast się ściągnęła.

– Nie! – odrzekła krótko. – I nie chcę, żeby się odzywał! Gdybym go cokolwiek obchodziła, zadzwoniłby już dawno temu.

– A ty do niego nie dzwoniłaś?

– A po co? Przecież on mnie nienawidzi.

– Skąd możesz wiedzieć?

– Bo wiem – odrzekła z przekonaniem i nalała sobie whisky. – I nic mnie to nie obchodzi.

Ale to nie była prawda. Rory patrzył na siostrę ze

ściśniętym sercem. Może gdyby był starszy, wiedziałby, co w tej sytuacji zrobić. Ale był zaledwie dzieckiem.

Tippy znów sięgnęła po butelkę i w tej samej chwili ktoś zastukał do drzwi. Rory poszedł otworzyć. Za progiem stał jego kolega, Don, z dziwnym wyrazem twarzy.

– Rory, właśnie wróciliśmy ze sklepu i na dole spotkaliśmy jakiegoś faceta, który mówi, że cię zna. Chce, żebyś zszedł i porozmawiał z nim.

– Czy to może Cash? – zawołał Rory z podnieceniem.

Don wzruszył ramionami.

– Nie mam pojęcia. Widziałem tego znajomego twojej siostry tylko raz. A ten facet miał kapelusz naciągnięty na oczy i długi płaszcz...

– To na pewno Cash! – powtórzył Rory z radością. – Zejdę do niego. Nie mów mojej siostrze, dobrze? – dodał szybko.

– Jak chcesz. Może pójdziesz jutro ze mną i z mamą na lodowisko?

– Zobaczymy. Dzięki, Don!

– Nie ma za co.

Rory zatrzymał się w drzwiach.

– Idę na chwilę do sąsiadów! – zawołał w głąb mieszkania. – Zaraz wrócę!

– Dobrze, ale nie wychodź nigdzie dalej bez

uprzedzenia! – zawołała za nim, przypominając sobie groźby matki.

– Dobrze – obiecał. Zamknął za sobą drzwi i zszedł na dół po schodach.

W godzinę później Tippy zauważyła, że nieobecność brata nadmiernie się przeciąga. Odstawiła szklankę i spróbowała się skupić. Rory powiedział, że idzie do Dona. Sięgnęła po telefon i zadzwoniła do sąsiadów.

– Ale jego tu w ogóle nie było – stwierdziła matka Dona ze zdumieniem. – Na pewno powiedział, że idzie do nas?

Tippy poczuła niepokój.

– Zaraz, chwileczkę – dodała jej rozmówczyni. Zawołała syna i przez chwilę Tippy słyszała szmer stłumionej rozmowy. – Właśnie zapytałam Dona. Tippy, on mówi, że jakiś mężczyzna przed domem prosił go, żeby zawołał Rory'ego na dół. Rory myślał, że to ten twój znajomy, Cash, tak miał chyba na imię? Ale Don nie potrafi powiedzieć, czy to on. Mówi, że ten człowiek był ubrany w płaszcz i kapelusz i wyglądał tajemniczo.

Tippy podziękowała i odłożyła słuchawkę z gardłem ściśniętym z lęku. A więc znajomy, o którym wspominała jej matka, uprowadził Rory'ego. Była tego absolutnie pewna. Umysł miała jednak zamglony i nie potrafiła w tej chwili myśleć jasno. Co powinna teraz zrobić?

Telefon znów zadzwonił. Podniosła słuchawkę.

– Mamy Rory'ego – oznajmił dobrze jej znany z przeszłości głos, na dźwięk którego przeszył ją zimny dreszcz. – Do rana masz zebrać sto tysięcy albo dostaniesz tylko jego ciało w worku. Nie próbuj dzwonić do glin. Rano zadzwonimy do ciebie z instrukcjami. Dobrej nocy, skarbie – dodał ironicznie i się rozłączył.

Tippy była śmiertelnie przerażona. Wiedziała, że Sam nie żartuje. Bała się go przez całe życie i ten lęk nie opuszczał jej jeszcze długo po ucieczce z domu. Rory nie wiedział, że Sam jest jego ojcem. Ten fakt jednak niczego nie zmieniał; Sam nie był zdolny do jakichkolwiek ojcowskich uczuć. Nie mogła pozwolić, by skrzywdził chłopca.

Znalazła torebkę i drżącymi rękami przewracała kartki kalendarzyka z numerami telefonów, szukając numeru Casha Griera. Pewnie nie będzie chciał z nią rozmawiać, ale musiała spróbować. Wystukała numer na komórce i czekała. Jeden sygnał. Drugi. Trzeci. Czwarty. Jej usta poruszały się w bezgłośnej modlitwie. Odbierz. Proszę cię, odbierz!

Pięć sygnałów. Sześć. Powoli traciła nadzieję.

– Grier – odezwał się wreszcie zimny, głęboki głos.

– Cash! Muszę z tobą porozmawiać. Potrzebuję pomocy!

– Pomocy? Ty potrzebujesz pomocy? Idź do diabła, Tippy! – wybuchnął.

– Zaczekaj – osadziła go stanowczo. – To poważna sprawa.

Nie pozwolił jej skończyć.

– Nic ci nie mam do powiedzenia, Tippy. Nigdy nie dzwoń do mnie.

– Cash, na litość boską! – wykrzyknęła, roztrzęsiona, ale połączenie zostało przerwane.

Spróbowała zadzwonić jeszcze raz; bez skutku. Cash nie zamierzał z nią rozmawiać. Wiedziała też, że nie ma sensu próbować dzwonić pod inne numery, na przykład na posterunek w Jacobsville, bo on i tak nie zechce jej wysłuchać. Gdyby zechciał, na pewno spróbowałby pomóc; ale jak wytłumaczyć mu, o co chodzi.

Zaklęła siarczyście, zastanawiając się, co robić dalej. Musiała ocalić Rory'ego! W przypływie natchnienia wybrała numer Judda Dunna, ale nikt nie odbierał. Nawet Christabel nie było w domu.

Napełniła kubek zimną kawą i wypiła duszkiem w nadziei, że umysł trochę się rozjaśni. Pozostawało tylko jedno wyjście: zorganizować pieniądze.

Joel. Joel Harper! Gdyby udało się z nim skontaktować...

Wybrała jego numer domowy, ale odpowiedziała jej automatyczna sekretarka. Spróbowała zadzwonić do studia, ale tam akurat nie było nikogo z ekipy Joela. Wszyscy pojechali przygotowywać plan do następnego filmu, który miał być kręcony w Peru, na zupełnym odludziu, gdzie nawet komórki nie miały zasięgu.

Spróbowała jeszcze zadzwonić do dyrektora studia, ale ten miał akurat tydzień urlopu. Przeznaczenie, pomyślała ponuro. Znikąd pomocy. Była zdana na siebie. Mogła jeszcze zadzwonić na policję, ale jak miała znaleźć tam kogoś, kto nie naraziłby życia Rory'ego, wysyłając po niego oddział z bronią gotową do strzału? Nie miała pojęcia, co robić.

Z ciężkim westchnieniem odłożyła słuchawkę. Wiedziała, że nie uda jej się zebrać sumy, jakiej Sam żądał. Na koncie miała tysiąc dolarów, limit kart kredytowych wyczerpany, biżuterię zdążyła już zastawić. Nic jej nie zostało.

Była tylko jedna możliwość. Mogła zaproponować im siebie w zamian za Rory'ego i powiedzieć Samowi, że może się układać o okup z wytwórnią filmową. Gdyby dobrze to rozegrała, może udałoby jej się przekonać porywaczy, że jest dla nich warta więcej niż chłopiec. Oczywiście, ona sama doskonale zdawała sobie sprawę, że studio za nią nie zapłaci, ale w każdym razie była to jakaś szansa, by ocalić brata.

Znowu nalała sobie whisky i całą noc przesiedziała przy telefonie, czekając, aż Sam zadzwoni. Nigdy by nie przypuszczała, że dobrowolnie odda się w jego ręce. Zbyt dobrze pamiętała strach i ból sprzed lat. Wiedziała, że gdy Sam przekona się, że nie dostanie za nią okupu, wpadnie w furię. Jeśli będzie miała szczęście, to po prostu ją zabije. Alternatywy wolała sobie nie wyobrażać. Piła whisky i myślała o tym, jak jej życie wyglądałoby teraz, gdyby nie uwiodła Casha, gdyby nie zaryzykowała skoku, gdyby, gdyby, gdyby...

– Dasz radę – powiedziała w końcu na głos i wzniosła toast resztkami whisky. – Za to, żebym miała więcej szczęścia niż rozumu, i za szczęśliwy powrót z tarczą – wymamrotała.

Gdy telefon w końcu zadzwonił, opanowanym głosem przedstawiła Samowi swoją ofertę. Zastanawiał się przez chwilę, porozmawiał z kimś, a w końcu zgodził się i podał jej adres.

– Weź taksówkę i nie dzwoń do nikogo – ostrzegł ją. – Mogę zabić chłopaka, zanim ktokolwiek się do mnie zbliży. Rozumiesz?

– Rozumiem, skarbie – odrzekła z jawną drwiną.

– Nie trać czasu – dorzucił jeszcze i się rozłączył.

Przypomniała sobie szybko wszystkie chwyty samoobrony, jakie ćwiczyła, i po namyśle wzięła ze sobą składany nóż, pamiątkę po ostatniej roli. Nie potrafiła go właściwie używać, ale miał długie, cienkie ostrze i pomyślała, że jeśli nadarzy jej się okazja, to Sam Stanton zapłaci za krzywdy, jakie wyrządził innym w ciągu swojego życia. A Cash potem będzie mógł poczytać sobie o wszystkim w kolorowych pisemkach, pomyślała zimno. I oby wyrzuty sumienia prześladowały go do końca życia!

ROZDZIAŁ SIÓDMY

Na lotnisku Cash złapał taksówkę i kazał się zawieźć pod adres mieszkania Tippy. Po jej rozpaczliwym telefonie nie chciał tracić czasu na jazdę samochodem z Teksasu do Nowego Jorku. Nie miał pojęcia, co się stało, ale czuł zimny, nieprzyjemny ucisk w żołądku, jakby jego ciało wyczuwało coś bardzo złego. Musiał się przekonać, o co chodzi.

Odkąd do niego zadzwoniła, jej głos nie przestawał go prześladować, aż w końcu Cash złamał się i oddzwonił, by się upewnić, czy wszystko u niej w porządku. Zadzwonił na domowy numer, ale to nie Tippy odebrała telefon. W słuchawce odezwał się męski głos, szorstki i bardzo rzeczowy. Cash zapytał o Tippy. Odpowiedzią było długie milczenie. W końcu zapytano go, czego chce. Cash poczuł, że krew zastyga mu w żyłach. Grzecznie wyjaśnił, że chciałby rozmawiać z Tippy Moore. Nastąpiła kolejna chwila milczenia, a potem usłyszał, że Tippy nie może podejść do telefonu i żeby spróbował zadzwonić następnego dnia.

Cash długo nie wypuszczał z dłoni milczącej słuchawki. Coś złego stało się w mieszkaniu Tippy. Obcy mężczyźni odbierali telefony do niej. Policja. Cash był tego pewien; doskonale znał ton, jakiego używał tamten mężczyzna, bo sam kiedyś, pomagając rozwikłać kilka przypadków porwania, używał identycznego tonu.

Wiedział, że niczego się nie dowie przez telefon. Powiedział w pracy, że musi się zająć pilną sprawą rodzinną, wziął urlop, zostawił posterunek pod opieką Judda i wsiadł do pierwszego samolotu lecącego do Nowego Jorku.

Nieustannie wracał myślami do rozmowy z Tippy. Policjanci w jej mieszkaniu czekali na kogoś lub na coś. Przypomniał sobie o matce Tippy, ojcu Rory'ego i ich groźbach. Czyżby porwali chłopca? To by wyjaśniało histeryczny ton Tippy. Zadzwoniła do niego, szukając pomocy, a on wyłączył telefon. Jeśli cokolwiek się stało jej albo chłopcu, to do końca życia sobie tego nie daruje. Tylko że jeśli Rory został porwany, to dlaczego Tippy sama nie odbierała telefonów?

Wysiadł z taksówki, w kilku wielkich susach dopadł drzwi domu Tippy i nacisnął guzik domofonu.

– Kto tam? – zapytał ten sam głos, który Cash wcześniej słyszał przez telefon.

– Jestem starym znajomym Tippy Moore – wyjaśnił uprzejmie. – Pracujemy razem.

Przez chwilę nikt nie odpowiadał, a potem Cash usłyszał głos Rory'ego:

– Proszę, niech mu pan pozwoli wejść!

Rory! Cash zacisnął mocno zęby. A więc Rory był w domu. Nie porwano go. Coś jednak stało się z Tippy.

– Dobrze, proszę wejść – usłyszał w końcu i rozległ się brzęczyk otwierający drzwi.

Wbiegł po schodach jak szaleniec i z trudem zmusił się do opanowania przed progiem mieszkania Tippy. Za drzwiami stało kilku mężczyzn w garniturach. Rory przebiegł obok nich i ze szlochem rzucił się w objęcia Casha.

– Co się stało? – zapytał Cash łagodnie, obejmując chłopca.

– Zna pan tego chłopca? – zapytał jeden z policjantów.

Cash przyjrzał mu się uważnie. Twarz tego mężczyzny wydawała mu się znajoma. W pierwszej chwili nie wiedział, skąd go zna, ale zaraz sobie przypomniał. To był agent FBI; wiele lat temu pracowali razem przy pewnej sprawie.

– Co tu się dzieje? – zapytał Cash, nie odpowiadając na zadane mu pytanie.

– To nie pana sprawa.

– Czy mogę go poczęstować kawą? – zapytał Rory szybko. – To dobry znajomy Tippy!

– Wie pan, gdzie ona teraz jest? – zapytał agent.

– Pewnie w pracy – odrzekł Cash gładko.

– Jasne. Jest w pracy. Ma pan pięć minut, a potem będzie pan musiał stąd wyjść. Czekamy na pewien telefon.

Cash poszedł za Rorym do kuchni, a gdy się tam znaleźli, odkręcił kran, by dźwięk lecącej wody zagłuszył jego słowa, i spojrzał na chłopca.

– Mów. Szybko.

– Sam porwał mnie dla okupu – powiedział chłopiec cicho. – Tippy nie miała pieniędzy, więc wymieniła mnie za siebie. Powiedziała Samowi, że wytwórnia filmowa zapłaci za nią. Ona sama będzie miała pieniądze dopiero wtedy, kiedy film wejdzie do kin.

Cash poczuł, że serce przestaje mu bić.

– Zabiją ją – szepnął bezwiednie.

– Ona o tym wie. Pożegnała się ze mną, kiedy mnie wypuszczali. Powiedziała, że wie, co robi, i że nie ma znaczenia, co się z nią stanie. – Rory z trudem hamował łzy. – Odkąd straciła dziecko, na niczym jej nie zależy. Kazała mi wrócić do domu i nie myśleć o niej. Powiedziała, że jak ją zabiją, to po prostu nie będzie już więcej cierpieć... Cash! – Skrzywił się, gdy silne dłonie mężczyzny zacisnęły się na jego ramionach.

Cash puścił go i wymamrotał przeprosiny.

– Gazety pisały, że chciała się pozbyć tego dziecka! – rzucił gorzko.

– To kłamstwo. Asystent reżysera przysięgał, że nic jej się nie stanie. Gdy pan Harper dowiedział się o tym, wyrzucił tego asystenta, ale było już za późno...

Cash przymknął oczy. Każde gorzkie słowo, jakie wypowiedział do Tippy, wracało teraz do niego ze zdwojoną siłą. Wiedział, że jeśli dziewczyna zginie, to będzie jego wina. Zadzwoniła do niego, bo chciała, by ocalił Rory'ego, a on obraził ją i nie chciał z nią rozmawiać. I dlatego postanowiła sama wydać się w ręce mężczyzny, którego obawiała się najbardziej na świecie.

Rory potrząsnął jego ramieniem.

– Cash, weź się w garść! Musimy ją uratować!

Twarz Casha była blada jak papier. Z trudem wziął kilka głębokich oddechów, starając się nie myśleć o tym, przez co Tippy w tej chwili przechodzi.

– Cash! – powtórzył Rory. W tej chwili to on wydawał się bardziej dorosły niż mężczyzna obok.

Cash odetchnął głęboko.

– W porządku. Zajmę się tym.

– Ci faceci tutaj chyba nie wiedzą, co robić – dodał Rory z przygnębieniem. – Siedzą tylko i czekają, aż telefon zadzwoni. Ale Sam nie jest taki głupi, żeby tu dzwonić. Prędzej zadzwoniłby do wytwórni Tippy. Tylko że Joel Harper jest na planie za granicą i nie można się z nim skontaktować, a tu na miejscu nie ma nikogo, kto mógłby podjąć decyzję o zapłaceniu okupu bez jego zgody. Oni ją zabiją. Jestem tego pewien.

– Jak to się stało, że Stanton cię porwał? – zapytał Cash szybko.

– Poprosił mojego kolegę, który mieszka tu obok, żeby zawołał mnie przed dom. Myślałem, że to ty – wyjaśnił chłopiec, odwracając wzrok. – Kuzyn Sama mieszka niedaleko stąd. Jego ojciec prowadzi bar. Należy do jakiegoś gangu i ma powiązania z mafią.

– Jak się nazywa?

– Alvaro Jakiś-tam. Chyba Montes. Bar nazywa się La Corrida i jest przy Drugiej Ulicy.

Mężczyźni w garniturach stali przy drzwiach do kuchni i przyglądali im się podejrzliwie. Jeden z nich, ciemnoskóry, mógł być nieco starszy od Casha. Drugi był wyższy, po pięćdziesiątce, z posrebrzonymi włosami i twardą, nieprzeniknioną twarzą.

– Pięć minut minęło – powiedział ten wyższy. – Wydaje mi się, że skądś pana znam.

Cash rzucił mu szeroki uśmiech.

– Może widział mnie pan w filmie. Grałem kelnera w „Tancerzu".

– Nie oglądam musicali – oświadczył policjant z wyraźnym niesmakiem.

Cash rzucił Rory'emu ostrzegawcze spojrzenie.

– Gdy twoja siostra wróci do domu, zagramy w szachy, tak jak ci obiecałem. Nie zostaniesz tu chyba sam w mieszkaniu?

– Nie będzie sam. Będziemy go pilnować – rzekł starszy policjant sucho.

Cash wyciągnął z kieszeni wizytówkę.

– Prowadzę tu niedaleko niewielki interes – zwrócił się do mężczyzn z uśmiechem. – Takie zabezpieczenie finansowe na okres między jednym filmem a drugim. Gdyby mały potrzebował miejsca, gdzie mógłby się zatrzymać, gdy Tippy jest na planie, to może do mnie zadzwonić.

Spojrzenia agentów stały się jeszcze bardziej podejrzliwe.

– Proszę mi pokazać tę wizytówkę – zażądał młodszy.

Cash wyjął karteczkę z dłoni Rory'ego i podał mężczyźnie. Napis na wizytówce brzmiał: „Schronisko Smitha, Brooklyn, N.Y.". Pod spodem podany był numer telefonu.

– Smith to pan? – zapytał policjant.

– To ja. Nazwisko łatwe do zapamiętania – potwierdził Cash z gładkim uśmiechem, w duchu dziękując Bogu za to, że przyszło mu do głowy, by zabrać ze sobą te stare wizytówki.

Mężczyzna oddał karteczkę Rory'emu.

– Skontaktuje się z panem, jeśli będzie taka potrzeba – rzekł krótko. – A teraz proszę stąd wyjść.

Cash skinął głową i zatrzymał wzrok na chłopcu.

– Trzymaj się, Rory – rzekł, wzrokiem próbując dodać mu otuchy.

Rory odpowiedział skinieniem, ale na jego twarzy widać było, że nie wierzy w szczęśliwe zakończenie tej sytuacji. Nie miał pojęcia, w jaki sposób Cash mógłby w pojedynkę uwolnić jego siostrę. To nie było przecież rutynowe działanie.

Cash również nad tym rozmyślał. Na ulicy natychmiast sięgnął do kieszeni po komórkę, której używał tylko w wyjątkowych okolicznościach, i wybrał numer.

– Peter? Tu Grier. W porządku, a u ciebie? Potrzebuję pomocy.

– To znaczy? – zapytał głos po drugiej stronie.

– Trzysta gramów C-4, nóż Ka-Bar, trochę liny, pistolet automatyczny 45, parę granatów oślepiających i transport na Brooklyn.

Mężczyzna po drugiej stronie wybuchnął śmiechem.

– Jasne, nie ma problemu. Zaraz skoczę do sklepiku na rogu i wszystko ci kupię. Gdzie jesteś?

W pół godziny później Cash wsiadł do samochodu, który zatrzymał się o dwie przecznice dalej, i uścisnął dłoń swego wychowanka, Petera Stone'a, który obecnie był zawodowym najemnikiem. Kiedyś należał do grupy Micah Steele'a, a teraz wraz z Bojem, innym byłym członkiem tej grupy, pracował na Bliskim Wschodzie w siłach bezpieczeństwa szejka Philippe'a Sabona. Przyjechał do kraju, by zobaczyć się z rodziną, między jednym zleceniem a drugim.

– A więc zostałeś komendantem policji. Kto by uwierzył – zaśmiał się Peter.

– A kto by uwierzył, że ty będziesz walczył z międzynarodowym terroryzmem – odciął się Cash.

Peter wzruszył ramionami.

– Człowiek pracuje, gdzie się da. O co chodzi tym razem? – zapytał już poważniej.

– Moją znajomą porwano dla okupu. Muszę ją uwolnić.

– Kobieta? – zdziwił się młodszy mężczyzna. – Zależy ci na jakiejkolwiek kobiecie na tyle, by ją uwalniać? To musi być rzeczywiście wyjątkowa osoba.

– Jest wyjątkowa – mruknął Cash krótko, odwracając wzrok. – Zamieniła się z bratem, bo to jego porwali najpierw. Przekonała ich, że za nią dostaną wyższy okup od wytwórni filmowej, dla której pracuje, chociaż wiedziała, że wytwórnia nie zapłaci. W tej chwili w kraju nie ma nikogo, kto mógłby negocjować wysokość okupu. O tym też wiedziała.

– Ma charakter – mruknął Peter z podziwem.

– Ma. A ja muszę coś zrobić. Ten drań, który ją trzyma, to najgorszy rodzaj śmiecia.

– Don Kincai jest teraz w mieście – powiedział Peter. – W razie potrzeby mogę się też skontaktować z Edem Bonnerem. Ed był lokalnym szefem Marcusa Carrery, jeszcze zanim Marcus się nawrócił.

– Carrerę wolałbym zostawić na czarną godzinę – odrzekł Cash. – On drogo sobie liczy za przysługi.

– Coś o tym wiem – mruknął Peter sucho. – Nadal jestem mu coś winien i wolę się nawet nie zastanawiać, czego sobie zażyczy.

– Może poprosi cię o kupon egzotycznej tkaniny z Bliskiego Wschodu – zaśmiał się Cash.

– Nigdy nie żartuj z jego hobby – ostrzegł go Peter natychmiast. – Tu w szpitalu jest jeden facet, który tak zażartował i teraz bardzo tego żałuje!

– Mamy w Teksasie prawnika, który też szyje patchworki i zna Carrerę. Nawet wystąpił kiedyś w telewizji, w programie o patchworkach. Mam w komisariacie jednego faceta, który kiedyś u niego pracował... aż do dnia, gdy przyszło mu do głowy zażartować z mężczyzn, którzy szyją narzuty. Ale już doszedł do siebie. A jego przednie zęby wyglądają zupełnie jak prawdziwe.

Peter zaśmiał się i skręcił w boczną uliczkę.

– Dokąd teraz?

– Do baru La Corrida.

– Znam ten bar! Prowadzi go pewien Hiszpan, Alvaro Montes. Jego ojciec walczył z bykami. Zginął na arenie, tak jak chciał.

– Czy ten Montes jest recydywistą?

– On nie. Ale w jego rodzinie jest kilku typów spod ciemnej gwiazdy. Jego własny syn też się do nich zalicza. O, temu to z pewnością przydałoby się trochę działań wychowawczych.

– Dobrze się składa – mruknął Cash – bo właśnie o niego chodzi.

Peter aż gwizdnął z podniecenia.

– Coś takiego! No to jedziemy pogadać z Papą Montesem. Może powie nam, gdzie jego syn ukryłby zakładnika, gdyby takiego miał.

– Słuchaj, nie jestem w nastroju do pogaduszek przy barze.

– To nie tak, jak myślisz. – Peter pokręcił głową. – Zresztą, sam zobaczysz.

Bar był ciasny i kiepsko oświetlony. Na ich widok zza lady podniósł się wysoki mężczyzna o ciemnych, kręconych włosach przyprószonych siwizną. Jedyny klient – starszy mężczyzna – siedział przy stoliku w kącie.

– Peter! – Barman uśmiechnął się szeroko. – Nie wiedziałem, że jesteś w mieście!

– Tylko na kilka dni, Viejo. To mój przyjaciel, Grier.

Mężczyzna za barem zawahał się i spojrzał na Casha przymrużonymi oczami.

– Słyszałem o panu – powiedział cicho.

– Większość ludzi o nim słyszała – rzekł Peter swobodnie. – Jego przyjaciółka została porwana.

– I przyszliście tutaj, do mnie – westchnął barman, przymykając oczy. – Oczywiście nie muszę pytać dlaczego. To przez tego kuzyna z Południa, który przyjeżdża tu tylko po to, żeby ściągać nam na głowę kłopoty. Ostatnim razem chodziło o napad z bronią w ręku. A teraz co?

– Obawiam się, że coś jeszcze gorszego – rzekł Peter. – Myślę, że wiesz, dokąd twój kuzyn zabrałby zakładnika.

– Zakładnika. – Barman znów przymknął oczy.

– Tak, tak. Wiem, gdzie by się ukrył – dodał powoli. – W magazynie, gdzie trzymam dobre wino i mocne alkohole, o kilka ulic stąd. – Podał Peterowi adres. – Czy mógłbyś to załatwić tak, żeby nie wplątywać mojego syna?

– Twój syn już jest w to wplątany – wtrącił Cash ostro. – I jeśli cokolwiek się stanie tej kobiecie, to gorzko tego pożałuje.

Na twarzy barmana ukazał się bolesny grymas.

– Byłem dobrym ojcem – powiedział z trudem. – Starałem się, jak mogłem, nauczyć go odróżniać dobro od zła i oddzielić go od przyjaciół, którzy zboczyli w niewłaściwą stronę. Ale gdy wyniósł się z domu, przestałem mieć nad nim kontrolę. Ma pan dzieci? – zwrócił się do Casha.

– Nie – uciął krótko. – Czy pana syn może mieć tam ze sobą jeszcze kogoś, oprócz tego kuzyna?

Mężczyzna potrząsnął głową.

– Jego brat jest prawnikiem. Może to i szczęśliwie się składa. Tamten nigdy nie przysparzał mi kłopotów. Zawsze był dobrym chłopcem.

– Długo już pracuję w policji i wiem, że dzieci schodzą czasem na złą drogę nawet wtedy, gdy rodzice robią wszystko tak jak trzeba. To częściej jest kwestia charakteru niż wychowania – powiedział Cash.

– Gracias – odrzekł mężczyzna cicho.

– Do zobaczenia, Viejo – rzucił Peter. – I dzięki.

Starszy człowiek krótko skinął głową. W oczach miał wielki smutek.

– To dobry człowiek – powiedział Peter, gdy już wrócili do samochodu. – Poświęcił swoje życie, żeby wychować synów. Ich matka zmarła zaraz po urodzeniu najmłodszego. Ona też była dobrą kobietą.

– Tak jak Tippy – mruknął Cash z niecierpliwością.

Czas już był najwyższy przystąpić do działania. Obawiał się pomyśleć o tym, co zastaną, jeśli pojawią się za późno.

Magazyn stał przy małej, bocznej uliczce. Jedna z pobliskich latarń była roztrzaskana, najprawdopodobniej kamieniem. W pobliżu wałęsała się grupka wyrostków, którzy wyraźnie szukali zaczepki, ale na widok Petera i Casha w pełnym ekwipunku natychmiast zrobili w tył zwrot.

– Nie musisz się nimi martwić – zauważył Peter spokojnie. – W tej okolicy nikt nam nie będzie przeszkadzał w robocie. Jak tam wejdziemy?

Obejrzeli już budynek ze wszystkich stron i sprawdzili wejścia.

– Po dachu i przez szyb wentylacyjny – zadecydował Cash. – A potem zeskoczymy przez barierkę z piętra prosto do magazynu.

– Postaraj się nie porozbijać butelek, dobra? – mruknął Peter. – Viejo nie należy do bogaczy, to chyba jest cały jego majątek.

– Będę uważał. Chodźmy.

– A co z federalnymi? – zapytał Peter ponuro.

Cash pokiwał głową i sięgnął po telefon.

Zahaczyli kotwice o krawędź dachu, wspięli się po linach na górę, a potem sprawnie prześlizgnęli się przez szyb wentylacyjny na piętro budynku. Mikroskopijne słuchawki w uszach i nadajniki przy ustach pozwalały im porozumiewać się po cichu nawet na dużą odległość. Cash szedł pierwszy, ze zwojem liny na ramieniu. Przy pasie miał wojskowy nóż w pochwie oraz automatyczny pistolet. Obydwaj byli ubrani na czarno i w kominiarkach.

Cash zatrzymał się na wąskiej galerii i spojrzał w dół, na poziom magazynu. Pomiędzy beczkami i regałami z winem dostrzegł kobietę. Leżała na plecach na kawałku tektury, a nad nią trzech mężczyzn wiodło jakiś spór. Jeden z nich trzymał w ręku szczątki rozbitej butelki. Kobieta nie wydawała z siebie głosu. Serce Casha zatrzymało się w piersi. Wiedział, że jeśli zrobią jej jakąś krzywdę, to zabije ich; nie będzie się w stanie powstrzymać.

Gestem nakazał Peterowi przejść na drugą stronę galerii. Ten skinął głową i bezgłośnie zaczął przeciskać się między kartonowymi pudłami. W końcu znalazł się na wyznaczonej pozycji i unosząc do góry kciuki, zasygnalizował swoją gotowość. Teraz obydwaj mężczyźni jednocześnie przywiązali liny do poręczy galerii, wyciągnęli zza pasków pistolety, wspięli się na poręcze i z głośnym okrzykiem zsunęli w dół.

– Co, do diabła...! – wykrzyknął jeden z trzech zaskoczonych mężczyzn na dole.

– Strzelaj! Strzelaj! – wrzasnął drugi, wymachując pistoletem.

Na oślep oddał kilka strzałów w kierunku Casha, ten jednak był zbyt doświadczony, by dać się w ten sposób trafić. Puścił linę, przetoczył się po podłodze i strzelił. Mężczyzna z pistoletem upadł, chwytając się za nogę i jęcząc głośno. Peter już przyduszał drugiego ramieniem, stojąc za jego plecami. Trzeci szybko ocenił sytuację i rzucił się do wyjścia. Zniknął, zanim Cash zdążył mu się przyjrzeć.

Cash wsunął broń do kabury i podbiegł do Tippy. Z bliska z przerażeniem dostrzegł, że jej twarz zalana jest krwią. Bluzkę też miała zakrwawioną i podartą, nagie ramiona pokryte sińcami. Nie poruszała się, nie było nawet widać, czy oddycha.

W umyśle Casha mignęło wspomnienie Christabel Gaines, która kilka miesięcy wcześniej leżała na ziemi w takiej samej pozycji, postrzelona przez wrogów Judda. Teraz też, tak samo jak wtedy, poczuł mdlącą panikę.

– Tippy... – jęknął.

Przyklęknął obok niej, drżącą ręką starając się wyczuć puls na jej szyi. Przez kilka długich jak wieczność sekund był przekonany, że dziewczyna już nie żyje, potem jednak palec natrafił na ledwo wyczuwalny puls.

– Żyje! – zawołał do Petera. Wyciągnął komórkę i wystukał 911.

Była wciąż nieprzytomna, gdy przyjechała karetka i policyjny radiowóz z dwoma mężczyznami w garniturach. Peter zdążył już zniknąć razem z całym ekwipunkiem, w tym również z roboczym strojem Casha i wszelkimi innymi dowodami rzeczowymi, które mogłyby wskazywać na to, co naprawdę zaszło w magazynie. Jedynym śladem, którego nie mogli usunąć, była kula w nodze wyższego z porywaczy, Cash jednak miał pewność, że policja nigdy nie znajdzie pistoletu, z którego ta kula została wystrzelona.

Mimo wszystko zadzwonił do mieszkania Tippy i zawiadomił agentów FBI o sytuacji. Przyjechali jednocześnie z policją. Wyższy z agentów zacisnął wymownie usta na widok Casha, który siedział na podłodze magazynu, trzymając na kolanach głowę

Tippy. W drzwiach już pojawili się ratownicy z pogotowia z noszami w towarzystwie umundurowanych policjantów i techników kryminalnych.

– Już pamiętam, gdzie pana wcześniej widziałem. – Agent pokiwał głową.

– Nic pan nie pamięta – stwierdził Cash stanowczo.

Mężczyzna się skrzywił.

– Niech pan zrozumie...

– Nie, to pan niech zrozumie – odparował Cash. – Ci ludzie porwali moją narzeczoną. Miałem siedzieć przy telefonie i czekać, aż zadzwonią? Niestety, spóźniłem się na akcję. Gdy się tu pojawiłem, było już po wszystkim.

– Nie ma pan prawa wtrącać się w działania sił rządowych!

– Tak pan sądzi? To niech pan spróbuje mnie o tym przekonać.

– Wystarczy, że zadzwonię do sztabu, i do rana zostanie z pana mokra plama! – rzucił agent z wściekłością.

– Wystarczy, że ja zadzwonię, i od jutra będzie pan sprzedawał długopisy z plastikowego kubka na Broadwayu! – odparował Cash.

Młodszy z agentów odciągnął drugiego na bok i coś do niego szeptał. Po chwili starszy spuścił trochę z tonu.

– Lepiej, żeby rano już tu pana nie było – bąknął.

– Nie będzie mnie – zapewnił go Cash cicho i znów skupił uwagę na Tippy, która oddychała z wyraźnym trudem.

Agenci podeszli bliżej.

– Po diabła on ją okaleczył? – zapytał starszy z gniewem. – Przecież w niczym im nie zagrażała!

– Ten, który jest ranny w nogę, lubi krzywdzić kobiety – odrzekł Cash, nie podnosząc głowy.

– Aha – mruknął przeciągle agent i podszedł do Stantona, który właśnie próbował zatamować krwawienie z rany oddartym kawałkiem koszuli.

– Weźcie mnie do karetki, zakute łby, przecież widzicie, że jestem ranny! Jeden z tych drani w maskach strzelał do mnie! – warczał Stanton.

– Nic mu nie będzie, to tylko draśnięcie! – zawołał agent do ratowników. – Zajmijcie się najpierw kobietą!

– Idź w cholerę! – rzucił się Stanton.

Cash podniósł wzrok na agenta.

– Dzięki – rzekł krótko.

Tamten tylko wzruszył ramionami.

Ratownicy przystąpili do badania Tippy jeszcze na noszach, w drodze do karetki. Śmiertelnie przerażony Cash wsiadł za nią i podczas drogi trzymał ją za rękę. Pomyślał o Rorym; zapomniał zapytać agentów, co zrobili z chłopcem. Miał tylko nadzieję, że nie zostawili go samego w domu. Ale gdy karetka podjechała pod szpital, Rory był już przed wejściem w towarzystwie dwóch znajomych postaci w garniturach. Cash omal nie rzucił się agentom na szyję.

Rory z pobladłą twarzą i zaczerwienionymi oczami podbiegł do noszy.

– Tippy!

Cash przytulił go mocno.

– Żyje – powiedział od razu. – Jest potłuczona, pokaleczona i ma wstrząs mózgu. Wygląda okropnie, ale nic jej nie będzie.

– Nie kłamiesz? – upewnił się chłopiec z niedowierzaniem.

– Nigdy w życiu bym cię nie okłamał. Tippy wyzdrowieje, daję ci na to moje słowo.

– A co z Samem?

Cash wskazał głową na agentów.

– Ich zapytaj. Na razie trafi pod opiekę władz federalnych, razem ze swoim wspólnikiem. Był tam jeszcze jeden, ale udało mu się uciec. Może go jeszcze złapią.

– Sam jest ranny? Super! – ucieszył się Rory. – To wy go postrzeliliście? – zwrócił się do agentów.

– Niestety, nie.

– Nie patrz tak na mnie – obruszył się Cash, zachowując kamienną twarz. – Ja nie noszę broni poza Teksasem. To byłoby wbrew prawu.

Mężczyźni w garniturach przeszyli go spojrzeniami, od których Cash powinien był obrócić się w kamień. On jednak tylko uśmiechnął się do nich niewinnie.

– Stanton nie wie, kto do niego strzelał – rzekł jeden z agentów podejrzliwie. – I mówi, że to byli dwaj mężczyźni, nie jeden.

– On chyba coś pił – obruszył się Cash.

– Widocznie tak – westchnął starszy agent. – Zna pan Callahana z naszego biura okręgowego?

– Nie pamiętam.

Agent znów potrząsnął głową. Rory zauważył, że Cash coś ukrywa, i powściągnął uśmiech.

– Ile teraz można dostać za porwanie i napaść? – zapytał Cash.

– Tyle, że zanim wyjdą na wolność, urosną im długie siwe brody. Spróbujemy jeszcze wycisnąć z nich coś o tym trzecim, który uciekł. I przysięgam na Boga, do końca życia będę chodził na wszystkie posiedzenia komisji do spraw zwolnień warunkowych, żeby im przypomnieć, co ten drań zrobił tej kobiecie.

– Nie zapomnę panu tego – powiedział Cash z uznaniem.

Tamten wzruszył ramionami.

– Pracuję dla rządu. Wszyscy tam jesteśmy bohaterami.

– Ja też zawsze będę o tym pamiętał – dorzucił Rory z przejęciem. – Dziękuję!

– To nasza praca – zauważył niższy, ale na jego twarzy mignął lekki uśmiech.

W końcu w poczekalni pojawił się lekarz. Tippy miała wstrząs mózgu, o czym Cash wiedział wcześniej, i choć odzyskała już przytomność, musiała jeszcze przez jakiś czas pozostawać pod obserwacją. Oprócz skaleczeń na twarzy i górnej połowie ciała otrzymała jeszcze mocne uderzenie w żebra i miała stłuczone płuco. Mogło to spowodować krwawienie lub krwotok wewnętrzny, a w najgorszym wypadku nawet niewydolność płuc. Czekało ją rezonansowe badanie głowy i klatki piersiowej oraz badanie rentgenowskie, toteż musiała pozostać w szpitalu jeszcze co najmniej przez kilka dni. Lekarz obiecał, że gdy wyniki badań będą znane, skontaktuje się z Cashem, ten jednak oświadczył, że nigdzie się nie wybiera i zostanie w poczekalni tak długo, jak długo będzie trzeba. Zmieszał się nieco, gdy usłyszał pytanie, czy należy do rodziny Tippy. Wiedział, że jeśli zaprzeczy, to personel szpitala może go do niej nie wpuścić.

– Jestem jej narzeczonym – powiedział cicho, podtrzymując wersję stworzoną na rzecz agentów federalnych. – Ona jest modelką – dodał. – I aktorką. Właśnie pracuje przy swoim drugim filmie. Pierwszy miał premierę w listopadzie i okazał się hitem. Ona żyje ze swojej twarzy – dodał ponuro.

– Dopilnuję, żeby jak najszybciej wezwano chirurga plastycznego na konsultację – obiecał lekarz. – Musimy wyczyścić skaleczenia i założyć szwy, ale z tego, co dotychczas zdążyłem zobaczyć, twarz nie wygląda na poważnie poranioną. W tej chwili najważniejsze dla nas są płuca. Będę pana informował o wszystkim na bieżąco.

– Dziękuję. – Cash skinął głową ze szczerą wdzięcznością.

Odnalazł Rory'ego i oświadczył agentom, że od tej chwili przejmuje nad nim opiekę, a potem zabrał chłopca do bufetu, kupił mu coś do picia i wyjaśnił sytuację Tippy.

– Podoba mi się to, że jesteś ze mną szczery – oświadczył Rory.

– Obraziłbym cię, próbując okłamywać.

Rory spojrzał na niego z zaciekawieniem.

– Dlaczego nie chciałeś ze mną rozmawiać, gdy zadzwoniłem do Teksasu?

Cash poczuł się jak ostatni łajdak. Zapatrzył się w kubek z kawą.

– Dyżurny, który odebrał telefon, okazał się nadgorliwy i w ogóle mi o tym nie powiedział.

Myślał, że nie życzę sobie rozmów. A ja wierzyłem w to, co wyczytałem w gazetach – dodał ponuro.

– Tippy nie jest taka – oświadczył chłopiec stanowczo. – Nigdy nie poświęciłaby dziecka dla kariery, nawet gdyby mogła zostać największą i najbogatszą gwiazdą na świecie. Powiedziała mi kiedyś, że sława i pieniądze nie mogą zastąpić kogoś, kto nas kocha. W końcu pogodzi się z tym, co się stało, tylko musi mieć trochę czasu. Zostaniesz, dopóki nie będziemy wiedzieli na pewno, co z nią?

– Oczywiście – odrzekł Cash rzeczowo.

– Dzięki – szepnął chłopiec z wyraźną ulgą.

Gdy lekarz przyszedł, by poinformować Casha o wynikach badań, Rory spał na wypożyczonym szpitalnym łóżku. Tak jak można było wcześniej przypuszczać, Tippy miała stłuczone płuco i krwawienie wewnętrzne. Zdrenowano jej płyn z płuca i zaszyto skaleczenia. Chirurg plastyczny stwierdził, że powinny się ładnie goić, gdyż mięśnie ani nerwy nie zostały uszkodzone. Teraz pozostawało tylko czekać na rozwój sytuacji.

Na noc Tippy zabrano na oddział intensywnej opieki. Cash sporo wiedział o obrażeniach głowy i płuc, dlatego nie potrafił przestać się martwić. Podczas gdy Rory spokojnie spał na korytarzu, pewny, że jego siostra wkrótce wyzdrowieje, Cash, łamiąc wszelkie zasady szpitalnego regulaminu, całą noc przesiedział przy łóżku Tippy, trzymając ją za rękę. Po środkach przeciwbólowych na przemian traciła i odzyskiwała przytomność. Na początku wydawało się, że go nie poznaje. Dopiero o świcie otworzyła szerzej oczy i spojrzała na niego przytomnie, ale zaraz na jej twarzy pojawił się grymas; każdy oddech sprawiał jej ból. Z jękiem przyłożyła ręce do piersi.

– Spokojnie – powiedział Cash jak najłagodniejszym tonem. – Nie ruszaj się. Chcesz czegoś?

Spojrzała w jego zmartwione, ciemne oczy, pewna, że to tylko sen.

– A więc umarłam – szepnęła z bladym uśmiechem i znów zasnęła.

Cash nacisnął przycisk przywołujący pielęgniarkę. Pojawiła się zaraz, wysłuchała relacji i poszła poszukać lekarza, by wydał dalsze dyspozycje.

– To nie sen – szepnął z ustami tuż przy czole Tippy. – Jestem tutaj, a ty żyjesz. Bogu dzięki!

Wydawało jej się, że słyszy jego głos i że w tym głosie brzmi lęk. Ale przecież Cash jej nienawidził. Skąd by się tu wziął? Ktoś ją uderzył... bił ją mocno i długo. W końcu przypomniała sobie, że nie była już w stanie walczyć i błagała o litość. Cash jej nienawidził. Straciła dziecko i on nigdy jej tego nie wybaczy. A teraz znowu śniła.

Spod jej przymkniętych powiek wypłynęły łzy.

– Nienawidzi mnie – wykrztusiła. – On mnie nienawidzi!

– Nie! – powiedział Cash. – To nieprawda!

Głowa Tippy poruszała się niespokojnie na poduszce.

– Zostawcie mnie – mruczała cicho. – Wszystko mi jedno, co się ze mną stanie...

– Ale mnie nie jest wszystko jedno!

W jego głosie brzmiała desperacja. To naprawdę musiał być sen. Przecież Cash kazał jej iść do diabła... i poszła. Nie można było lepiej określić tego, co się z nią działo. Była połamana, pokaleczona i obolała, a przyszłość rysowała się ponuro. Praca już jej nie wystarczała. Nawet Rory jej nie wystarczał. Była zmęczona ciągłą walką. Nic jej już nie czekało oprócz cierpienia. Rozpłakała się, ale zaraz jęknęła, czując przeszywający ból w piersiach.

Przy łóżku pojawiła się pielęgniarka. Cash, pomimo protestów, został wyproszony na korytarz.

– Wszystko będzie w porządku – upewniała go pielęgniarka. – Niech pan usiądzie i pozwoli nam się nią zająć. Ona nie umrze. Nie umrze, niechże pan w to wreszcie uwierzy!

Ta kobieta widziała w życiu już niejeden dramat. W ciemnych oczach Casha potrafiła wyczytać o wiele więcej, niż on chciał po sobie pokazać.

– Nie pozwolimy jej się poddać – przekonywała

go cicho. – Obiecuję to panu. Jeszcze zdąży jej pan wszystko wynagrodzić. A teraz proszę się przespać. Z nią wszystko będzie dobrze. Nie ucieknie nam. Wierzy mi pan?

Poczuł cień nadziei i dopiero teraz dotarło do niego, jaki jest zmęczony.

– Dobrze – powiedział po chwili.

Pielęgniarka zaprowadziła go do poczekalni i posadziła na krześle.

– Przyjdę po pana, gdy przeniesiemy ją do innej sali.

– Zabieracie ją z intensywnej opieki? – zapytał oszołomiony.

– Oczywiście. – Uśmiechnęła się. – To nie jest odpowiednie miejsce dla rekonwalescentów!

Odwróciła się i odeszła, w samą porę, bo w oczach Casha zalśniły łzy.

Tippy będzie żyła. Nawet jeśli nie przestanie go nienawidzić, to w każdym razie będzie żyła. Przymknął oczy i opadł na oparcie krzesła. Kilka sekund później już spał.

ROZDZIAŁ ÓSMY

Rory mocno potrząsał śpiącym Cashem.

– Obudź się, Cash, ona jest przytomna! Czuje się trochę ogłupiała, bo dają jej tabletki przeciwbólowe, ale otworzyła oczy. Jejku, jak ona okropnie wygląda!

Cash zamrugał i skupił wzrok na twarzy chłopca.

– Obudziła się? – powtórzył.

Rory pokiwał głową.

– Ja też dopiero wstałem. Jest już prawie jedenasta. Chodź!

Cash podniósł się powoli, krzywiąc twarz przy każdym ruchu.

– Chyba robię się już za stary na takie rzeczy – mruknął.

Rory przyglądał mu się ciekawie.

– To ty ją stamtąd wyciągnąłeś?

– Ja. Z pomocą kolegi. Ale nic o tym nie wiesz, pamiętaj – dodał z naciskiem.

Chłopiec poważnie skinął głową.

Tippy była ledwo przytomna. Wszystko ją bolało. Zauważyła na swoim ciele szwy; w ramię miała wpiętą kroplówkę, a w nosie rurki doprowadzające tlen. Bolały ją żebra. Gdy Cash i Rory stanęli obok jej łóżka, nie była pewna, czy to nie sen. Wcześniej śniło jej się, że był przy niej, całował ją i szeptał, że nie wolno jej się poddać.

Ostatnie, co pamiętała, to był Sam Stanton. Stał nad nią z butelką w ręce i wrzeszczał na cały głos, że Tippy wystawiła go do wiatru i że nie ma zamiaru jej tego darować. Bił ją tą butelką po żebrach, ramionach i głowie. Próbowała osłaniać twarz rękami, ale po mocnym uderzeniu w głowę straciła przytomność. Odrzucona przez Sama butelka rozprysnęła się na betonie. Twarz Tippy była nabrzmiała i bolała, ale skaleczenia nie wydawały się groźne. Nawet nie założono jej tu szwów. Widocznie, tracąc przytomność, upadła twarzą na rozbite szkło.

Oddychała z trudem i ledwo słyszała, co mówią do niej Rory i Cash. Rory wziął ją za rękę.

– Wyzdrowiejesz, siostro.

– Jasne, że tak. – Spróbowała się uśmiechnąć. Jej własny głos brzmiał dziwnie. – Głowa mnie boli!

– jęknęła. – Już dwa razy wymiotowałam. Bok też mnie boli...

Powędrowała wzrokiem do twarzy Casha.

– Potrzebujesz czegoś? – zapytał cicho.

Wzięła urywany oddech i wpatrzyła się w swoje dłonie.

– Chciałabym, żebyś pojechał z Rorym do mojego mieszkania i przywiózł moją kartę ubezpieczeniową. Lekarz, który przyjmował mnie do szpitala, miał dzisiaj obchód. Powiedział, że mam potłuczone żebra i lekki wstrząs mózgu i będę musiała zostać tutaj co najmniej trzy dni, bo muszą sprawdzić, czy nie rozwinie się zapalenie płuc. Na wszelki wypadek dostaję antybiotyk. Tomografia nie wykazała żadnych zmian w mózgu i skaleczenia też nie były głębokie, Bogu dzięki. Ten lekarz uważa, że obejdzie się bez operacji plastycznej, ale gojenie potrwa kilka miesięcy. A potem zobaczymy.

Twarz Casha nawet nie drgnęła.

– Dlaczego Stanton ci to zrobił?

Tippy spróbowała się poruszyć i natychmiast na jej twarzy pojawił się grymas.

– Był zły, bo nie udało mi się skontaktować z nikim, kto chciałby zapłacić za mnie okup. Powiedział, że załatwi mnie tak, bym już nigdy nie mogła pracować. Na szczęście był naćpany i nie zauważył, że uderzenia nie były wystarczająco mocne. Tuż przed tym, zanim upadłam, rozbił butelkę o podłogę magazynu. Chyba chciał mnie pokaleczyć.

– Stał nad tobą z szyjką butelki w ręce – przypomniał sobie Cash. – Ale ty chyba upadłaś twarzą na potłuczone szkło.

– Te skaleczenia nie zagoją się tak szybko... bez względu na to, w jaki sposób się pokaleczyłam. Przez kilka miesięcy nie będę mogła pracować. Joel Harper pewnie będzie musiał mnie kimś zastąpić.

Nie wspomniała o tym, że taka perspektywa oznaczała dla niej zupełny brak pieniędzy.

– Martw się tylko o to, żeby jak najszybciej wyzdrowieć – powiedział Cash cicho. – Ja się zajmę całą resztą, włącznie z Rorym.

– Dziękuję – odrzekła ze ściśniętym gardłem.

– Wiem, że nie lubisz być od nikogo zależna. Ja też nie lubię. Ale teraz musisz się zająć wyłącznie sobą.

– Teraz rozumiem, co to znaczy „wytnij i wklej” – mruknęła ironicznie.

– Potrzebujesz jeszcze czegoś z domu?

– Oprócz karty ubezpieczeniowej? Szlafrok, trochę bielizny i kapcie. Rory będzie wiedział, gdzie co jest. Trochę drobnych do automatu z napojami i coś do czytania – odpowiedziała, nadal na niego nie patrząc.

Podszedł o krok bliżej do łóżka i zauważył jej napięcie.

– Rory, czy mógłbyś zostawić nas na chwilę samych?

– Nie ma potrzeby, żeby wychodził – odezwała się Tippy, zanim chłopiec zdążył zareagować. – Cash, ja i ty nie mamy sobie nic do powiedzenia. Zupełnie nic. Będę ci bardzo wdzięczna, jeśli po prostu przywieziesz mi te rzeczy z domu. Rory, policjant, który tu był, mówił mi, że jednemu z tych bandytów udało się uciec. Nie możesz zostać ze mną w szpitalu. Nie możesz też być w moim mieszkaniu ani u Dona, żeby nie narażać jego rodziny. Bardzo mi przykro, że stracisz resztę ferii, ale musisz wrócić do szkoły. Tam komendant zadba o twoje bezpieczeństwo. Cash, czy mógłbyś porozmawiać z komendantem i wyjaśnić mu, co się dzieje?

– Oczywiście. Tippy ma rację – zwrócił się Cash do Rory'ego. – W Maryland będziesz bezpieczny, a tutaj nie.

– Ja nie chcę wyjeżdżać – skrzywił się chłopiec. Tippy wzięła go za rękę.

– Wiem. Mamy tylko siebie – uśmiechnęła się blado. – Ale obiecuję ci, że wyzdrowieję. Nie poddam się. Dobrze?

Rory z trudem przełknął ślinę.

– Dobrze.

– Wakacje już niedaleko – przypomniała mu. – Zorganizujemy sobie jakąś wyjątkową wyprawę.

– Może pojedziemy na Bahamy?

– Zobaczymy. Jedź teraz z Cashem do domu i pomóż mu znaleźć moje rzeczy. Sam też możesz się od razu spakować. Zadzwoń na lotnisko i zamów sobie bilet. Mam wyczerpany limit na karcie kredytowej, ale wypiszę czek na nazwisko Casha.

– Ja się tym wszystkim zajmę – obiecał Cash. – Nie musisz mi zwracać pieniędzy.

Chciała się sprzeciwić, ale na jej twarzy pojawił się tylko bolesny grymas.

– Co się stało? – zaniepokoił się Cash.

– Żebra – odrzekła z trudem. – Bolą, kiedy chcę się poruszyć. Jedźcie już, a ja spróbuję się przespać. Dziękuję, Cash – dodała cicho.

Rory pociągnął go za rękaw.

– Chodź.

Wyszedł za chłopcem, nie oglądając się za siebie.

Mieszkanie Tippy wyglądało jak po przejściu tajfunu; widocznie agenci federalni szukali tu śladów nieproszonych gości. Sporo czasu minęło, zanim Cash i Rory uporządkowali z grubsza rzeczy Tippy i spakowali chłopca do wyjazdu.

– Wiem, że nie chcesz wracać do szkoły – powiedział Cash cicho. – Ale nie mogę się jednocześnie zajmować tobą i nią.

– Ona i tak nie będzie chciała, żebyś się nią zajmował – skomentował Rory.

– Nie będzie miała wyjścia, bo nie ma nikogo innego. Zostanę przy niej w szpitalu przez kilka dni, a potem zabiorę ją do siebie do Teksasu.

Rory popatrzył na niego ze zdziwieniem.

– Ona z tobą nie pojedzie.

– Pojedzie – westchnął Cash. – Wiem, że mnie nienawidzi, i nie winię jej za to, ale nie ma innego wyjścia. Nie może tu zostać sama.

– Jesteś tam komendantem policji – przypomniał mu Rory. – Jeśli ona u ciebie zamieszka...

– Myślałem już o tym. Wynajmę pielęgniarkę, która będzie przy niej dzień i noc. W ten sposób unikniemy plotek.

Rory powoli wkładał koszule do walizki.

– Ty też możesz do mnie przyjechać zaraz po zakończeniu roku szkolnego – dodał Cash.

Chłopiec podniósł głowę.

– Naprawdę?

– Oczywiście będziesz musiał pomagać w domu. – Cash się uśmiechnął. – Tippy będzie musiała unikać wysiłku fizycznego co najmniej przez sześć tygodni, co oznacza, że dopóki ty się nie pojawisz, cały dom będzie na mojej głowie. A ja nie cierpię odkurzaczy. W tym miesiącu musiałem kupić już trzeci.

– Dlaczego? – zdumiał się chłopiec.

Cash skrzywił się zmieszany.

– Rury i kable ciągle się ze sobą splątują. Odkurzacze są jak słonie: trzeba je ciągnąć za sobą za trąbę.

Chłopiec roześmiał się po raz pierwszy od dnia porwania.

– Śmiej się, śmiej – mruknął jego towarzysz ponuro. – Poczekaj tylko, aż sam zaplączesz się w dziesięć metrów kabla, a rura owinie ci się wokół nóg. Właśnie tak skończył mój poprzedni odkurzacz. Rozdeptałem go, chociaż właściwie powinienem go zastrzelić.

– Ja lubię odkurzacze – oświadczył Rory. – Mogę odkurzać, nie mam nic przeciwko temu.

– To świetnie. W takim razie to będzie twoja działka.

– Gotować też umiem. Robię dobre rzeczy z rusztu. I sos też sam przyrządzam.

– Chyba odważę się spróbować – obiecał Cash.

Chłopiec odpowiedział mu uśmiechem.

– Dziękuję ci za wszystko.

Cash usiadł na łóżku, splatając dłonie na kolanach.

– Rory, ty nie jesteś dzieckiem. Jak na swój wiek,

jesteś bardzo dojrzały, więc coś ci powiem. Popełniłem okropny błąd, jeśli chodzi o Tippy. Nie byłem gotów na stały związek, ale poddałem się pokusie bez przemyślenia sytuacji. Chyba już wiesz, że to dziecko, które straciła, było moje.

Rory skinął głową.

– Ona naprawdę chciała mieć to dziecko.

Cash nie był w stanie spojrzeć mu w oczy.

– Ja też bym chciał, gdybym o nim wiedział.

– Podobno powiedziałeś jej, że nie ma dla was przyszłości. Ale Tippy chciała wychować to dziecko sama. Nawet już zaczęła kupować mu ubranka, gdy zdarzył się ten wypadek. A potem była strasznie przygnębiona i zaczęła pić. A najgorsze, że gazety wszystko opisały. – Rory podniósł wzrok na twarz Casha. – Nie pozwól jej pić. Lekarz mówił, że z powodu matki obydwoje jesteśmy podatni na alkoholizm. Tippy nie może pić.

– Dziękuję, że mi o tym powiedziałeś. – Cash pokiwał głową. – Wiem, jaki alkohol jest niebezpieczny. Nie pozwolę jej w to wpaść.

– Dziękuję – odetchnął chłopak. – Bardzo się o to martwiłem.

– Obiecuję ci, że wszystko będzie w porządku z Tippy.

– Dobrze. Zadzwonisz do mnie od czasu do czasu i opowiesz, co u niej słychać?

– Będę dzwonił codziennie. Ona też do ciebie zadzwoni.

– To chyba długo potrwa, zanim wróci do zdrowia?

– Tak. Ale Tippy ma twardy charakter. Da sobie radę.

– Trzeba zadzwonić do Joela Harpera.

– Dotrę do niego – obiecał Cash. – O nic się nie martw.

Rory odwrócił się, żeby nie było widać łez, które zalśniły w jego oczach.

– To były ciężkie dni – szepnął.

Cash wstał i położył ręce na jego ramionach.

– Życie jest jak tor przeszkód. Za każdym razem, kiedy pokonasz przeszkodę, dostajesz nagrodę.

– Tippy też tak mówi – zdziwił się chłopiec.

– I oboje mamy rację. Sam się przekonasz. – Cash się uśmiechnął. Miał ochotę uścisnąć chłopca, ale nie przywykł do czułości i miał wrażenie, że Rory również nie był do nich przyzwyczajony. Odchrząknął i spojrzał na walizkę.

– Może skończymy to pakowanie?

– Jasne! – zawołał Rory z zapałem, zadowolony, że udało mu się nie rozpłakać.

Tippy nadal kręciło się w głowie, ale w każdym razie jej umysł zaczął już pracować. Lekarstwa tłumiły ból, dostała też coś przeciwko mdłościom. Nie była jeszcze w stanie myśleć zupełnie jasno, jednak czuła się już lepiej niż podczas rozmowy z Cashem.

Jego obecność była dla niej torturą. Zbyt dobrze pamiętała szorstkie słowa, jakie do niej wypowiedział podczas tamtej nocy, pamiętała swój strach, gdy Rory zaginął, lęk na dźwięk głosu Sama w słuchawce i przerażenie, gdy oświadczył jej, że teraz zapłaci mu za wszystko...

Na dźwięk otwieranych drzwi drgnęła i odsunęła wspomnienia na bok. Cash już wcześniej przywiózł jej ubrania i kartę ubezpieczeniową, a potem zabrał Rory'ego na lotnisko, skąd odlatywał samolot do Marylandu. A teraz znów stał w progu sali.

– Byłem tu wcześniej, ale spałaś i nie chciałem cię budzić, więc poszedłem do bufetu – oznajmił.

– Chyba długo spałam – powiedziała niepewnie. – Ale teraz już czuję się lepiej.

– To dobrze. Właśnie rozmawiałem z komendantem szkoły Rory'ego. Odebrał go z lotniska. Mały nie opuści szkoły z nikim, oprócz ciebie albo mnie. Jest bezpieczny.

Tippy odetchnęła z ulgą.

– Bogu dzięki, że nic mu nie zrobili. Bardzo się bałam, co Sam może wymyślić.

– Więc zaproponowałaś zamianę. Przecież mógł cię zabić.

– Bezpieczeństwo Rory'ego było najważniejsze.

Cash wsunął ręce do kieszeni i patrzył na nią z zaciśniętymi ustami, nadal zły na siebie za to, że nie zapobiegł nieszczęściu.

– Wiesz chyba, że nie możesz teraz zostać sama, dopóki ten trzeci szaleniec jest na wolności? Stanton na pewno mu powiedział, gdzie mieszkasz.

Tippy odwróciła wzrok.

– Mogę wynająć pokój w jakimś hotelu...

– Pojedziesz ze mną do Jacobsville.

– Nie! – oburzyła się. – Po tym, co wypisywały gazety?

– Zatrudnię całodobową pielęgniarkę – ciągnął Cash spokojnie, nie zważając na jej protest. – To zapobiegnie plotkom.

– Naprawdę zrobiłbyś coś takiego? – zdumiała się.

Skinął głową.

– Rory wspominał mi już o tym, że nie możesz tak po prostu zamieszkać ze mną – przyznał. – Jestem komendantem policji i musimy dbać o moją reputację.

– To najwyraźniej znaczy, że o moją nie musimy dbać – odrzekła sennym głosem. – Moja i tak jest już zszargana.

– Przestań – rzucił ostro. – Nikt przy zdrowych zmysłach nie wierzy w to, co można wyczytać w kolorowych piśmidłach!

– Nikt poza tobą – zgodziła się, patrząc mu prosto w oczy.

Nie mógł zaprzeczyć, choć było to bolesne.

– Powiedziałem twojemu lekarzowi, że jesteśmy zaręczeni.

– Po co? – zapytała lodowatym tonem.

– Bo inaczej nie wpuściliby mnie na oddział intensywnej terapii. W Jacobsville możemy zrobić to samo. – Zatrzymał wzrok na jej zarumienionej twarzy. – Uniknęlibyśmy w ten sposób głupich plotek.

– Nie musisz się tak dla mnie poświęcać – westchnęła. – Nie zostanę u ciebie długo. Tylko tyle, żeby żebra zdążyły się wygoić, a blizny dało się przykryć makijażem. Muszę skończyć film. Gdy Joel wróci do kraju, zdjęcia znów się zaczną.

Cash przysunął się bliżej do jej łóżka.

– Zrobiłem idiotyczną rzecz – przyznał. – A właściwie dwie. Poddałem się pokusie, a potem uwierzyłem w to, co pisały gazety. To przeze mnie się tu znalazłaś. Dzwoniłaś do mnie wtedy, gdy porwano Rory'ego, tak?

Skinęła głową bez słowa.

Cash nerwowo zabrzęczał drobnymi monetami w kieszeni. Już od lat nie musiał nikogo przepraszać.

– Od początku mówiłeś mi, co czujesz – rzekła Tippy z niechęcią. – Ale ja nie słuchałam. To ja sprowokowałam tę sytuację. Sama nie wiem, dlaczego to zrobiłam, ale jeśli ktokolwiek tu zawinił, to tylko ja.

Cash skrzywił się boleśnie.

– Rory mówił, że chciałaś mieć to dziecko.

Odwróciła głowę, żeby nie zauważył łez, które nabiegły jej pod powieki.

– To już teraz nie ma znaczenia.

Ale to nie była prawda. Cash wyczuwał emanujące od niej cierpienie.

– Teraz ważne jest tylko to, żebyś odzyskała zdrowie i bezpiecznie dotrwała do procesu Stantona.

– Spodziewam się, że matka do mnie zadzwoni – powiedziała zimno. – Chyba Stantonowi jeszcze nie udało się z nią skontaktować. Będzie mnie obwiniać za to, że on znalazł się w więzieniu.

– Niewątpliwie – zgodził się Cash. – FBI sprawdza, czy ona też nie maczała palców w tej historii. Jeśli znajdą na to jakieś dowody, zostanie oskarżona o współudział. Uprowadzenia są przestępstwem federalnym.

– Nie pomyślałam o tym. No i jest jeszcze ten trzeci, który nadal pozostaje na wolności.

– Właśnie dlatego musisz pojechać ze mną do

Teksasu. Judd i ja będziemy cię pilnować przez cały czas. Tam będziesz bezpieczna.

– A Christabel... nie będzie miała nic przeciwko mojej obecności? – zapytała niepewnie.

– Christabel i Judd od dnia swojego ślubu przypominają dwoje dzieci w sklepie ze słodyczami. A odkąd urodziły się bliźniaki, jest jeszcze gorzej. Nie będzie miała nic przeciwko. Ona już nie jest o ciebie zazdrosna.

Tippy westchnęła.

– Jak ci się żyje w takim małym miasteczku? Gdy tam byłam, przypominałeś mi rybę wyjętą z wody.

Cash zawahał się przed odpowiedzią.

– Sam nie wiem. Na początku traktowałem to wszystko jak żart. Mój kuzyn Chet potrzebował pomocy i namówił mnie do przyjęcia tej posady. Byłem pewien, że to nie dla mnie, ale z drugiej strony miałem już powyżej uszu cyberprzestępczości i całego swojego życia. Nadal jestem w Jacobsville kimś obcym, ale moja praca jest interesująca. Ciągle coś się dzieje, nie można się nudzić. I poza tym czuję, że robię coś pożytecznego. Udało mi się ukrócić rynek narkotyków. Chet chyba nie chciał wkładać palca między drzwi i przymykał oko na wiele grubszych transakcji. Skontaktowałem się z Agencją do Walki z Narkotykami i rozpocząłem naloty na bary.

– Narobisz sobie wrogów.

– Mam ich już sporo, dziękuję. P.o. burmistrza i co najmniej dwóch radnych z największą przyjemnością spaliliby mnie na stosie. Ale może wytrzymam jeszcze rok, pod warunkiem że uda mi się znaleźć stałą sekretarkę.

– Musisz szukać kobiety, która nie boi się węży i nie ma zwyczaju rzucać przedmiotami.

– To byłaby bardzo przyjemna odmiana – zgodził się.

Tippy dotknęła palcami warg.

– Okropnie mi usta wysychają.

Cash nalał wody do szklanki i pomógł jej się napić.

– Nigdy nie sądziłam, że woda może być taka dobra – roześmiała się.

– Masz charakter – stwierdził, odstawiając szklankę na stolik. – Ta twoja zamiana na Rory'ego była zupełnie jak z filmu sensacyjnego.

Tippy przymknęła oczy.

– Przecież ty na moim miejscu zrobiłbyś to samo.

– Jasne, ale ja poszedłbym tam z nożem w bucie i z pistoletem w nogawce spodni.

– W nogawkę moich spodni pistolet by się nie zmieścił.

Przez chwilę obydwoje milczeli.

– Musiałam poprosić o zmianę środka przeciwbólowego – powiedziała wreszcie Tippy. – Boję się zasnąć, ale chyba nie dam rady utrzymać oczu otwartych.

Cash przysunął się z krzesłem do jej łóżka i wziął ją za rękę.

– Będę tutaj – powiedział uspokajająco. – Możesz spać spokojnie.

Westchnęła i natychmiast zapadła w sen.

Obudził ją zapach kurczaka i ziemniaków. Cash właśnie zdejmował metalową pokrywę z tacy stojącej na stoliku przy łóżku.

– Jak na szpitalne jedzenie wygląda całkiem nieźle – zauważył, zatrzymując wzrok na twarzy Tippy. – I jeszcze do tego lody na deser!

Wyciągnęła rękę w stronę przycisku regulującego kąt nachylenia górnej części łóżka. Cash wyręczył ją, ustawił odpowiednio zagłówek i umieścił tacę na jej kolanach.

– Ty też musisz coś zjeść – stwierdziła.

– Jadłem już, kiedy spałaś. Będziesz musiała tu zostać jeszcze przez kilka dni. Lekarz mówi, że muszą cię poobserwować. A potem pojedziemy do Teksasu. Szwy wyjmą ci przed wypisem ze szpitala, ale potrzebna będzie wizyta kontrolna. Twój lekarz poleci cię swojemu znajomemu w San Antonio.

Spojrzała na niego ze zdumieniem.

– Kiedy ci się udało to wszystko załatwić?

– Po prostu zapytałem lekarza.

– Jesteś niesamowity. – Pokręciła głową.

– Nie chciałem dopuścić do tego, żebyś musiała tu lecieć za dwa tygodnie na kontrolę. Na razie to zbyt ryzykowne.

– Dobrze.

– Nie protestujesz? – uśmiechnął się.

– Jestem zbyt zmęczona.

– Zjedz kolację.

Podał jej widelec. Nie czuła głodu, ale kolacja była smaczna, więc jadła.

– Rozmawiałem też z Joelem Harperem – dodał Cash, nie wspominając o tym, że wymagało to kilku międzynarodowych połączeń i postraszenia paru osób. – Natrafił na jakieś przeszkody w kręceniu obecnego filmu i wróci do kraju nie wcześniej niż za trzy miesiące. Powiedział, żebyś się nie martwiła o swoje ubezpieczenie. Pokryje różnicę, traktując to jako zaliczkę na poczet twojego przyszłego honorarium.

Tippy omal nie wybuchnęła płaczem z radości.

– Bogu dzięki – szepnęła. – Tak się martwiłam...

– Jedz, bo kurczak się zmarnuje – upomniał ją Cash. – Przyniosłem go z bufetu. Jest dobry...

Posłusznie podniosła widelec do ust.

– To włoska potrawa. Potrafię ją przyrządzić.

– A Rory umie przygotowywać dania z rusztu.

– To prawda – uśmiechnęła się. – Umie. Skąd wiesz?

– Mówił mi. To dzielny chłopak.

– Ja też tak myślę.

– Powiedziałem mu, że po zakończeniu roku szkolnego on też może do mnie przyjechać.

– No, nie wiem – zawahała się Tippy. – Ja do tej pory pewnie już wrócę do pracy.

– Prawdopodobnie nie. Już jest kwiecień, a Joel wróci do kraju nie wcześniej niż w lipcu, a może nawet w sierpniu.

– Myślałam, że nie lubisz się wiązać – wymamrotała.

Cash nonszalancko założył nogę na nogę.

– Będziesz mogła pooglądać sobie z bliska rozgrywki polityczne. Calhoun Ballenger ubiega się o mandat senatora stanowego z ramienia Demokratów. Jego kontrkandydatem jest jeden z najstarszych senatorów w partii. Pierwszą turę zaplanowano na pierwszy wtorek maja. Zapowiada się ostry wyścig.

– Nie znam się za bardzo na polityce.

– Nauczysz się. To bardzo zabawne – rzekł Cash ze szczerym uśmiechem.

– Naprawdę tak myślisz?

– Nie zjadłaś jeszcze groszku – zauważył.

– Nie cierpię groszku.

– Ale warzywa są bardzo zdrowe.

– Tylko te warzywa, które lubię, są dla mnie zdrowe – oświadczyła stanowczo, zabierając się do lodów.

– Mamy taką lodziarnię w Jacobsville – ciągnął Cash swobodnym, konwersacyjnym tonem. – Są tam chyba wszystkie smaki lodów, jakie tylko istnieją na świecie. Ja najbardziej lubię truskawkowe.

– Ja też. – Skończyła jeść lody i z grymasem odłożyła łyżeczkę na tacę.

– Boli?

Skinęła głową i opadła na poduszkę.

– Bardzo żałuję, że nie miałam pistoletu, gdy byłam sam na sam ze Stantonem. Chciałam go kopnąć z półobrotu i nawet udało mi się zablokować jego pierwszy cios, ale wtedy on znalazł tę butelkę. Bardzo bym chciała, żeby poczuł, co to znaczy mieć potłuczone żebra i wstrząs mózgu.

– Ma za to ranę od kuli w nodze – zauważył Cash.

Tippy zmarszczyła brwi.

– Został postrzelony?

– Tak. A gdybym się nie poślizgnął, to byłoby z nim gorzej.

Tippy rozchyliła usta i patrzyła na niego szeroko otwartymi oczami.

– To ty mnie stamtąd wydostałeś... to miał na

myśli ten agent FBI, gdy wspominał, że zaszły nieprzewidziane okoliczności. Ty mnie znalazłeś!

– Tak – przyznał. – Nie bardzo wierzyłem w tych agentów, których przydzielono do twojej sprawy. Siedzieli w twoim mieszkaniu razem z Rorym i czekali na telefon, który mógł nigdy nie zadzwonić. Z pomocą dawnego znajomego wytropiłem kryjówkę Stantona i jego kumpli.

– Tak się właśnie zastanawiałam... – powiedziała Tippy cicho. – Nikt nie chciał mi powiedzieć, jak to się właściwie odbyło.

– Bo sami nie wiedzieli – wyjaśnił Cash. – Ponieważ nie ma żadnych dowodów łączących mnie ze strzelaniną, to zawarłem umowę z federalnymi. Skontaktowałem się z ich przełożonym, u którego miałem dług wdzięczności. Obiecał, że będzie mnie krył przed policją i innymi agentami rządowymi. W żadnym wypadku nie chcę komplikacji, które by musiały wyniknąć, gdybym przyznał, że to ja strzelałem. Mogłoby to spowodować skandal i źle wpłynąć na moją opinię komendanta w Jacobsville.

– Och.

– Dlatego wszyscy udajemy, że Sam postrzelił się własnoręcznie, a on z kolei był zbyt naćpany, by zauważyć, skąd leciała kula. Ma szczęście, że po tym wszystkim, co ci zrobił, może się jeszcze utrzymać na własnych nogach.

Tippy wzdrygnęła się na wspomnienie słów Sama.

– Był wściekły.

– Czy próbował cię zgwałcić?

– Skupił się na biciu i nie myślał o seksie – westchnęła. – Jeden z kumpli próbował go powstrzymać, ale Sam zupełnie nie był w stanie się kontrolować. Nie mam pojęcia, co brał, ale oczy mu się szkliły i był bardzo nabuzowany.

– Który z tamtych dwóch próbował go powstrzymać? – zapytał Cash.

– Blondyn. Tylko tyle pamiętam.

– Ten, którego aresztowaliśmy razem z nim, był blondynem. A ten, który uciekł, chyba miał czarne włosy.

– Możliwe. – Tippy zamrugała. – Moja matka będzie musiała się gęsto tłumaczyć. Gdybym była mściwa, opowiedziałabym o wszystkim gazetom. Dawno nie mieli lepszej historii.

– Ty też byś z tego wyszła ubrudzona – stwierdził Cash. – Nawet o tym nie myśl.

Popatrzyła na niego smutnymi oczami.

– Nie mogą mi zrobić większej krzywdy, niż już zrobili.

– Byłem głupi, że w to uwierzyłem – odrzekł Cash ze ściągniętą twarzą. – To przede wszystkim moja wina.

– Takie rzeczy po prostu się zdarzają. Moja

matka na pewno maczała w tym palce. Musiało tak być. Przecież dzwoniła do mnie wcześniej z pogróżkami. Ale nie wierzyłam, że dla pieniędzy zaryzykuje życie własnego syna. Byłam głupia.

– Czy ona zawsze piła?

Tippy skinęła głową.

– Przez całe moje życie. Gdy miałam osiem lat, ciągle musiałam szukać poręczycieli, żeby wyciągnąć ją z aresztu za kaucją. Była aresztowana za próby nierządu, za pijaństwo w miejscach publicznych, za jazdę po pijanemu, za kradzieże... za co tylko chcesz, wszystkie paragrafy po kolei. Przyklejała się do jednego faceta po drugim, żeby zdobyć pieniądze na utrzymanie nas, ale piła coraz więcej i z czasem nawet do tego przestała być zdolna. Roznosiłam gazety, żeby kupić sobie ubranie do szkoły. To było jeszcze przed tym, zanim Sam z nami zamieszkał.

– Najgorszy śmieć, jaki kiedykolwiek chodził po tym świecie – powiedział Cash zimno.

– Myślisz, że o tym nie wiem? Ale matka jest innego zdania.

– O gustach się nie dyskutuje...

– Ja też tak zawsze mówię – zaśmiała się Tippy sennie i przymknęła oczy. – Taka jestem zmęczona...

– Dużo przeszłaś. O wiele za dużo.

– Nie pozwolisz, żeby Rory'emu stała się jakaś krzywda? – zapytała nagle.

– Chyba znasz mnie na tyle, żeby mieć pewność?

Owszem, była tego pewna. Wiedziała, że jeśli nawet Cash nie chce się wiązać z nią, to jednak bardzo polubił chłopca i potrafi zapewnić mu bezpieczeństwo.

– Czy oni mogą wyjść z aresztu za kaucją?

– Postaram się, żeby nic takiego się nie zdarzyło – obiecał.

Nie powiedział jej jednak, że czasami sędzia dawał się zwieść i zgadzał na kaucję nawet w przypadku niebezpiecznych przestępców. Był pewien, że Stanton będzie próbował za wszelką cenę znaleźć się na wolności, a jeśli mu się to uda, nie mając nic do stracenia, natychmiast znów podąży za swoją ofiarą, by się na niej zemścić. Cash musiał temu zapobiec. Teraz jego obowiązkiem było zapewnić bezpieczeństwo Rory'emu i Tippy.

ROZDZIAŁ DZIEWIĄTY

Tippy składała zeznania następnego ranka, trzymając Casha za rękę. W myślach powtarzała sobie, że to pierwszy krok do wyzdrowienia; tylko jedna drobna przeszkoda, którą trzeba pokonać. Był też fotograf z aparatem cyfrowym; zdjęcia obrażeń Tippy miały posłużyć jako dowód w sprawie przeciwko Stantonowi.

Cash był przy niej przez cały czas, wypijając morze kawy. Procedura nie przedstawiała żadnych komplikacji, ale trwała dłużej, niż można było się spodziewać. Potem Cash poszedł z policjantami na komisariat i tam napisał własne oświadczenie. Nie mógł umieścić w nim całej prawdy, ale napisał tyle, na ile mógł sobie pozwolić.

– Co będzie z matką Tippy? – zapytał policjanta prowadzącego dochodzenie.

– Ona twierdzi, że jej matka musiała być w to zamieszana, a być może nawet sama wymyśliła porwanie, żeby wyciągnąć pieniądze od córki – odrzekł policjant.

– Jest narkomanką.

W jasnych oczach rozmówcy Casha błysnął gniew.

– Bardzo często mamy tu do czynienia z narkomanami, najczęściej w sprawach o włamanie, napad albo morderstwo. W zeszłym tygodniu mieliśmy takiego chłopaka. Osiemnaście lat, naćpał się kwasem i śmiertelnie pobił swoją babkę. Kompletnie nic nie pamiętał, ale jeśli zostanie skazany, to do końca życia nie wyjdzie na wolność.

– Wiem – odrzekł Cash. – Ja też pracuję w policji. Przez ostatnie miesiące walczyłem z rynkiem narkotyków. Pewnie pan wie, skąd to świństwo przychodzi.

– A tak. – Pokiwał głową jego rozmówca. – Od szanowanych obywateli, którzy chcą się szybko wzbogacić i wszystko im jedno, na czym zarobią duże pieniądze.

– Trafił pan w sedno.

– Zawsze chciałem pracować w małym miasteczku – westchnął policjant. – Dobrze tam płacą?

– Jeśli pan lubi piwo – zaśmiał się Cash. – Bo na szampana już nie wystarczy.

– Nie cierpię szampana – odrzekł tamten z humorem.

– W takim razie może pan spróbować. Można zrobić wiele dobrego na małą skalę.

Zapadła chwila milczenia.

– Słyszałem trochę o panu od mojego sierżanta, który brał udział w tajnych operacjach podczas wojny w zatoce.

Brwi Casha powędrowały do góry.

– O, naprawdę?

– Jego siostrzeniec nazywa się Peter Stone i mieszka na Brooklynie.

Cash zatrzymał na nim wzrok z nieprzenikniony wyrazem twarzy.

– Mój Boże, jaki ten świat jest mały. – Uśmiechnął się.

Sierżant odpowiedział mu równie szerokim uśmiechem.

Wrócił do szpitala taksówką. Tippy spała. Wszedł do sali i usiadł na krześle przy jej łóżku. Martwił się o nią. Przesłuchanie musiało być dla niej bardzo ciężkim przeżyciem. Cash obawiał się, że jeszcze dużo czasu minie, zanim fizyczne i emocjonalne rany Tippy zagoją się na dobre. I to wszystko przez niego...!

– Dlaczego... tak na mnie patrzysz? – zapytała sennym głosem.

– Jak?

– Wydajesz się... zagubiony.

– Nie mogę się uwolnić od przeszłości – odpowiedział po chwili. – Gdziekolwiek pójdę, spotykam kogoś, kto o mnie słyszał.

– To chyba nic złego?

– Na pewno? – skrzywił się. – Przykro mi z powodu tego przesłuchania, ale policja nic nie zrobi bez zeznań i dowodów.

– Będę musiała wystąpić na procesie jako świadek, tak?

Cash skinął głową.

– Ale ja tam pójdę z tobą. Będę przy tobie przez cały czas.

– Dziękuję. – Uśmiechnęła się blado i znów skrzywiła z bólu. – Ty na pewno przeżyłeś gorsze rzeczy... to znaczy, gorsze obrażenia niż wstrząs mózgu i potłuczone żebra.

– Połamane żebra, wybite zęby, rany od kul, przypalanie papierosami, siniaki na całym ciele...

Tippy głośno złapała oddech.

– ...skaleczenia i złamania kości twarzy – dodał Cash. Ale moje skaleczenia wymagały szwów i nie miałem czasu na operacje plastyczne. – Dotknął bladych blizn na policzkach.

– Byłam pewna, że twarz mam zupełnie zmasakrowaną – powiedziała Tippy. – Było tak dużo krwi. Ale lekarz stwierdził, że to tylko powierzchowne skaleczenia. Nerwy ani mięśnie nie ucierpiały. Miałam szczęście...

– Miałaś mnóstwo szczęścia – zgodził się Cash. – Ale... przepraszam cię – wykrztusił to słowo z wyraźnym trudem – że nie chciałem cię słuchać.

Oddech Tippy przyspieszył.

– Byłeś pewny... że uganiam się za tobą. Wszystko w porządku.

Cash zacisnął powieki.

– Nie umiem ufać ludziom.

– Wiem. Ja też nie za bardzo.

– Mówi się, że kule są niebezpieczne. Ale najbardziej niebezpieczną rzeczą na świecie jest miłość. Jeśli tylko na to pozwolisz, wypruwa z ciebie bebechy.

Tippy przyłożyła rękę do żeber i jęknęła. Cash podniósł się z krzesła i położył jej na piersiach poduszkę.

– Kiedy będziesz chciała zakaszleć, przyciśnij tę poduszkę do piersi. Tak jest łatwiej.

Spróbowała i spojrzała na niego ze zdziwieniem.

– Skąd wiedziałeś?

– Miałem kiedyś złamane dwa żebra. Jedno z nich przebiło płuco – odrzekł po prostu. – Dopiero po kilku tygodniach mogłem stanąć na nogi. W rezultacie nabawiłem się zapalenia płuc.

– U mnie lekarz też się tego obawia. Mówił, że

gdy oddycha się zbyt płytko, powietrze zalega w płucach i może to doprowadzić do infekcji.

– Tak, dlatego dają ci antybiotyki i każą dużo pić.

– Sporo wiesz na te tematy. – Uśmiechnęła się.

– Miałem połamane już prawie wszystkie kości. Gdybym nie miał z natury silnego organizmu, to umarłbym już ze dwa razy.

– Rory uważa cię za wielkiego bohatera.

Cash poruszył się niespokojnie.

– Ja też go lubię.

– Ale nie lubisz się spoufalać.

– Nie czuję się dobrze w przypadku nadmiernej bliskości. – Potrząsnął głową i przyjrzał jej się przymrużonymi oczami. – To, co się zdarzyło... było za wcześnie.

– O wiele za wcześnie – przyznała. – I to z mojej winy.

– Tippy, do tanga trzeba dwojga. Obydwoje rzuciliśmy się na głęboką wodę bez żadnej asekuracji.

– Kupowałam już ubranka dla dziecka – powiedziała, uważnie wpatrując się w jego twarz.

– Wiem. Rory mi mówił.

Przymknęła oczy.

– To wszystko zdarzyło się jednocześnie. Praca stała się nieznośna, odkąd Joel przyjął nowego asystenta. Matka zaczęła do mnie wydzwaniać z pogróżkami. Straciłam dziecko. – Po jej policzkach potoczyły się łzy. – Zaczęłam pić.

Cash ujął jej ręce i mocno uścisnął.

– O tym Rory też mi powiedział. Martwi się o ciebie. Posłuchaj, ja wiem, do czego może doprowadzić alkohol. Sam kiedyś piłem. Ale tak się nie da. Myślisz, że picie złagodzi ból, ale gdy trzeźwiejesz, cierpisz jeszcze bardziej.

– Już się o tym przekonałam.

– Po jakimś czasie picie przestaje przytępiać ból. Ja wylądowałem na odwyku – dodał rzeczowo.

– To było wtedy, gdy... twoja żona odeszła?

Skinął głową, unikając jej wzroku.

– Kochałeś ją.

Cash zmarszczył czoło.

– Wtedy tak myślałem. Ale może więcej w tym było mojej urażonej ambicji niż miłości.

Uśmiechnęła się lekko i przymknęła oczy. Dłonie Casha były ciepłe i mocne. Lekarstwo znów zaczęło działać, stępiając ból i odganiając lęki. Zasnęła. Cash patrzył na nią zmartwionymi oczami. Jego emocje zaczynały się wymykać spod kontroli, ale nadal nie był w stanie zaufać Tippy. Z pewnością czuła do niego wdzięczność za uratowanie jej życia, ale nie wyszła jeszcze z szoku i nie można było brać poważnie niczego, co teraz mówiła. Lekarz twierdził, że będzie mogła wrócić do pracy za cztery do sześciu tygodni. Ale powrót do równowagi emocjonalnej mógł trwać jeszcze dłużej. Tymczasem Cash zamierzał opiekować się nią, chronić i rozpieszczać. Potrzebowała go teraz.

Nigdy wcześniej nie musiał się nikim opiekować, nie w taki sposób. Owszem, zajmował się rannymi kolegami, osłaniał ich podczas tajnych operacji, ocalił od śmierci wielu cywili, ale to nie były intymne sytuacje. Jako mały chłopiec opiekował się matką; inaczej niż z Tippy, matki nie udało mu się ocalić od śmierci.

Patrzył na jej twarz, myśląc o powiedzeniu, że życie ocalonego należy do tego, kto go ocalił, i nagle poczuł lęk przed odpowiedzialnością. Nie był pewien, czy to zadanie go nie przerośnie. Dotychczas nie musiał się z nikim liczyć ani za nikogo odpowiadać. Teraz to miało się zmienić; wiedział, że Tippy będzie zdana na niego co najmniej przez kilka tygodni, i tak samo Rory. Jego życie miało się bardzo zmienić i Cash nie był pewien, czy te zmiany mu się podobają; w każdym razie jednak mogły być interesujące.

Jeszcze kilka lat temu w jego życiu panował zamęt. Cash wędrował z pracy do pracy, ale w żadnej nie czuł się dobrze. Nie pasował do współpracowników. Nic nie dawało mu szczęścia ani poczucia bezpieczeństwa. A teraz pracował w malutkim miasteczku i nie mógł się nadziwić, jak bardzo czuje się tam spełniony. Takiej satysfakcji nie dawała mu żadna z poprzednich posad w wojsku ani w policji wielkich aglomeracji. Zaglądał do staruszków, sprawdzał, czy wszystko u nich w porządku, organizował straż obywatelską, wygłaszał w szkołach pogadanki na temat zagrożenia narkotykami, pocieszał obywateli, których okradziono, pomagał władzom lokalnym i stanowym w nalotach na handlarzy narkotyków, rozmawiał z ludźmi zaatakowanymi przez własne dzieci na narkotykowym głodzie i pomagał im uporać się z podwójną rolą ofiary i rodzica. Towarzyszył w sądzie przerażonym kobietom, które składały zeznania obciążające ich brutalnych mężów, wysyłał patrole w niebezpieczne rejony miasta, uczył samoobrony i obchodzenia się z bronią palną. Namawiał p.o. burmistrza, Bena Brady'ego, by ten walczył z radą miejską o lepsze radiowozy i zwiększenie budżetu na nocne patrole na niebezpiecznych ulicach.

Tylko że Brady był odporny na argumenty Casha. Bardziej niż sprawami miasta przejmował się kampanią wyborczą swojego wuja, senatora stanowego, który ponownie ubiegał się o urząd. Cash bardzo żałował, że poprzedni burmistrz musiał zrezygnować z pracy z powodu zawału serca. Brady nie miał wielkich szans na utrzymanie swego stanowiska w najbliższych wyborach, jako że jego kontrkandydatem miał być Eddie Cane, człowiek, który pełnił już kiedyś tę funkcję, zyskując sobie powszechną sympatię i szacunek mieszkańców. Obydwaj kandydaci byli demokratami i zwycięzca pierwszej, majowej tury praktycznie miał już zapewnione zwycięstwo w listopadowych wyborach powszechnych.

Nikt nie lubił Brady'ego, który miał ciasny umysł i ślepo wypełniał instrukcje wuja, oraz jego córki Julie. Cash wiedział o tych ludziach więcej niż przeciętny obywatel i zdawał sobie sprawę, że ratuszem w Jacobsville wstrząśnie wkrótce wielki skandal polityczny. Sekretarz urzędu miasta lubił Casha i współpraca z nim układała się dobrze; podobnie jak i z pozostałymi radnymi, z wyjątkiem dwóch, lojalnych wobec Brady'ego; ale Cash w głębi duszy był przekonany, że ci dwaj po prostu boją się burmistrza. Podwładni również z czasem nabrali sympatii do swego szefa i atmosfera na komisariacie stała się wręcz familijna. Tak, Jacobsville coraz mocniej kojarzyło mu się z domem. A wcześniej wszędzie czuł się obco.

Znów spojrzał na śpiącą Tippy. W ciągu zaledwie kilku miesięcy ta kobieta przestała być jego zdeklarowanym wrogiem i stała się kimś bliskim. Cash nie potrafił już zrozumieć własnych uczuć. Był kiedyś zakochany w Christabel Gaines. Przyciągała go jej niewinność, dobroć, poczucie humoru, niezależność i silna wola. Ale Christabel nie potrafiła zrozumieć ani jego, ani jego przeszłości, choć współczuła mu, gdy przerażające wspomnienia wracały do niego w koszmarach. Tippy go rozumiała. Nie przeżyła żadnej wojny, w jej życiu było jednak dość dramatów. Cash nadal nie był pewien, czy kiedykolwiek będzie w stanie opowiedzieć jej o swojej przeszłości, sądził jednak, że Tippy mogłaby to znieść i że nie odtrąciłaby go. Miała rzadką zdolność empatii i ten niezwykły szósty zmysł, który pozwalał czytać w jego myślach. Cash czuł się z tym nieswojo; Tippy widziała zbyt wiele.

Zaśmiał się cicho. Wyobraźnia ponosiła go za daleko. Było już późno i poczuł, że potrzebuje przespać noc w prawdziwym łóżku, a nie na krześle. Ale gdy znów spojrzał na Tippy, uświadomił sobie, że nie potrafi jej zostawić; a co więcej, nie miał pojęcia dlaczego.

Obudziła go pielęgniarka z porannej zmiany. Stała obok łóżka i delikatnie potrząsała go za ramię.

– Przepraszam – powiedziała, gdy otworzył oczy – ale musimy umyć panią Danbury.

– Oczywiście – wymamrotał, podnosząc się.

Tippy tego ranka wyglądała znacznie gorzej. Sińce rozlały się po całej twarzy, a skaleczenia przybrały jasnoczerwoną barwę. W tej chwili bardziej przypominała gwiazdę horrorów niż modelkę. Cash miał tylko nadzieję, że pielęgniarki nie pokażą jej lusterka.

– Pójdę poszukać jakiegoś pokoju w hotelu i zdrzemnę się godzinkę, a potem wrócę, dobrze? – powiedział do niej łagodnie.

Zawahała się.

– Nie musisz tu wracać...

– Jeśli nie wrócę, to ty się wypiszesz ze szpitala i uciekniesz do domu.

– Nie... nie zrobiłabym czegoś takiego! – zawołała, rumieniąc się, Cash bowiem przejrzał jej myśli.

– To chyba działa w obie strony. – Uśmiechnął się z zadowoleniem. – Proszę jej stąd nie wypuszczać nawet na krok – przykazał surowo pielęgniarce. – Zadzwonię z hotelu na dyżurkę pielęgniarek i podam numer, pod którym będę. Gdyby ona próbowała się stąd ulotnić, proszę mnie natychmiast zawiadomić. Albo jeszcze lepiej, podam pani numer mojej komórki.

– Dobrze – odrzekła pielęgniarka z szerokim uśmiechem.

Tippy rzuciła mu pochmurne spojrzenie.

– To nie fair. Przecież mogę wracać do zdrowia w domu – wykrztusiła z trudem, robiąc przerwy po każdym słowie.

– W tym stanie nie doszłabyś nawet do windy – zauważył.

– To prawda. – Pielęgniarka pokiwała głową. – Zaraz po śniadaniu zaczniemy rehabilitację oddechową. Niepotrzebne nam tu zapalenie płuc.

– Pewnie że niepotrzebne – dodał Cash.

– Tobie się to podoba – oskarżyła go Tippy. – A ja się czuję jak więzień!

Cash i pielęgniarka wymienili spojrzenia.

– Przestańcie! – wybuchnęła Tippy. – Dwoje na jedną, to nieuczciwe!

Cash zaśmiał się lekko.

– Umyj się i bądź grzeczna. Jeśli będziesz się dobrze zachowywać, to może przyniosę ci jakiś prezent.

– Nie uznaję łapówek – naburmuszyła się.

– Rory mówił, że lubisz koty. Wypchane koty o słodkich pyszczkach.

– Skąd weźmiesz tutaj wypchanego kota?

Cash znów zerknął na pielęgniarkę, która z entuzjazmem kiwała głową, jednocześnie sygnalizując mu samym ruchem ust: „sklep z upominkami".

Cash rzucił Tippy jeszcze jeden promienny uśmiech i wyszedł.

Wieczorem w szpitalu pojawił się niespodziewany gość. Tippy była akurat sama; Cash wyszedł, by porozmawiać z policjantami o trzecim porywaczu. W zastępstwie za siebie zostawił przy łóżku Tippy pomarańczowego wypchanego kota.

W progu sali stanął wielki mężczyzna, zbudowany jak zapaśnik. Drugi, o podobnych gabarytach, wszedł na chwilę do sali, mruknął coś do pierwszego, a potem wycofał się na posterunek przy drzwiach od strony korytarza.

Gość, który podszedł do łóżka, miał gęste, falujące czarne włosy, szeroką twarz o oliwkowej cerze i duże brązowe oczy. Ubrany był w granatowy garnitur w prążki, który sprawiał wrażenie, jakby kosztował więcej niż mieszkanie Tippy, śnieżnobiałą koszulę i niebieski krawat w kratkę. Przyjrzał się leżącej na łóżku dziewczynie i gniewnie zmarszczył brwi.

– Kim pan jest? – zapytała Tippy z niepokojem.

– Marcus Carrera – odpowiedział mężczyzna głębokim, chropawym głosem. – Chyba mnie pani nie zna – dodał z cieniem uśmiechu na szerokich ustach.

– Owszem, słyszałam o panu od mojego nieżyjącego przyjaciela, Cullena Cannona – odrzekła, również próbując się uśmiechnąć.

Mężczyzna wsunął ręce w kieszenie spodni.

– Cullen był jednym z najporządniejszych ludzi, jakich znałem. Jeden z tych szczurów, którzy to pani zrobili, pracuje u mnie. Oczywiście to była jego działalność uboczna i dowiedziałem się o tym dopiero dzisiaj rano.

Tippy nacisnęła przycisk podnoszący wezgłowie łóżka.

– Wie pan może, gdzie on teraz jest? – zapytała. – Mam ochotę z nim porozmawiać przy użyciu kija baseballowego.

Carrera się roześmiał.

– Nie, nie wiem. Ale obiecuję, że go znajdę. Przyniosę go pani zawiniętego w sieć i dołożę kij do kompletu.

Tym razem Tippy uśmiechnęła się szeroko.

– Dziękuję.

– Pozostali dwaj już siedzą – mruknął Carrera. – Rozmawiałem z sędzią i z zastępcą prokuratora okręgowego, który zajmuje się tą sprawą. Tym dwóm prędzej uda się dostąpić beatyfikacji, niż wyjść z aresztu za kaucją.

– Dziękuję – westchnęła Tippy po raz kolejny.

– Nie znoszę, gdy ktokolwiek z mojego otoczenia wplątuje się w takie historie – dodał gość z wyrazem obrzydzenia na twarzy. – Nawet gdy sam byłem na bakier z prawem, nigdy nie akceptowałem takich rzeczy.

– Na bakier z prawem? – powtórzyła.

Cash, który w tej właśnie chwili pojawił się w drzwiach, stanął jak wryty na widok gościa Tippy.

– Witam pana – powiedział Carrera uprzejmie. – Jeden facet, który siedzi w miejscowym areszcie, przysięga, że postrzelił go pan w nogę.

– Ja? – zdziwił się Cash niewinnie. – Nigdy w życiu nie strzeliłbym do człowieka. Słowo daję!

Carrera wybuchnął śmiechem i wyciągnął do niego wielką dłoń, którą Cash uścisnął.

– Co pan tu robi? I czy to Smitha widziałem za drzwiami?

– Tak. Pracował dla Kip Tennison, ale przestał być jej potrzebny, gdy wyszła za mąż za Cy Hardena, więc ja go zatrudniłem.

– Co za postać. Czy nadal hoduje tę iguanę?

Carrera wyszczerzył zęby.

– Tak. Teraz już zwierzątko ma półtora metra długości. Smith trzyma je w swoim pokoju w hotelu na Paradise Island. Gdy zdarzy się nam kłopotliwy gość, wystarczy, że wyślę do niego Smitha z jaszczurem. Przeważnie to działa od razu.

– Nie dziwię się. Co was tu sprowadziło?

Carrera spoważniał.

– Jeden z moich pracowników brał udział w tym porwaniu. Nie wiedziałem o tym – dodał szybko na widok wyrazu twarzy Casha. – Dowiedziałem się dopiero dzisiaj rano.

– Wie pan, gdzie można go znaleźć?

– Nie, nie wiem. Ale byłem u zastępcy prokuratora

okręgowego, który prowadzi tę sprawę, i przekazałem mu wszystko, co wiem o tym draniu.

Cash znieruchomiał.

– Przepraszam, chyba źle zrozumiałem?

– Co pana tak dziwi? – Wzruszył ramionami Carrera. – Przecież ja nie jestem żadnym gangsterem! Teraz jestem po prostu właścicielem kasyn i hoteli, to wszystko!

– No tak – odchrząknął Cash.

– To, że w przeszłości popełniłem kilka głupstw...

– Kilku hazardzistów z Dakoty Południowej znaleziono w, nazwijmy to, opłakanym stanie przy wybrzeżu New Jersey...

– Jeśli Tate Wintrop powiedział panu, że to była moja sprawka...

– Właściwie nie on, tylko jego szef, Pierce Hutton.

– Przecież on mieszka w Paryżu! Co on może o tym wiedzieć? – oburzył się Carrera.

– No i jeszcze ten Walters, który zdefraudował pieniądze matki jednego z pańskich pracowników i którego potem znaleziono w beczce po ropie na Hudson River...

– Niech pan posłucha, ja nie mam żadnych beczek po ropie – przerwał mu znów Carrera. – Po raz ostatni powtarzam, że jestem teraz praworządnym obywatelem.

– Niech będzie – zgodził się Cash. – A co pan wie o tym draniu, który pomógł Stantonowi porwać brata Tippy?

– Za mało, żeby go wytropić – przyznał tamten. – Gdybym wiedział więcej...

– Przecież jest pan praworządnym obywatelem – przypomniał mu Cash.

– No tak – przyznał Carrera, wydymając wargi. – Ale mam wielu znajomych, którzy nie są praworządnymi obywatelami, a za to sporo mi zawdzięczają.

– Nie uwierzyłabyś, o jakie przysługi on zwykle prosi – zwrócił się Cash do Tippy z wesołym błyskiem w oczach.

Tippy spojrzała na swego gościa przenikliwie.

– Nie, nie chodzi o takie przysługi – mruknął Carrera, wzruszając ramionami. – Lubię egzotyczne tkaniny. A prawdę mówiąc, jeszcze bardziej lubię zabytkowe tkaniny.

Tippy patrzyła na niego takim wzrokiem, jakby nie była pewna, czy się nie przesłyszała.

– On nie żartuje – powiedział Cash z szerokim uśmiechem. – Jego wzory zdobyły międzynarodową sławę. Kiedyś chyba znaleziono ciało zawinięte w...?

– Na pewno nie było to żadne moje dzieło – rzekł Carrera z urazą. – Nie marnowałbym ich na byle śmiecia.

Cash i Tippy wybuchnęli śmiechem.

– Pójdę już – oświadczył olbrzym. – Chciałem tylko zobaczyć, jak to naprawdę wygląda. Wyzdrowieje pani – zwrócił się do Tippy, wskazując na swój policzek przecięty dwiema białymi bliznami. – To były cięcia aż do kości, dlatego zostały po nich ślady. U pani nie zostaną.

– Dziękuję – odrzekła.

Carrera wzruszył ramionami.

– Będę szukał tego szczura. On się nazywa Barkley. Ted Barkley. Jest mechanikiem. Prawdziwym mechanikiem – podkreślił. – Umie naprawić wszystko i dlatego go zatrudniłem. Ma rodzinę gdzieś w południowym Teksasie, więc jeśli pan ją zabierze do siebie, radzę mieć oczy szeroko otwarte.

– Chciałbym dowiedzieć się czegoś więcej o tej rodzinie – stwierdził Cash.

– Tak myślałem. – Carrera wyciągnął z kieszeni złożoną kartkę papieru. – To te same informacje, które przekazałem prokuratorowi. Ten facet umie się posługiwać bronią, więc radzę uważać. Dla pieniędzy zrobi wszystko, ale to naprawdę wszystko. Stanton nie należy do bogatych, ale ten młody Montes był mocno umoczony w praniu pieniędzy i ma od kogo pożyczyć większą sumę. A zależy mu na tym, żeby pani nie była świadkiem na rozprawie. Jeśli będzie mógł panią zabić, zrobi to.

Tippy głośno wciągnęła oddech.

– Nie martw się – stwierdził Cash spokojnie. – Najpierw będzie miał ze mną do czynienia.

Carrera zmierzył go badawczym spojrzeniem.

– Gdyby pan potrzebował pomocy, proszę do mnie zadzwonić.

– Nie mam ze sobą ani kawałka egzotycznej tkaniny.

Olbrzym roześmiał się i z rozmachem klepnął go w ramię.

– Nic nie szkodzi.

– Dziękuję – powiedziała Tippy.

Mrugnął do niej i wyszedł.

– Czy on naprawdę jest teraz taki praworządny? – zapytała Casha, gdy gość zniknął za drzwiami.

– Naprawdę. Wiem o nim coś, czego nie mogę ci powtórzyć, ale mogę zagwarantować, że nie ma teraz nic wspólnego z przestępczością. – Popatrzył ze smutkiem na jej poranioną twarz. – Obiecuję, że już nikt cię więcej nie skrzywdzi.

Tippy wiedziała, że za tą obietnicą kryją się tylko wyrzuty sumienia i współczucie. To nie mogło być trwałe. Uśmiechnęła się i nic nie odpowiedziała.

ROZDZIAŁ DZIESIĄTY

Lekarze bacznie obserwowali płuca Tippy, dopóki nie nabrali przekonania, że rekonwalescencja postępuje właściwym trybem. Ona zaś przez cały czas przyjmowała antybiotyki i unikała widoku własnej twarzy w lusterku. Wyglądała jak bohaterka horroru klasy B; na całe szczęście, nie musiała pokazywać się publicznie.

Niepokoił ją trzeci porywacz, który wciąż pozostawał na wolności, a także myśl, że Stanton lub jego kuzyn mogli zlecić jej zabicie płatnemu mordercy.

– Czy myślisz, że Carrera miał rację? – zapytała pewnego wieczoru Casha, który od czasu wizyty Carrery był dziwnie milczący. – Że ten kuzyn Stantona będzie chciał mnie zlikwidować?

– Wszystko możliwe – odrzekł. – Ale będziesz w Jacobsville.

– Płatny morderca może dopaść ofiarę wszędzie.

Cash zmarszczył brwi.

– Jacobsville ma niecałe dwa tysiące mieszkańców. W zeszłym roku przejeżdżał tamtędy wiceprezydent i zatrzymał się na kilka dni, żeby odwiedzić kuzyna – jednego z braci Hart. Jego ochrona próbowała się wtopić w tłum.

Tippy słuchała z zaciekawieniem.

– Fantastyczni faceci. – Cash zaśmiał się, potrząsając głową. – Znam kilku z nich. W swoim fachu to profesjonaliści. Ale uznali, że staną się niedostrzegalni, jeśli przebiorą się za kowbojów. No i gdy tak paradowali po mieście w nowiutkich dżinsach i kapeluszach prosto z supermarketu, do jednego z nich podszedł prawdziwy kowboj z rancza Harta i zapytał, czy nie zechciałby pojechać z nim na ranczo i pomóc przy rozdzielaniu krów. A na to ochroniarz odpowiedział, że nie ma pojęcia o rozbieraniu mięsa.

Nawet Tippy rozumiała, że chodziło o odłączenie części stada, a nie o zabijanie zwierząt.

– Wbili się więc z powrotem w garnitury i dalej robili swoje – ciągnął Cash. – Widzisz, w małym miasteczku, gdzie wszyscy znają się od pokoleń, jest niemożliwe, żeby nie zauważono obcego. Ta sztuka może się udać w półmilionowym mieście, ale nie w miejscowości takiej jak Jacobsville.

– Owszem, to jest pewna pociecha – zauważyła Tippy.

– Nie pozwolę, żeby znów ktoś cię skrzywdził – upewnił ją Cash po raz kolejny. – Masz na to moje słowo, a ja nie szafuję słowem.

Poruszyła się i przez jej twarz przebiegł grymas. Żebra nadal jej dokuczały, ale przynajmniej pozbyła się już bólu głowy.

– Masz w domu telewizor? – zapytała.

– Mam. Telewizor, radio, odtwarzacz CD i dwa regały pełne kryminałów, a także sporo książek historycznych i nawet trochę fantastyki. A jeśli i tego wszystkiego będzie za mało, to mam jeszcze kasety wideo. Wszystkie odcinki „Star Treka", komplet „Gwiezdnych Wojen", „Władcę Pierścieni" i „Harry'ego Pottera".

– To ulubione filmy Rory'ego – ucieszyła się.

– A ty jakie lubisz?

Zastanawiała się przez chwilę.

– Lubię „Sherlocka Holmesa", stare filmy z Bette Davis, wszystko z Johnem Wayne'em, i science fiction.

– Ja też lubię Bette Davis – wyznał Cash. Przysunął się bliżej do łóżka i uważnie popatrzył na jej twarz. – Te skaleczenia wyglądają już lepiej. Ale sińce jeszcze nie – westchnął. – Teraz są fioletowo-żółte. Wyglądasz jak po ciężkiej walce.

– Szkoda, że nie możesz znaleźć się w mojej skórze – mruknęła. – Nigdy nikt mnie nie pobił tak mocno, nawet na ulicy, gdy miałam dwanaście lat.

– Byłaś pobita? – zapytał Cash ze zgrozą.

Odwróciła wzrok.

– Zanim Cullen zabrał mnie stamtąd, parę razy udało mi się uniknąć najgorszego. I to wszystko, co mogę na ten temat powiedzieć – dodała wojowniczo.

Cash wbił ręce w kieszenie.

– Widzę, że w dalszym ciągu nie masz do mnie zaufania.

– Mam, na tyle, żeby uwierzyć, że nie jesteś pozbawiony ludzkich uczuć. Większość ludzi odnosi się ze współczuciem do kogoś, komu stało się coś złego. Ale tylko dopóki ten ktoś nie wyzdrowieje.

Cash nie zdawał sobie sprawy, że Tippy widzi sytuację tak cynicznie. On sam w zasadzie miał podobne podejście, chociaż nie myślał o tym zbyt wiele. Teraz jednak, gdy zastanowił się nad ostrzeżeniami Carrery, doszedł do wniosku, że trochę przecenił siły, twierdząc, że jest w stanie ochronić Tippy. Musiał przecież czasem wychodzić z domu, a poza tym istniała jeszcze możliwość, że wynajęty morderca wśliźnie się do miasteczka nocą, niezauważony przez nikogo. Z własnego doświadczenia wiedział, że może się tak stać.

– Martwisz się czymś – zauważyła Tippy cicho.

Zamrugał i jego twarz przybrała bezbarwny wyraz.

– To ty jesteś pacjentką, nie ja.

Przechyliła głowę na bok, wpatrując się w niego uważnie.

– Nigdy nie dzielisz się swoimi myślami z nikim? Twoja przeszłość jest jak zamknięta książka. Jesteś zupełnie sam w mroku, ze swoimi koszmarami.

W oczach Casha pojawił się błysk.

– Nie ufam nikomu na tyle, by się zwierzać. Nawet tobie – rzucił bez zastanowienia.

– Szczególnie mnie – zgodziła się. – Zbyt dużo widzę, tak? Właśnie to cię ode mnie odepchnęło.

Odwrócił się plecami do niej i zapatrzył w okno. Znów padał deszcz; typowa kwietniowa pogoda w Nowym Jorku. Nie lubił, gdy Tippy czytała w jego myślach, bo wbrew jego woli tworzyło to między nimi nić intymności.

– Dobrze, przestanę zaglądać do twojego umysłu – mruknęła.

– Nie jestem otwartym człowiekiem – odrzekł, nie patrząc na nią.

– Wiedziałam o tym od pierwszej chwili, gdy cię zobaczyłam. Ale nie wszystkich tak traktujesz. Pamiętam, jak rozmawiałeś z Christabel na jej ranczu. – Głos Tippy zmienił się nieco przy tych słowach. – Mówiłeś do niej tak łagodnie, zupełnie jak do małego dziecka. Zapraszałeś ją do miasta na hamburgery. Powiedziałeś, że będzie mogła pojechać radiowozem z włączoną syreną.

Cash był zdumiony, że Tippy to pamięta. Spojrzał na nią, ale ona unikała jego wzroku. Dopiero niedawno zdała sobie sprawę, że była zazdrosna o Christabel.

– Nie traktowałam jej dobrze – mówiła dalej, jakby do siebie. – Byłam wobec niej niesprawiedliwa. Zrozumiałam to wtedy, gdy ją postrzelono. Mówiłam jej bolesne rzeczy na temat Judda... Gdyby wtedy zginęła, do końca życia nie pozbyłabym się wyrzutów sumienia.

Cash zmarszczył brwi.

– Nie wiedziałem o tym.

Tippy z pochyloną głową obracała w palcach brzeg szlafroka.

– Asystent Joela był bardzo dominujący... przypominał mi Sama Stantona. Bałam się go. Judd chronił mnie przed nim... był dla mnie jak anioł stróż. Obawiałam się, że jeśli zaangażuje się w związek z Christabel, to ja zostanę sama. – Podniosła głowę i popatrzyła na niego ze smutkiem. – I tak by się stało, gdyby nie ty. Nie wierzyłam własnym oczom, gdy złapałeś go za ramię i zmusiłeś, by dał mi spokój.

– Nie lubię zastraszania. – Wzruszył ramionami.

– Ale przecież byłam twoim wrogiem.

– Po tym, jak Christabel została postrzelona, już nie. – Przymrużył oczy i zapytał: – Skąd tak dobrze wiedziałaś, jak się opatruje ranę postrzałową?

– Przez całe życie oglądałam w telewizji szpitalne seriale. – Uśmiechnęła się blado i ziewnęła. – Jestem bardzo zmęczona. Chyba trochę się prześpię.

Patrzył na jej twarz ocienioną długimi rzęsami, myśląc, że nigdy w życiu nie spotkał równie zdumiewającej kobiety. Miał nadzieję, że w Jacobsville uda mu się naprawić wcześniejsze błędy.

Trzy dni później lekarze stwierdzili, że Tippy może już opuścić szpital, i obydwoje z Cashem pojechali do jej mieszkania, żeby spakować rzeczy. Cash opróżnił lodówkę i zaniósł całą jej zawartość rodzinie Dona, powyłączał wszystkie urządzenia i znalazł jeszcze czas na rozmowę z właścicielem, by Tippy nie straciła mieszkania podczas swojej nieobecności. Robił to, co akurat było do zrobienia, nie wybiegając myślami zbyt daleko w przyszłość. Jego działanie było metodyczne i skuteczne, precyzyjne i umiejętne. Tippy obserwowała go ze skrywanym podziwem.

– Jesteś świetny w pakowaniu – zauważyła.

Podniósł głowę i błysnął uśmiechem.

– Większość życia spędziłem na walizkach, najpierw w szkole wojskowej, a potem już w wojsku. Jestem w tym dobry.

– Zauważyłam. – Tippy rozejrzała się po salonie i westchnęła. – Będzie mi brakowało własnej przestrzeni. To moje pierwsze naprawdę własne mieszkanie. Wcześniej mieszkałam z Cullenem, a potem wynajmowałam mieszkanie na spółkę z inną modelką. A to jest tylko moje.

– Spodoba ci się mój dom. – Cash się uśmiechnął. – Mówią, że jest zaczarowany.

– Naprawdę?

– Podobno pewien mężczyzna zbudował go dla swojej żony o irlandzko-szkockim pochodzeniu. Jej rodzina wywodziła się z wyspy Skye. Legenda głosi, że ten mężczyzna bardzo się starał nie denerwować swojej żony, bo za każdym razem, gdy się na niego rozzłościła, wydarzało się coś złego. Nie miała podłego charakteru, tylko taki niechciany dar, nazywają to „złym okiem". Podobno miała również szósty zmysł.

– Tak jak ja – mruknęła Tippy. – Ale nie umiem rzucać uroków na nikogo. Jestem tego pewna, bo Sam już dawno leżałby dwa metry pod ziemią.

– Ty byś nie potrafiła żyć, mając czyjąś śmierć na sumieniu. – Cash się zaśmiał.

Za jego plecami zapadło milczenie. Odwrócił się z ciekawością. Tippy wyciągała książki z biblioteczki.

– Co to jest? – zapytał, wskazując gestem na dwa tomy, które trzymała w dłoni.

– Jeden to Pliniusz Starszy – odpowiedziała i wybuchnęła śmiechem. – Fascynująco opisywał przyrodę. Zginął podczas wybuchu Wezuwiusza w siedemdziesiątym dziewiątym roku naszej ery, próbując ratować innych z łódki. A ta druga, to książka napisana przez jego siostrzeńca, Pliniusza Młodszego, który jest autorem jedynego istniejącego opisu samego wybuchu. Wspaniale się to czyta.

– Nie czytałem Pliniuszów.

– Możesz przeczytać, gdy będę u ciebie – odrzekła protekcjonalnie. – Myślę, że powinnam wykorzystać okres rekonwalescencji na kształcenie ignorantów. – Z teatralną emfazą podniosła ramię do czoła. – *Noblesse oblige*.

Cash wybuchnął śmiechem. Tippy zerkała na niego spod długich rzęs. Jego śmiech miał fascynujące brzmienie, tym bardziej że rzadko miała okazję go słyszeć. Podczas pierwszej wizyty Cash czuł się dobrze w jej towarzystwie, ale nawet wtedy pozostał w nim wyczuwalny dystans. Teraz jednak widziała, że jest szczęśliwy.

Zauważył jej spojrzenie i na jego twarzy pojawił się dziwny wyraz.

– Podoba mi się twój śmiech – wyjaśniła z prostotą.

Cash, jakby onieśmielony, odwrócił wzrok i znów zabrał się do pakowania. Tippy pomyślała, że to dobry początek. Na pewno uda się go przekonać, że uśmiech angażuje mniej wysiłku mięśni twarzy niż grymas, i to odkrycie mogło się dla niego stać początkiem nowej epoki w życiu.

Polecieli do Jacobsville przez Houston. Tippy źle zniosła podróż, chociaż Cash, wbrew jej protestom, kupił bilety pierwszej klasy. Nie chciał, by ludzie się na nią gapili, a na przednich fotelach siedziało mniej pasażerów.

Wciąż jeszcze odczuwała opóźnione skutki wstrząsu mózgu – zamęt w myślach i bóle głowy. Oddychanie także przychodziło jej z trudem. Cash martwił się, jak zniesie podróż, ale lekarz stwierdził, że lepszy samolot niż wielogodzinna jazda samochodem, nawet przy częstych przystankach.

Na lotnisku w Jacobsville przywitał ich Judd Dunn. Grymas, jaki pojawił się na jego twarzy na widok Tippy, w ułamku sekundy przeszedł w szeroki uśmiech.

– Wiem, że nie podoba ci się to, co widzisz

w lustrze, ale nawet się nie obejrzysz, a już będziesz wyglądać tak samo jak przedtem – zapewnił ją. – Mam dzień wolny – zwrócił się do Casha, wyjaśniając fakt, że był w cywilnym ubraniu. – Zostawiłem posterunek pod opieką komisarza Palmera.

– Palmera, a nie Barretta? – zdziwił się Cash.

Obydwaj wymienieni byli weteranami wojny i mieli zdolności przywódcze.

– Barrett też ma dzisiaj wolne – wyjaśnił Judd i odchrząknął. – Miał coś do zrobienia.

Cash zatrzymał się jak wryty obok samochodu Judda, wypuszczając z rąk walizki Tippy.

– Nie – powiedział głosem przepełnionym grozą. – Nie, chyba tego byś nie zrobił. Nie wysłałbyś Barretta, żeby owinął mój dom papierem toaletowym...!

Na twarzy Judda odbiła się głęboka uraza.

– Jestem oficerem policji. A nawet zastępcą komendanta posterunku. Nigdy w życiu nie zrobiłbym czegoś, co jest nielegalne!

– Jeśli znajdę choć jeden skrawek papieru toaletowego na mojej nowo posianej trawie...

– Przyszłoby ci do głowy, że on jest taki podejrzliwy? – obruszył się Judd, zwracając się do Tippy.

– Tippy, jeśli odpowiesz mu na to pytanie, to dostaniesz na kolację wątróbkę z cebulką – oświadczył Cash, wrzucając walizki do bagażnika.

Tippy spojrzała na niego przez ramię.

– Nie cierpię wątróbki z cebulką!

– Wiem.

Judd uśmiechnął się pod nosem. Wycofał czarną terenówkę z lotniskowego parkingu i po niedługim czasie zatrzymali się przed domem Casha. Był to prosty, biały budynek z szeroką werandą od frontu. Na werandzie stała huśtawka i bujany fotel, a dokoła rosły krzewy róż oraz jakieś roślinki, które dopiero zaczynały wychodzić z ziemi. Cash pomógł Tippy wysiąść, a Judd w tym czasie zaniósł bagaże na werandę.

– Tylko nie rozdepcz moich klombów – ostrzegł go Cash.

Judd zatrzymał się z jedną nogą w powietrzu i rozejrzał się niespokojnie.

– Jakich klombów?

– Właśnie zamierzałeś stanąć na jednym z nich! Tam obok ciebie rosną cynie, a na drugim dzwonki, margerytki i stokrotki.

– Lubisz zajmować się ogrodem? – zapytała Tippy.

Popatrzył w jej szeroko otwarte zielone oczy i świat wokół niego zawirował. Miała piękne oczy. Nawet w posiniaczonej, pokaleczonej twarzy wyglądały fascynująco.

– Lubię czasem pobrudzić sobie ręce – odrzekł.

– To samo mówił ten dealer narkotyków, którego aresztowaliśmy w zeszłym roku – oznajmił Judd, który właśnie szczęśliwie dotarł do werandy, niczego nie rozdeptując. – Zakopał na klombie dwa kilo kokainy. Chyba miał nadzieję, że mu urośnie.

– I to był błąd – stwierdził spokojnie Cash, odrywając wzrok od twarzy Tippy. – Dostał dziesięć lat.

– Niestety, na jego miejsce przyjdą inni. A właściwie już przyszli. Nasz nowy pośrednik ma w tym mieście wysoko postawionych krewnych. Oczywiście, nic o tym nie słyszałaś – dodał Judd w stronę Tippy.

– Jasne, że o niczym nie mam pojęcia. – Pokiwała głową. – Wszyscy to wiedzą.

– Przestań – upomniał ją Cash, dotykając palcem czubka jej nosa. – I tak jesteś wystarczająco bystra.

Zarumieniła się lekko.

– Christabel zaprasza was na kolację – powiedział Judd. – Jeśli macie ochotę, to może być dzisiaj.

Tippy z wahaniem podniosła wzrok na Casha.

– Ostatnie dni były dla niej ciężkie, a w dodatku jest zmęczona podróżą, choć lot przebiegał bez zakłóceń – rzekł Cash. – Ale chętnie wpadniemy w przyszłym tygodniu.

– Podziękuj Christabel ode mnie – dodała Tippy.

– Wiem, że przygotowanie kolacji z dwojgiem niemowląt w domu to nie taka prosta sprawa.

– To już właściwie nie są niemowlaki – uśmiechnął się Judd. – Zaczynają raczkować.

– Tak szybko? – zdumiał się Cash. – Jessamina też?

– Ona ma jeszcze brata – stwierdził Judd z naciskiem. – Na imię ma Jared.

– Wiem, wiem. Ale to twój syn, a Jessamina jest moja. Poczekaj trochę, a sam się przekonasz.

Judd miał ochotę zaproponować przyjacielowi, żeby zafundował sobie córeczkę z Tippy, ale zauważył, że na wzmiankę o dzieciach w oczach dziewczyny pojawił się głęboki smutek, i ugryzł się w język. Ale Tippy zaraz przypomniała sobie o czymś innym.

– Gdzie jest twój wąż? – zapytała z niepokojem. – Tutaj, w domu?

– Nie martw się. Przypuszczałem, że zwariowałabyś ze strachu, więc odniosłem go z powrotem do Billa Harrisa.

– Dziękuję – westchnęła z wyraźną ulgą.

– Muszę wracać do domu. Ale najpierw wejdźmy do środka – powiedział szybko Judd.

– Wszyscy troje? – zapytał Cash z wahaniem.

– Wszyscy troje – rzekł Judd stanowczo. Wszedł na werandę i pchnął drzwi.

– Dunn, w tej chwili popełniasz włamanie – mruknął Cash.

– To nie jest włamanie, bo mam pozwolenie właściciela.

– To ja jestem właścicielem. Nie masz pozwolenia.

Judd tylko się roześmiał i pierwszy wszedł do jadalni. Stół zawalony był po brzegi jedzeniem. Były tu zapiekanki, talerze z szynką i serem, wielka micha sałatki, biszkopty domowego wypieku i co najmniej pięć rodzajów deserów. Pośrodku pomieszczenia stał komisarz Barrett, szczupły i ciemnowłosy, z wielką torbą w rękach.

– Ledwie zdążyłem, szefie – powiedział na widok Casha. – Zatrudniliśmy dzisiaj wszystkie nasze żony, żebyście nie musieli od razu zajmować się gotowaniem. Wiemy, że lubisz biszkopty i domowe przetwory Julii Garcii, więc kazaliśmy jej dołożyć do blachy biszkoptów jeszcze po słoiku dżemu jagodowego i galaretki winogronowej. Nasz szef nie jest aż takim żarłokiem jak bracia Hart – wyjaśnił w stronę Tippy – ale nigdy nie pogardzi dobrym, pulchnym biszkopcikiem.

– Żona komisarza Garcii robi najlepsze biszkopty w okolicy – zgodził się Judd.

– Dzięki – wykrztusił Cash z wyraźnym zdumieniem. – Nie spodziewałem się czegoś takiego!

– Masz za sobą trudny tydzień – rzekł Judd z prostotą. – Uznaliśmy, że będziesz zbyt zmęczony na gotowanie.

– Bo jestem. A gdzie jest pani Jewell?

– Przyjdzie niedługo, tylko musi spakować swoje rzeczy. Powiedziała, że będzie tu za jakąś godzinę. To pielęgniarka – wyjaśnił Tippy. – Jest po pięćdziesiątce i uwielbia gotować. Polubisz ją. Widziała twój film, bardzo jej się podobał. I przygotuj się na to, że będzie cię zasypywać informacjami o tym aktorze, który z tobą grał. Rance Wayne. Jest jego fanką.

– W porządku – uśmiechnęła się Tippy. – Postaram się nie opowiadać o nim zbyt wiele, żeby nie pozbawiać jej złudzeń. – Bezwiednie dotknęła twarzy. – Kiedy zobaczy mnie w tym stanie, nie uwierzy, że mogłam kiedykolwiek grać w filmie.

– Sińce i skaleczenia mają to do siebie, że się goją – zauważył łagodnie komisarz Barrett. – Niedługo wróci pani do formy.

– Dziękuję – odrzekła nieśmiało.

– Dobra, idziemy – powiedział Judd, kiwając głową do Barretta.

– Nie zauważyłem twojego samochodu – stwierdził jednocześnie Cash.

– To ja go tu podrzuciłem razem z tym całym jedzeniem, zanim pojechałem na lotnisko – wyjaśnił

Judd. – Samochód zbyt wcześnie zdradziłby niespodziankę.

– Rzeczywiście, to była wielka niespodzianka – przyznał rozpromieniony Cash. – Dziękuję. Powiedzcie pani Garcii, że te biszkopty i dżemy na pewno się nie zmarnują. Zjem wszystko i wyliżę słoiki.

– Jeśli zdążysz – wtrąciła Tippy. – Ja też uwielbiam biszkopty z dżemem jagodowym. Babcia mi takie robiła w dzieciństwie.

Judd mrugnął do niej.

– Lepiej pójdziemy stąd, zanim się pobijecie o ten dżem. I nie chciałbym odbierać od sąsiadów telefonów ze skargami, że zakłócacie porządek publiczny, jasne?

– Ja nigdy nie zakłócam porządku publicznego – oznajmił Cash z godnością. – Słyszałem, że od tego się ślepnie.

Tippy zaśmiewała się na głos, trzymając się za żebra.

Cash odprowadził kolegów do samochodu i wrócił pięć minut później, nie wspominając ani słowem o tym, że po drodze opowiedział kolegom o groźbach byłego pracownika Carrery i o ewentualnym zagrożeniu ze strony płatnego mordercy. Nakazał im jednak pilnować domu podczas jego nieobecności. Zamierzał również zaopatrzyć się w pewną ilość naładowanej broni i porozkładać ją dyskretnie w różnych miejscach. Nie powiedział Tippy również o tym, że pani Jewell pracowała wcześniej w biurze szeryfa jako ekspert do zadań specjalnych, a jej syn był policjantem, jednym z jego podwładnych. Ta kobieta potrafiła się posługiwać pistoletem niemal tak samo dobrze jak sam Cash i nie bała się niczego na świecie; w razie kłopotów potrafiłaby zapewnić Tippy bezpieczeństwo do chwili nadejścia pomocy.

– Jak to miło z ich strony – stwierdziła Tippy, patrząc na zastawiony stół. – Już dawno nie widziałam tyle jedzenia naraz.

– Potrzebujesz białka, żeby wyzdrowieć – zauważył Cash. – I nie martw się, że przytyjesz. Ostatnio tak schudłaś, że teraz możesz sobie pozwolić na kilka dodatkowych kilogramów.

Popatrzyła na niego z ukosa.

– Naprawdę myślisz, że jestem za chuda?

Cash powoli wypuścił oddech.

– Twoja figura nie powinna mnie interesować – powiedział najłagodniej jak potrafił. – Przywiozłem cię tu, żeby zapewnić ci bezpieczeństwo...

Natychmiast zamknęła się w sobie i na jej twarzy pojawił się plastikowy uśmiech.

– Wiem o tym, chciałam tylko podtrzymać rozmowę. Gdzie jest ten dżem?

Wyjęła z plastikowej torby papierowe talerzyki

i jednorazowe sztućce i zajrzała do kilku pojemników.

– Wygląda nieźle – mruknęła. – To chyba kabaczek.

Cash skrzywił się okropnie.

– Gdzie jest mój pistolet?

Tippy spojrzała na niego z wyższością.

– Kabaczek to bardzo szlachetne warzywo. Biali ludzie dostali je od Indian. Miałeś indiańskich przodków, więc powinieneś go uwielbiać.

– Indianie oddali go białym, bo chcieli się go pozbyć – odpalił.

Roześmiała się i nałożyła sobie na talerz porcję kabaczkowej zapiekanki.

– Mmm – wymruczała z lubością, smakując pierwszy kęs.

– Błeee – wykrzywił się Cash i odsunął się jak najdalej od naczynia.

Napełnili talerze i zaczęli jeść. W samolocie dostali tylko orzeszki ziemne. Cash napełnił szklanki z lodem słodką herbatą z dzbanka, który znalazł w lodówce.

– Uwielbiam herbatę. Cieszę się, że o niej pomyśleli – oświadczył, wracając do stołu.

– Kiedy pracuję, nie mogę pić słodkiej herbaty – skrzywiła się Tippy. – Kalorie.

– Każde jedzenie ma kalorie.

– Tak, ale cukier nie ma niczego więcej.

– Nic dziwnego, że jesteś taka szczupła.

– To nie z powodu niedożywienia, tylko tempa życia. Praca na planie jest wyczerpująca. A filmy akcji są szczególnie wymagające fizycznie. Sztuki walki, kaskaderskie wyczyny... – Przypomniała sobie feralny upadek i urwała.

Cash zatrzymał wzrok na jej zagubionej twarzy.

– Nie rób tego – powiedział łagodnie. – Pogrążanie się we wspomnieniach niczego nie rozwiązuje, dokłada tylko problemów. Nie możesz zmienić tego, co już się stało.

Wbiła widelec w sałatkę ziemniaczaną.

– Nigdy wcześniej nie byłam w ciąży.

– To byłby koniec twojej kariery – stwierdził Cash krótko.

– Dałoby się to ukryć podczas zdjęć. Nic trudnego. Joel już kiedyś dopisał ciążę do scenariusza, gdy jego pierwszoplanowa aktorka przyniosła dobre wieści w środku pracy nad filmem.

Popatrzył na nią z zaciekawieniem. Sprawiała wrażenie kobiety, która byłaby w stanie pogodzić pracę z macierzyństwem.

Tippy zauważyła jego wzrok i wybuchnęła śmiechem.

– Nie martw się, nic ci nie grozi. Już od dawna nie próbowałam zrobić dziecka żadnemu mężczyźnie.

Udało jej się trafić w moment, gdy Cash miał pełne usta herbaty. Skutek był zgodny z przewidywaniami. Wybuchnął stekiem przekleństw; Tippy zaśmiewając się, podała mu serwetki.

– Przepraszam – wykrztusiła. – Ale nie mogłam się powstrzymać. Byłeś taki spięty.

Obrzucił ją przeciągłym spojrzeniem.

– Ja się nigdy nie złoszczę, tylko po prostu wyrównuję rachunki.

– Zaryzykuję. – Uśmiechnęła się. – Efekt był tego wart.

Cash z tajemniczym uśmiechem znów sięgnął po herbatę. Zanosiło się na to, że w najbliższej przyszłości nie będzie się nudzić.

ROZDZIAŁ JEDENASTY

Sandie Jewell była wysoką, szczupłą pięćdziesięciolatką o ciemnych oczach, krótkich brązowych włosach i promiennym uśmiechu. Zupełnie nie przypominała statecznej matrony i Tippy z miejsca poczuła do niej sympatię. Na początek pani Jewell sprawdziła schemat podawania leków. Nie było ich dużo – tylko antybiotyk i tabletki, które miały pomóc w oczyszczaniu płuc. Zaraz po kolacji skierowała swoją podopieczną do sypialni, by mogła wypocząć po podróży, a sama poszła do kuchni porozmawiać z Cashem.

– Jest już w łóżku? – zapytał Cash, podając jej kubek kawy.

– Była zmęczona, i to płuco jeszcze się nie oczyściło. Rano pójdę z nią na spacer. Musi też dużo pić, żeby rozrzedzić wydzielinę. Wygląda jak ofiara wypadku samochodowego! – dodała, potrząsając głową. – Nigdy nie zrozumiem, jak jakikolwiek mężczyzna może tak skrzywdzić kobietę.

– Obydwoje widzieliśmy wiele przypadków przemocy domowej – przypomniał jej Cash. – Musimy jej pilnować przez cały czas. Nie możemy ryzykować zaskoczenia, jeśli Stanton przyśle tu płatnego mordercę. W szafce w łazience jest naładowany pistolet. Na górze, za ręcznikami.

– Dziękuję. Jeśli będę musiała go użyć, to na pewno nie chybię.

– Wiem – uśmiechnął się. – Bardzo się cieszę, że zgodziłaś się nią zaopiekować. Nikomu nie ufam bardziej niż tobie.

– Położysz się dzisiaj wcześniej?

– Chyba tak...

W tej chwili jednak zadzwonił telefon. Cash odebrał szybko, obawiając się, że sygnał może obudzić Tippy.

– Grier – rzucił w słuchawkę.

– Szefie, dobrze byłoby, gdybyś tu zaraz przyjechał – powiedział z wahaniem jeden z jego pracowników. – Mamy kłopot.

– Jaki kłopot?

– Dwóch patrolowych aresztowało kierowcę za prowadzenie w stanie nietrzeźwym. Przywieźli go tutaj w kajdankach i zrobili analizę wydychanego powietrza, a teraz wypisują mu mandat i nakaz stawienia się do sądu. A on szaleje i odgraża się, że wylecą za to z pracy.

– Kto to taki?

W słuchawce na chwilę zapadło milczenie.

– Senator stanowy Merrill.

Cash wziął głęboki oddech. To był najgorszy koszmar policjanta. Większość polityków gotowa była pozbawić pracy każdego stróża prawa, który ośmielił się ich aresztować. Widywał to już wielokrotnie, w różnych miastach. Wszędzie było tak samo.

– Brady zadzwonił tu i kazał mi z miejsca wyrzucić z pracy tych patrolowych – dodał dyżurny oficer.

– Nikogo nie wyrzucaj. To mój rozkaz – odparł natychmiast Cash. – Będę tam za dziesięć minut. Powiedz Brady'emu, że zanim zacznie kogoś zwalniać, najpierw musi porozmawiać ze mną, a zwłaszcza w sytuacji, gdy chodzi o senatora Merrilla.

– Córka Merrilla też tu jedzie. Ona jest w bliskich stosunkach z Jordanem Powellem.

Powell był bogatym ranczerem. Bardzo bogatym i o bardzo porywczym temperamencie. Cash pomyślał, że wolałby zajmować się płatnym mordercą niż tą parą.

– Już jadę. Zachowajcie spokój – powiedział i się rozłączył.

Sandie tylko potrząsnęła głową.

– Nie musisz mi niczego wyjaśniać. Kiedyś już jeden z naszych zastępców wyleciał z pracy za zatrzymanie na drodze parlamentarzysty stanowego. Nie miał szans nic zdziałać.

– Ci policjanci zostaną w komisariacie – odrzekł Cash krótko.

Nałożył mundur i wyjął z szuflady kaburę ze służbowym rewolwerem.

Tippy usłyszała, że coś się dzieje. Wyszła z sypialni i na widok Casha w mundurze zatrzymała się.

– Bardzo ładnie wyglądasz. Idziesz do pracy o tej porze? – zapytała ze zdumieniem.

– Wracaj do łóżka – odrzekł krótko. – Powinnaś odpoczywać. W mieście jest mały problem. Wrócę, jak tylko będę mógł.

Ugryzła się w język, by nie powiedzieć „uważaj na siebie". Naraz pojęła, jak by się czuła, gdyby została jego żoną i każdego dnia, widząc go wychodzącego do pracy, musiałaby się zastanawiać, czy jeszcze go zobaczy.

Cash zauważył jej lęk. Poprawił kaburę i delikatnie ujął ją za ramiona.

– To moja praca – powiedział. – Każdy zawód niesie ze sobą jakieś ryzyko, a zresztą, chyba nie potrafiłbym bez tego żyć.

Miała dziwne wrażenie, że on mówi o ich przyszłości.

– Wiem, że jesteś w tym dobry. Judd tak mówi. – Uśmiechnęła się blado.

Cash przesunął dłonie na jej twarz.

– Zawsze jestem ostrożny i jeśli już podejmuję ryzyko, to tylko wykalkulowane. Nie mam skłonności samobójczych. W tym zawodzie przeważnie ginie się z powodu lekkomyślności.

Wzięła głęboki oddech i podniosła ręce, by poprawić mu krawat.

– Nie daj się zabić – powiedziała po prostu.

Cash pochylił głowę i lekko pocałował ją w usta. Pachniała różami. Przymknęła oczy i oparła dłonie na jego piersi.

– Wracaj do łóżka – powiedział po chwili, podnosząc głowę. – To może trochę potrwać.

– Dobrze – westchnęła.

– No, no, co za posłuszeństwo – zakpił, krzywiąc się zabawnie. – Ale założę się, że ledwo wyjdę za drzwi, zaczniesz sprzątać kuchnię albo przestawiać w szafkach.

– Jeszcze nie. Za bardzo mnie wszystko boli. Poczekam z tym przynajmniej do przyszłego tygodnia – odrzekła ponuro.

– Tylko się za bardzo nie przyzwyczajaj! – Zaśmiał się. – Jestem szczęśliwym kawalerem.

– Coś takiego nie istnieje w przyrodzie – odparowała gładko.

Spojrzał na nią złowieszczo, ale zupełnie się tym nie przejęła.

– Czy ktoś obrabował bank? – zapytała.

– Nie. Ktoś próbuje wyrzucić z pracy dwóch moich ludzi za to, że zatrzymali polityka, który prowadził samochód po pijanemu.

Tippy szeroko otworzyła oczy.

– Jak to?

– Bo to jest bogaty polityk.

– I co z tego? Prawo to prawo.

– Kochanie! – zawołał Cash i pocałował ją raz jeszcze. – Tylko nie wyobrażaj sobie zbyt wiele – zastrzegł natychmiast. – To było przypadkowe.

Spojrzała na niego z zaciekawieniem.

– Lubię, gdy bierzesz moją stronę. – Wzruszył ramionami.

– Wiem, gdzie moglibyśmy kupić pierścionek – odrzekła z szerokim uśmiechem.

– Ja też wiem, ale nie planuję zakupów. – Wydął usta.

Dopiero teraz Tippy zauważyła panią Jewell stojącą w drzwiach kuchni.

– On się bawi moimi uczuciami i nie chce się ze mną ożenić – poskarżyła się jej.

Pani Jewell zaniemówiła.

– Nie, nie chce – poświadczył Cash. – I nie bawię

się twoimi uczuciami. Pocałowałem cię tylko dlatego, że przyznałaś mi rację.

– Nieprawda. Pocałowałeś mnie, bo nie potrafiłeś się oprzeć. Nikt nie jest w stanie mi się oprzeć. – Nie zważając na ból w klatce piersiowej, przyjęła uwodzicielską pozę.

– Jeszcze tylko gitara i zespół i mogłabyś to zaśpiewać – stwierdził Cash. – Wracaj do łóżka!

Stała nieruchomo, trzepocząc rzęsami.

– I przestań mnie prowokować – dodał stanowczo. – Pani Jewell ma mnie przed tobą chronić, więc uważaj, co robisz.

Pani Jewell wybuchnęła śmiechem. Cash skorzystał z tego, że chwilowo miał ostatnie słowo w dyskusji, i wyszedł z domu.

– Znam go niecały rok – powiedziała pani Jewell do Tippy – ale jeszcze nigdy nie widziałam, żeby się tyle śmiał. Chyba ma do ciebie słabość.

– To tylko współczucie – odrzekła lekko. – Ale kiedy się z nim drażnię, poprawia mu się humor.

Ciemne bystre oczy pani Jewell dostrzegały wszystko.

– Kochasz go, tak? – zapytała bez ogródek.

Tippy zawahała się, a potem westchnęła.

– Niestety, tak. On nie chce się żenić i uważa mnie za zagrożenie.

– Na ekranie jesteś zupełnie inna niż prywatnie w domu.

– Cieszę się, że pani to zauważyła. Bo większość ludzi tego nie dostrzega.

– Mam duże doświadczenie w rozgryzaniu ludzi. – Pokiwała głową. – A teraz wracaj do łóżka. Potrzebujesz odpoczynku.

Tippy dotknęła swojej twarzy. Skaleczenia wciąż były bolesne i opuchnięte.

– Na pewno wyglądam okropnie – westchnęła.

– Skarbie, wyglądasz jak ktoś, kto został pobity. Te skaleczenia wygoją się, żebra też. Ale musisz odpoczywać i dużo pić, żeby rozluźnić wydzielinę w płucach. Lot samolotem na pewno ci w tym nie pomógł.

– Ale jazda samochodem byłaby znacznie gorsza. Mam lekarstwa i zamierzam je brać. Muszę wyzdrowieć, żeby skończyć film, bo inaczej mi nie zapłacą. – Zauważyła dziwne spojrzenie pani Jewell. Przypomniała sobie, co wypisywały gazety, i pospiesznie wyjaśniła: – Asystent reżysera przekonywał mnie, że ten skok będzie zupełnie bezpieczny. Miałam złe przeczucia, ale nie chciałam tracić pracy z powodu obsesji na punkcie ciąży. Nie miałam zbyt wiele pieniędzy, a musiałam opłacić rachunki i szkołę brata. Wcześniej już wykonywałam podobne skoki i nic złego się nie stało, więc głupio zaufałam temu asystentowi i zaryzykowałam. No i straciłam dziecko. – Ostatnie słowa wypowiedziała z wyraźnym trudem.

Przez twarz pani Jewell przebiegł bolesny grymas.

– Ja straciłam dwoje – powiedziała cicho. – Wiem, jakie to uczucie.

Dwie kobiety wymieniły spojrzenia. Żadne słowa nie były tu potrzebne.

– Wracaj do łóżka – powtórzyła pani Jewell. – Przyniosę ci coś do picia i może uda ci się zasnąć.

– Nie zasnę, dopóki Cash nie wróci – westchnęła Tippy.

Pani Jewell zaśmiała się i popchnęła ją w stronę sypialni.

– O niego nie musisz się martwić. Poczekaj tylko, a sama zobaczysz!

Na komisariacie, nocą zwykle cichym i zaludnionym jedynie przez kilku dyżurnych, teraz wrzało. Trzech policjantów stało przy biurku, przy którym zwykle pracowała nocna sekretarka, pełniąca jednocześnie funkcję księgowej. Starszy mężczyzna, chwiejąc się lekko na nogach, odgrażał się, że natychmiast podejmie działania skierowane przeciwko parze funkcjonariuszy z patrolu; wymieniona dwójka patrzyła na niego z zaciśniętymi ustami i niepokojem na twarzach. Piękna młoda kobieta w drogim, szykownym stroju obszernie opowiadała wszystkim dokoła, co się wydarzy, jeśli oskarżenie przeciwko jej ojcu nie zostanie natychmiast wycofane.

Cash energicznie wszedł do środka i zapytał krótko:

– Co się tu dzieje?

Wszyscy zaczęli mówić jednocześnie. Podniósł rękę, żeby ich uciszyć.

– Kto go aresztował?

Komisarz Carlos Garcia, weteran wojny i dowódca nocnego patrolu, oraz posterunkowa Dana Hall, która pracowała tu dopiero od niedawna, wysunęli się do przodu. Cash znał ich dobrze. Żona Garcii była pielęgniarką środowiskową, lubianą i szanowaną przez wszystkich, a nieżyjący ojciec Dany był jednym z najbardziej szanowanych sędziów w całym okręgu.

– Dana jeździła ze mną – powiedział Garcia cicho. – Zauważyliśmy samochód, który jechał wężykiem i co chwila ocierał się o barierkę. Jechaliśmy za nim przez jakąś milę, żeby się upewnić, że nie zatrzymamy go bezpodstawnie. W tym czasie omal nie spowodował zderzenia czołowego z innym pojazdem. Wtedy włączyłem światła i syrenę i zatrzymałem go.

– Mów dalej.

– Wysiedliśmy i podeszliśmy do niego zgodnie

z wszelkimi regułami, z obu stron samochodu, w razie gdyby był uzbrojony. Poprosiłem o pokazanie prawa jazdy i dowodu rejestracyjnego, ale zatrzymany natychmiast wyszedł z samochodu i zaczął nam grozić. Poczułem od niego alkohol, więc kazałem mu dotknąć nosa z zamkniętymi oczami i przejść kawałek prosto. Nie był w stanie zrobić żadnej z tych rzeczy.

– I co się działo dalej? – wypytywał Cash.

– Uprzedziłem, że zabieram go na komisariat, żeby przeprowadzić badanie alkomatem, a on zaczął przeklinać i opierał się nam. Przytrzymałem go, a posterunkowa Hall założyła mu kajdanki. Badanie wykazało 1,5 promila alkoholu w wydychanym powietrzu, czyli znacznie więcej, niż jest dozwolone, dlatego wypisałem mandat i nakaz stawienia się w sądzie i zatrzymałem go w areszcie. Nasza księgowa, pani Phibbs, na prośbę zatrzymanego zadzwoniła do jego córki, żeby podpisała poręczenie majątkowe w celu zwolnienia z aresztu do czasu przesłuchania.

– Nie możecie aresztować mojego ojca za jazdę po alkoholu w ostatnim miesiącu przed prawyborami! – zaprotestowała ładna blondynka. – Ci policjanci muszą zostać zwolnieni z pracy. Mój ojciec nie jest pijany!

– Oczywiście, że nie... nie jestem piijany! – wymamrotał senator, wymachując ręką. – Wszyscy jesteście zwolnieni!

– Skoro podpisała pani poręczenie, to może pan wrócić wraz z córką do domu – rzekł Cash uprzejmie. – W odpowiednim czasie stawi się pan w sądzie i tam sędzia podejmie decyzję o ewentualnym odebraniu panu prawa jazdy.

– Możecie być pewni, że mój adwokat zajmie się tą sprawą, gdy tylko uda mi się z nim skontaktować! – zawołała bojowo córka senatora.

– Nie możecie mi odebrać prawa jazdy, jestem senatorem! – wykrzyknął agresywnie starszy mężczyzna.

– O tym zadecyduje sąd.

– To będzie pana kosztować utratę pracy!

Zanim awantura zdążyła się rozkręcić, na komisariacie pojawił się Ben Brady, w bawełnianym podkoszulku i spodniach, które wyglądały, jakby włożył je na siebie w pośpiechu.

– Co tu się dzieje? – zapytał teraz on, i policjanci po raz kolejny musieli opowiadać wszystko od początku.

– Bzdury – stwierdził Brady lekceważąco po wysłuchaniu całej historii. – Mój wujek nigdy nie prowadzi po alkoholu. Możecie wycofać oskarżenie i podrzeć ten nakaz. To jakaś pomyłka.

– To nie jest pomyłka – stwierdził Cash stanowczo, spoglądając z góry na znacznie niższego od siebie burmistrza. – Moi podwładni dokonali zgodnego z prawem zatrzymania. Na poparcie mają wyniki badania alkomatem. Senator przekroczył limit stężenia alkoholu we krwi, przy którym wolno prowadzić samochód. Będzie musiał odpowiedzieć za swoje wykroczenie. Tak mówi prawo.

Brady poczerwieniał.

– Zobaczymy, co myśli o tym prokurator miejski!

– Lepiej, żeby myślał, że policja jest od tego, by pilnować przestrzegania prawa – odparował Cash. – I zanim pan to zakwestionuje, to chciałbym przypomnieć, że prokuratorem generalnym w tym stanie jest Simon Hart.

– To panu w niczym nie pomoże! – wybuchnął Brady.

– Hartowie są moimi kuzynami – odrzekł cicho Cash i w pomieszczeniu zapadła cisza.

Dotychczas nie upubliczniał tej informacji.

Brady zwrócił się do senatora:

– Wujku, jestem przekonany, że to tylko nieporozumienie. Na razie zrób tak, jak każą. W przyszłym miesiącu zorganizuję dyscyplinarne przesłuchanie tych policjantów, którzy cię zatrzymali, i dojdziemy, o co tu naprawdę chodzi. Mam nadzieję, że nie ma pan nic przeciwko temu? – zapytał Casha.

Ten tylko się uśmiechnął.

– Dlaczego miałbym mieć coś przeciwko? Moi podwładni nie zrobili nic złego. Ale nie pozwolę, by zawieszono ich w obowiązkach, dopóki nie wpłynie oficjalne formalne oskarżenie o nadużycie obowiązków służbowych i nie będą mieli okazji się bronić.

Brady sprawiał wrażenie, jakby właśnie coś takiego zamierzał przeprowadzić, ale nie odważył się tego powiedzieć.

– Bardzo dobrze – mruknął z niechęcią. – Pańscy ludzie zostaną zawiadomieni, kiedy mają się stawić w sądzie.

– Może pan już szukać następnej pracy – powiedziała złowieszczo Julie Merrill.

– Och, ale ja już mam pracę – odrzekł Cash pogodnie. – I nie zamierzam z niej rezygnować.

– Jeszcze zobaczymy! – warknęła.

Cash uśmiechnął się do niej. Cofnęła się o krok i wyszła z komisariatu razem z burmistrzem i ojcem, nie mówiąc już ani słowa.

W chwilę później na komisariacie pozostała tylko księgowa, uśmiechająca się z satysfakcją, Cash i dwójka policjantów z patrolu.

– No co? – zapytał na widok ich niepewnych spojrzeń.

Garcia poruszył się niespokojnie.

– Myśleliśmy, że będziesz się domagał naszej rezygnacji.

Jego towarzyszka pokiwała głową.

– Myślicie, że w niespełna dwutysięcznym mieście znajdę tak z dnia na dzień dwóch dobrych policjantów do patrolu?

Garcia pokręcił głową.

– To nie będzie łatwe. Już widziałem podobną sytuację. Wiele lat temu stary sierżant Manley aresztował radnego miejskiego za jazdę pod wpływem alkoholu. Był rok przed emeryturą i wyrzucili go z pracy, a komendant Blake nie powiedział ani słowa w jego obronie.

– Ale ja nie nazywam się Chet Blake – odrzekł Cash, patrząc mu prosto w oczy.

– Tak, proszę pana. – Garcia uśmiechnął się blado. – Zauważyliśmy to.

– Dziękujemy za wsparcie – odezwała się Dana Hall. – Ale jeśli będziemy musieli zrezygnować z pracy, zrobimy to.

– Ja nie zamierzam rezygnować – odrzekł Cash swobodnie. – Nikt tu nie straci pracy za to, że wykonywał swoje obowiązki.

– Oni nie poddadzą się łatwo – powtórzył Garcia jeszcze raz. – A my nie mamy wsparcia prawnego. Wydział jest tak mały, że nie ma na etacie żadnego prawnika.

– Możemy poprosić o pomoc Kempa – zauważyła Hall.

– Znajdę prawnika – powiedział Cash spokojnie. – Przekonacie się, że wielu ludzi w tym mieście ma już dość polityków, którzy łamią prawo. Musimy zatrzymać ten proces. I nikt nie straci pracy. Jasne?

Odpowiedzieli mu uśmiechami i choć w głębi serca nie uwierzyli w jego słowa, to jednak wlał im w serca odrobinę nadziei.

Cash wrócił do domu zmęczony, lecz zadowolony. Tippy jeszcze nie spała; czekała na niego w salonie.

– Przecież mówiłem Sandie, żeby cię wysłała do łóżka! – jęknął.

– To nie jej wina – wyjaśniła Tippy, wygodnie zawinięta w szlafrok. – Ona nie potrafi długo wysiedzieć wieczorem. Wstałam, gdy zasnęła. Nie byłam jeszcze śpiąca.

Cash poczuł się dziwnie. Nie pamiętał, by żona kiedykolwiek czekała na jego powrót z pracy, nawet w okresie, gdy uczucie między nimi było najgorętsze. Zawsze był zupełnie sam. A teraz ta fascynująca, rudowłosa kobieta o promiennych zielonych oczach, idolka tysięcy mężczyzn, przesiedziała pół nocy na sofie, bo bała się o niego.

Nic nie powiedział, tylko odpiął pistolet i odłożył go na bok.

– Jesteś zły? – zapytała.

– Sam nie wiem, jak się czuję – odpowiedział, nie patrząc na nią.

– Może położysz się tu na kanapie i opowiesz mi o swoim dzieciństwie – zaproponowała z przewrotnym uśmieszkiem.

Przymrużył oko i spojrzał na nią przeciągle.

– Mogę to zrobić, o ile ty się tam najpierw położysz.

Na jej policzkach pojawił się rumieniec.

– Przecież mam potłuczone żebra – przypomniała mu.

– Och, żebra wkrótce się wygoją. A wtedy radziłbym ci uważać.

– Przecież już powiedziałeś, że się ze mną nie ożenisz – odrzekła z szerokim uśmiechem. – A ja z zasady nie baraszkuję na kanapie z zaprzysięgłymi kawalerami.

– Psujesz całą zabawę.

Usiadł na fotelu i z ciężkim westchnieniem zdjął krawat, a potem rozpiął górne guziki niebieskiej mundurowej koszuli. Pod spodem miał nieskazitelnie biały bawełniany podkoszulek.

– Masz ochotę porozmawiać? – zapytała Tippy.

Zmarszczył brwi.

– Ja nigdy nie miałem nikogo, z kim mógłbym rozmawiać. Moja żona nie znosiła mojej pracy.

Tippy poszukała jego wzroku.

– Jesteś czymś wytrącony z równowagi.

– Czy mogłabyś przestać czytać w moich myślach?

– Nie robię tego specjalnie – próbowała się tłumaczyć. – I muszę ci powiedzieć, że to bardziej przekleństwo niż błogosławieństwo. Wyczuwam tylko negatywne rzeczy, niebezpieczeństwo albo niepokój.

Cash pochylił się do przodu i skrzyżował długie nogi.

– Zawsze wiesz, kiedy coś złego zagraża Rory'emu, prawda?

Skinęła głową.

– Od czasu, gdy był jeszcze małym dzieckiem. Tak samo było z moją babcią. Wiedziałam, kiedy umrze i w jaki sposób. – Wzdrygnęła się i złożyła ramiona na piersiach. – Widziałam to we śnie.

– Ludzie pewnie stają się niespokojni, gdy im o tym opowiadasz.

Popatrzyła mu w oczy.

– Nigdy nikomu o tym nie mówiłam. Nawet Rory'emu.

– Dlaczego?

– Nie chcę, żeby się wystraszył. Jestem prawie pewna, że on nie ma tego daru. A moja matka nie ma go na pewno. Co z nią będzie?

– Jeśli była zaangażowana w porwanie, to pójdzie do więzienia. Uprowadzenie jest przestępstwem federalnym.

Tippy przez długą chwilę milczała.

– Jeśli ją posadzą, to może przestanie pić.

– Myślisz, że więźniowie nie mają dostępu do alkoholu i narkotyków? – uśmiechnął się Cash.

– A jak mogliby mieć? – zdziwiła się. – W więzieniu?

Odchylił się na oparcie fotela i przymknął oczy. Był zmęczony.

– Kochanie, w więzieniu możesz dostać wszystko, czego tylko zapragniesz. To zupełnie odrębna struktura społeczna z własną hierarchią. Każdego można przekupić za odpowiednią sumę i przy odpowiedniej motywacji.

– Jesteś bardzo cyniczny – stwierdziła.

– Znam życie – odrzekł ze znużeniem. – Najczęściej jest niebezpieczne i pozbawione radości. Boli, a rekompensaty są nieliczne.

– Rodzina jest dobrą rekompensatą.

Cash otworzył oczy i popatrzył na nią chłodno.

– Rodzina jest bardziej niebezpieczna niż świat zewnętrzny.

Wyraz jej oczu świadczył, że dobrze o tym wiedziała. Cash się skrzywił. Nie zamierzał jej atakować i źle się poczuł, widząc, że wytrącił ją z równowagi. Nie miał zwyczaju rozmawiać o pracy z nikim spoza swojego wydziału. Tippy wiedziała o nim zbyt wiele, a wciąż jej nie ufał. Nikomu nie ufał.

Ona zaś zobaczyła w jego twarzy własną przyszłość. Zrozumiała, że zawsze będzie trzymał ją na dystans, zarówno fizycznie, jak i psychicznie. Nie miał do niej zaufania i nie wierzył, że Tippy go nie zrani.

– Pewnie nawet wiesz, o czym myślę w tej chwili – jęknął.

Zamrugała i odwróciła wzrok.

– Myślę, że na komisariacie stało się coś, co cię rozzłościło i że dusisz to w sobie, bo nie masz z kim o tym porozmawiać. Nie jest to nic osobistego – dodała – ale dotyczy kogoś, kogo lubisz.

Cash bez słowa wstał i wyszedł z salonu.

Tippy westchnęła. Nie chciała go denerwować, ale czuła, że takie zamykanie się w sobie nie jest dla niego dobre. Stres był niebezpieczny nawet dla zdrowych i sprawnych ludzi. Gdyby tylko potrafił porozmawiać o tym, co go dręczy... Przypomniała sobie, co opowiedział jej o burzliwym rozwodzie rodziców. Najpierw macocha, a potem żona zdradziły go w najgorszy możliwy sposób. O wiele łatwiej było mu teraz zaufać innemu mężczyźnie niż kobiecie.

Podniosła się powoli, myśląc, że to już koniec jej nadziei. Cash przez cały czas będzie ją odpychał.

Nie dziwiło jej to, ale jednak bolało. Bez zaufania nie mogło się między nimi rozwinąć żadne głębsze uczucie. Wróciła do swojej sypialni i cicho zamknęła drzwi, a potem, ponieważ nadal nie chciało jej się spać, zwinęła się w kłębek na łóżku i wyciągnęła Pliniusza.

Pięć minut później rozległo się stukanie do drzwi i w progu stanął Cash z tacą w rękach. Na tacy był kubek gorącej czekolady i kilka pierniczków.

– Tylko nie wyobrażaj sobie zbyt wiele – wymamrotał, stawiając tacę na stoliku przy łóżku. – Nie przyznaję się do porażki i nie zamierzam opowiadać ci o pracy.

– Dobrze – odrzekła swobodnie. – Dziękuję za czekoladę.

– To rozpuszczalna, z torebki. Nie umiem sam jej przyrządzić – odrzekł. Miał na sobie już tylko podkoszulek i spodnie. Wyglądał na zmęczonego.

Spróbowała pierniczka. Był znakomity.

– Pierniczki są od pani Garcii. – Cash wziął głęboki oddech. – Dwoje moich policjantów aresztowało polityka, który prowadził samochód po pijanemu. Teraz on się odgraża, że pozbawi ich pracy, a nasz p.o. burmistrza, czyli jego siostrzeniec, naciska na mnie, żebym ich wyrzucił. Chciałby, żebym ja też stracił pracę.

Tippy przełknęła resztę pierniczka, powstrzymując

dreszcz podniecenia. A więc jednak potrafił się przełamać!

– Będziesz musiał ukrócić takie postępowanie – odrzekła nonszalancko.

Cash był przyjemnie zdziwiony jej wiarą w niego.

– Owszem – przyznał. – Przyzwyczaiłem się już do Jacobsville. Nadal jestem tu trochę obcy, ale powoli się wpasowuję.

– Podoba ci się tu – zauważyła.

– Bardzo – uśmiechnął się lekko. – Ładnie ci w różowym. Myślałem, że rude kobiety nie noszą tego koloru.

Odpowiedziała mu uśmiechem.

– Zwykle nie noszę, ale tę koszulkę i szlafrok dostałam od Rory'ego na Gwiazdkę.

– Tak myślałem.

– Tęsknię za nim.

– Oczywiście, że tak – rzekł. – Ale w szkole jest o wiele bezpieczniejszy niż w Nowym Jorku. Sprowadzimy go tutaj zaraz na początku wakacji.

– Dziękuję – odrzekła ze wzruszeniem. – On cię bardzo lubi.

– To dobry chłopak.

– Czci cię jak idola – dodała Tippy ponuro.

Cash się zaśmiał.

– Kiedyś się przekona, że większość idoli to kolosy na glinianych nogach.

– Ale nie w tym wypadku. Ty jesteś prawdziwy.

Cash milczał przez dłuższą chwilę. Wiedział, że Tippy mówi prawdę, ale nie chciał, by postrzegała go w ten sposób. Gdy jego była żona poznała prawdę o nim, nie pozwoliła mu się więcej dotknąć. Był przekonany, że z Tippy byłoby tak samo. Pociągała ją w nim iluzja, a nie to, że był mężczyzną z krwi i kości.

– Idę spać. Potrzebujesz czegoś jeszcze? – zapytał.

Podniosła wzrok na jego poważną twarz. Lepiej było w tej chwili nie zadawać żadnych pytań.

– Nie – uśmiechnęła się. – Dziękuję za ciasteczka.

– Nie ma za co. Do zobaczenia rano. – Zawahał się i dodał: – Gdybyś czegoś potrzebowała w nocy...

– Wiem. Pani Jewell jest na dole i mam interkom. – Wskazała na aparat na stoliku. – Wytłumaczyła mi wszystko, zanim poszła spać.

Cash skinął głową. Jeszcze przez chwilę stał nieruchomo, jakby chciał coś dodać, ale zapomniał, co to miało być. Podszedł do progu i znów przystanął z ręką na klamce.

– Dziękuję, że na mnie czekałaś – dorzucił, nie odwracając się i szybko zamknął za sobą drzwi.

ROZDZIAŁ DWUNASTY

Dom Casha fascynował Tippy, która nigdy wcześniej nie mieszkała w takim miejscu. Jej matka wynajmowała starą przyczepę kempingową. A ten dom miał długą werandę, mały ganek z tyłu, wielkie pokoje, ogromną kuchnię i łazienkę. Sprawiał na niej wrażenie zaczarowanego.

Było jeszcze coś, co bardzo jej się podobało. Mnóstwo czasu spędzała w ogrodzie, gdzie właśnie kwitły krzewy i wysokie hikory. Znajdował się tam również zamocowany na metalowym stojaku hamak, w którym Tippy uwielbiała się kołysać. Nie odzyskała jeszcze pełnej swobody ruchów i wspinanie się do hamaka przychodziło jej z trudem, ale gdy już się tam znalazła, czuła się wspaniale. Dzięki zabiegom pani Jewell, która pompowała w nią hektolitry płynów, coraz łatwiej było jej oddychać.

Siniaki zbladły i przybrały żółtawy kolor. Bóle głowy jeszcze całkiem nie minęły, ale czuła się już znacznie lepiej. Twarz z dnia na dzień szczypała coraz mniej i zanosiło się na to, że skaleczenia wygoją się bez śladu.

Pani Jewell pilnowała jej z irytującą skrupulatnością, a Cash, gdy był w domu, przyglądał się jej ze zmartwionym wyrazem twarzy. Tippy czuła, że dzieje się coś niepokojącego, ale nikt nie chciał jej powiedzieć, o co chodzi.

Przeciągnęła się i ziewnęła szeroko, przymykając oczy. Słońce przyjemnie grzało ją w twarz. Ubrana była w sukienkę w zielone wzorki, na cienkich ramiączkach i sięgającą kostek. Stopy miała bose, a włosy luźno rozpuszczone wokół twarzy. Na tle trawnika i zielonych drzew wyglądała bardzo ładnie. W pełnym słońcu nie myślała o kłopotach. Pani Jewell poszła na zakupy, a Cash był w pracy. Nawet nie przyszło jej do głowy, że tu, w ogrodzie, mogłoby jej cokolwiek zagrażać. Naraz jednak poczuła łaskotanie w karku; zesztywniała i szeroko otworzyła oczy. Jej wzrok zatrzymał się na niezadowolonej twarzy Casha, który pochylał się nad hamakiem.

– Och! – wykrzyknęła i poderwała się do góry, omal nie wypadając na ziemię. – Ależ mnie przestraszyłeś!

– To dobrze – odpowiedział krótko. – Jeden

z porywaczy nadal jest na wolności i tylko ty możesz świadczyć przeciw niemu. Nie, Tippy, nic z tego. Ani ja, ani Sandie nie możemy być tutaj przez cały czas. Takie samotne wylegiwanie się w ogrodzie jest z twojej strony bardzo lekkomyślne. Nawet nie masz przy sobie broni!

Tippy przełknęła ślinę.

– Następnym razem wezmę ze sobą kij baseballowy – obiecała.

Cash rozluźnił się nieco.

– Wyglądasz jak leśna wróżka – mruknął. – Posuń się.

Posłuchała ze zdziwieniem. Wskoczył do hamaka i ułożył się obok niej na plecach, z rękami pod głową.

– Fajnie – mruknął, przymykając oczy. – Zamontowałem ten hamak miesiąc temu i jeszcze nie miałem okazji poleżeć w nim nawet przez pięć minut. Na razie przynajmniej w ratuszu trochę się uspokoiło.

– Czy senator nadal się odgraża, że powyrzuca was z pracy?

– Oczywiście. P.o. burmistrza też. – Cash uśmiechnął się sennie. – Ale adwokat senatora Merrilla nie ma ochoty bronić łamania prawa. To honorowy człowiek, który wierzy w prawo i od czasu, gdy porozmawiał z Bradym, tamten unika kontaktów ze mną.

– Będzie jeszcze przesłuchanie w sądzie – przypomniała mu.

– Owszem, ale dostaniemy nieoczekiwaną pomoc prawną, o której dotychczas nikt nie wie oprócz mnie – odrzekł z tajemniczym uśmiechem. – Pracuję nad jeszcze jednym aspektem tej sprawy dotyczącym rozprowadzania narkotyków.

Tippy wydęła usta.

– Ktoś z miejscowych jest w to zaangażowany?

– Nie chwytaj mnie za słówka – odrzekł Cash sennie. – Nie mam zwyczaju opowiadać o niespodziankach, dopóki nie są gotowe.

– Jak wolisz. Ale w każdym razie nie pozwolisz, żeby wyrzucili tych policjantów z pracy?

– Nie.

– To dobrze – westchnęła z ulgą i ułożyła się wygodniej. – Jeszcze nigdy w życiu czegoś takiego nie robiłam – wymruczała. – Przede wszystkim, nigdy nie miałam hamaka. Poza tym nigdy nie czułam się na tyle bezpiecznie, by odpoczywać w domu.

Cash pogładził ją po włosach.

– Miałaś przyjaciół?

– Niewielu. Przyjaźniłam się z jedną dziewczyną, ale ona bała się Sama i wiedziała też, jak podle zachowuje się moja matka po pijanemu. Przeważnie to ja chodziłam do niej, aż w końcu matka uznała, że mam za dużo rozrywek. – Przymknęła oczy, nie zdając sobie sprawy z żywego zainteresowania Casha. – Nienawidziła mnie od dnia, kiedy się urodziłam. Zawsze mi powtarzała, że przyszłam na ten świat przez pomyłkę, bo zdarzyło jej się uprawiać seks bez zabezpieczenia.

– To najlepsze, co można powiedzieć dziecku – zauważył Cash zimno.

– Miałam osiem lat, gdy nauczyłam się sprzątać i gotować. Chyba nigdy nie widziałam jej trzeźwej. A potem, gdy pojawił się Sam, przeszła na twarde narkotyki. Nienawidziłam go. Przynajmniej w końcu mogę mu się odwdzięczyć.

Cash przetoczył się na brzuch.

– Stanton powiedział policji, że to ty go zaatakowałaś.

– Ma rację, tak było. Moje szkolenie w sztukach walki wystarczyło, żebym mogła mu zadać kilka ciosów w czułe miejsca, zanim mi oddał. Fantastyczne uczucie. Miałam ze sobą nóż, ale nie użyłam go.

Cash z czułością dotknął jej twarzy.

– Ja dodałem kulę do tych siniaków, które mu nabiłaś. A gdy zobaczyłem cię z bliska, żałowałem, że nie dołożyłem mu więcej.

– Przy tobie czuję się bezpieczna – przyznała.

Kpiąco uniósł brwi do góry.

– Och, nie pod tym względem. – Uśmiechnęła

się. – Ale nie musisz się obawiać, że rzucę się na ciebie publicznie.

– To miło, że stawiasz sprawę jasno – usłyszała i wolała zmienić temat.

– Dużo się mówi w mieście o wyborach do senatu stanowego. Pani Jewell uważa, że Ballenger wygra.

– Większość ludzi jest tego zdania. Pomijając już tę historię z prowadzeniem po alkoholu, senator Merrill nie nadaje się już na to stanowisko ze względu na swój wiek i postawę. Stracił kontakt z wyborcami. Wierzy, że stare rodziny i ich pieniądze pomogą mu zachować stanowisko, ale stare rodziny straciły już większość zarówno swoich wpływów, jak i majątku. Ballengerowie należą do nowej struktury społecznej. Ich nazwisko się liczy.

– Myślisz, że Merrill przegra?

– Tak. Obecny burmistrz też będzie miał mocnego rywala podczas wyborów w maju i, moim zdaniem, nie ma żadnych szans na zachowanie urzędu. Eddie Cane znacznie wyprzedza go w sondażach. Jest ogólnie lubiany. Był już kiedyś burmistrzem; to bardzo porządny człowiek.

– Nie mam wątpliwości, że bardzo się ucieszysz, jeśli pokona Brady'ego.

– Pewnie, że tak. Brady i co najmniej jeszcze jeden z radnych są zamieszani w pewną szczególnie paskudną sprawę, ale o tym oczywiście nikomu nie wspominaj.

– Chodzi o narkotyki? – upewniła się.

– Tak. Mocą swojego urzędu próbował ochraniać wspólników. Ale to nie jest szczególnie dobry pomysł w Jacobsville.

– Słyszałam o tym od pani Jewell. – Tippy się uśmiechnęła. – Mówiła, że zorganizowałeś międzywydziałową grupę do walki z dystrybucją narkotyków.

– Tak zrobiłem i wielu dilerów siedzi już w więzieniu.

– W takim razie nie dziwię się, że nie jesteś popularny w ratuszu.

– Ale za to jestem popularny w departamencie szeryfa – zaśmiał się. – Czasem nie możemy się dogadać z Hayesem Carsonem, ale obydwu nam leży na sercu walka z narkotykami. Brat Hayesa zmarł z przedawkowania... on jest jeszcze bardziej zacięty niż ja.

Tippy westchnęła i przymknęła oczy.

– Już nie pamiętam, kiedy ostatnio czułam się tak dobrze jak dzisiaj – wyznała. – Właściwie nigdy nie miałam domu. A teraz leżę sobie w hamaku pod drzewem i nie mam nic do roboty poza oddychaniem.

– Moje życie domowe też nie było szczególnie ciekawe. – Cash się zamyślił. – Szczególnie po śmierci matki.

– Żadne z nas nie ma dobrych doświadczeń z życia rodzinnego. Próbowałam zapewnić dom Rory'emu. Chciałam, żeby był szczęśliwy przynajmniej w wakacje.

– On cię kocha – powiedział Cash po prostu.

– Ja też go kocham. A ty jesteś jego idolem. Teraz chce zostać policjantem.

– Naprawdę? – zdziwił się Cash.

– Mhm. Jego wakacje zaczynają się tydzień po wyborach.

– Spodoba mu się tutaj. Stworzymy czynny wydział rekreacji dla młodych ludzi.

– Będzie szukał kogoś, kto zechciałby chodzić z nim na ryby – powiedziała Tippy sennie. – To jego ulubiony sport.

– Ja też lubię wędkować.

– Teraz czasem łowi w weekendy z jednym z kolegów ze szkoły. Ależ mi się podoba ten hamak! Chyba uznam takie leżenie za moje największe hobby. – Obróciła się nieco i przytuliła do jego piersi.

– Nie przyzwyczajaj się za bardzo – Cash się roześmiał – bo zaraz muszę iść. Na biurku czeka na mnie sterta zaległych papierów.

Pogładziła jego mundur i przymknęła oczy.

– Ładnie pachniesz.

– Ty też – odrzekł Cash cicho.

– Oglądałam pierścionki – mruknęła.

– O, naprawdę? – Uśmiechnął się.

– Ale nie widziałam żadnego, który mógłby ci się spodobać.

– Nie poddajesz się łatwo, prawda?

– Mam jednotorowy umysł. Sandie mówiła, że Hartowie to twoja rodzina. Czy to prawda?

– Tak, to moi kuzyni.

– A oni z kolei są spokrewnieni z wiceprezydentem. A także z gubernatorem.

– Tak.

– Nigdy nic nie opowiadałeś o swojej rodzinie.

– Nie ma wiele do opowiadania. Mój ojciec zajmuje się nieruchomościami, głównie kopalniami. Jego majątek wyceniany jest na wiele milionów. Średni brat prowadzi ranczo w zachodnim Teksasie, najstarszy pracuje w FBI, a najmłodszy w stanowym wydziale myślistwa i rybołówstwa. – Obrócił głowę i spojrzał na nią. – A dlaczego o to pytasz?

Uśmiechnęła się i znów skryła twarz w jego mundurze.

– Bo jeśli cię zagadam, to może zostaniesz dłużej. Bardzo mi tu wygodnie.

– Szkoda, że mnie trochę mniej – mruknął sucho.

Przesunęła się tak, żeby widzieć jego twarz. Uśmiechał się, ale w jego oczach zauważyła dziwny błysk.

– Jesteś bardzo ładna. I ładnie pachniesz. Mam wielką ochotę cię pocałować.

Zaparło jej dech.

– Ale to jest niebezpieczne – ciągnął szeptem, wpatrując się w jej usta. – Jesteśmy w miejscu publicznym. Wiesz, co by było, gdybym poszedł za instynktem?

– No właśnie, co by było? – powtórzyła prowokująco.

– Nie wiadomo skąd dokoła pojawiliby się reporterzy. Któryś z moich patroli zajechałby na podwórko w jakiejś służbowej sprawie. Kierowcy przejeżdżający ulicą opuściliby szyby w oknach i zaczęli nas filmować na wideo.

– Chyba żartujesz – zdumiała się.

– Nie żartuję. Gdy Micah Steele uderzał w konkury do swojej Callie, któregoś wieczoru, około północy, całowali się w samochodzie przed jej domem. Natychmiast jeden z sąsiadów wyszedł do ogrodu, żeby poprzycinać róże, dwie inne pary wybrały się na spacer, a jeszcze jeden sąsiad podglądał ich przez okno. A Micah nawet nie był komendantem policji.

– Aha, rozumiem – mruknęła. – Jesteś ważną osobą w tym mieście, więc wszyscy muszą wiedzieć, co właśnie robisz.

Cash potrząsnął głową.

– To ty jesteś słynną modelką i gwiazdą filmową.

Ty jesteś tu główną atrakcją, nie ja – dodał z wyraźnym zadowoleniem.

– Też mi gwiazda. – Wzruszyła ramionami, dotykając swojej twarzy. – Wyglądam jak twór doktora Frankensteina.

Cash wziął ją za rękę i przyłożył jej palce do ust.

– To honorowe rany. Tobie nie zaszkodziłyby nawet pigułki na zbrzydnięcie.

– Dzięki – uśmiechnęła się i przeciągnęła się zmysłowo.

– Nie rób tego – ostrzegł ją.

Jej biodra poruszyły się nieznacznie i położyła dłoń na jego policzku.

– Nic na to nie poradzę, że nie potrafię ci się oprzeć. Jeśli chcesz, możesz mnie pocałować.

– W ciągu dwóch minut staniemy się największą atrakcją miasteczka.

– Wykręty, wykręty... – Zarzuciła mu ręce na szyję i przyciągnęła jego twarz do swojej.

– Tippy – mruknął ostrzegawczo, ale nie bronił się zbyt zaciekle.

Uśmiechnęła się do siebie i przyciągnęła go mocniej. Tak jak przypuszczała, w końcu się poddał. Przez chwilę oddawała mu pocałunki z pasją, zaraz jednak poczuła ból w żebrach, a poza tym coś ją zaczęło uwierać w brzuch. Jęknęła.

– Co się stało? – zapytał natychmiast Cash, podnosząc głowę.

– Pistolet – szepnęła.

Opuścił wzrok, zauważył kaburę wbijającą się jej w brzuch i podniósł się ze śmiechem.

– Mówiłem ci, że hamak nie jest najlepszym miejscem do takich rzeczy. Żebra też cię chyba bolą?

– Chciałabym być już zdrowa – westchnęła cicho.

– Obydwoje byśmy tego chcieli.

Wyplątał się z hamaka i wstał.

– Widzisz, jakie są skutki uwodzenia mężczyzn w miejscu publicznym?

– Chcesz mnie aresztować za niemoralne zachowanie? – Wyciągnęła do niego ręce. – Możesz mi założyć kajdanki, a potem przeczytać mi prawa aresztowanego. Ale może najpierw wejdziemy do domu?

– Nic z tego. Wiem, co by było, gdybyś mnie tam teraz zaciągnęła. Ale z tymi żebrami i tak nie udałoby ci się przeprowadzić tego, co sobie zamierzyłaś.

– Chyba masz rację – odrzekła z żalem. – No dobrze, rezygnuję. Przynajmniej dopóki całkiem nie wyzdrowieję.

Uśmiechnął się i pomyślał, że jak na kobietę z jej przeszłością, radziła sobie doskonale. W każdym razie była zdolna czuć pożądanie, a to już znaczyło bardzo wiele.

– Znowu nad czymś rozmyślasz – odezwała się łagodnie. – Ja tylko oglądałam te pierścionki. Żadnego jeszcze nie kupiłam.

– A gdzie je oglądałaś? – zdziwił się.

– W Internecie. Z tą twarzą nie mam jeszcze odwagi wychodzić do miasta.

– Wcale nie wyglądasz tak źle – powiedział szczerze. – Jeszcze tydzień, dwa, i wszystko się zupełnie wygoi. Przypuszczam, że nie zostaną ci żadne blizny. Lekarze zrobili dobrą robotę.

– Myślisz, że Joel nie będzie chciał mnie zastąpić kimś innym?

– Na pewno nie. – Cash spojrzał na zegarek. – Naprawdę muszę już iść, wstąpiłem tylko na chwilę, żeby zobaczyć, jak sobie radzisz. Ale nie wychodź tak więcej. Nawet w Jacobsville nie jesteś zupełnie bezpieczna.

– Dobrze. – Pokiwała głową. – Pójdę do domu i zamówię sobie jakieś filmy na wideo. Najlepiej porno. Przydałoby mi się trochę wskazówek, jak cię skuteczniej uwieść.

Musiał się roześmiać.

– W każdym razie więcej się teraz śmiejesz – zauważyła. – To dobrze. – Wspięła się na palce i pocałowała go lekko. – Dzisiaj na kolację będzie kurczak z kluseczkami.

– Lubię to.

– Wiem. Sama zaproponowałam Sandie tę potrawę.

Cash spojrzał na nią kpiąco.

– Nie uda ci się uwieść mnie kluseczkami!

– Znowu zaczynasz – poskarżyła się.

– Ale z drugiej strony, są jakieś granice tego, co mężczyzna może znieść...

– Dziękuję. Przejrzę swoje zapasy perfum i seksownych koszulek nocnych.

– Wracam do pracy – oświadczył stanowczo, odsuwając ją lekko.

– To ja idę pooglądać wideo.

– Grzeczna dziewczynka – mruknął z satysfakcją. – Co tam... jeden pocałunek chyba nikomu nie zaszkodzi, prawda?

Ostatnie słowo wypowiedział już z ustami tuż przy jej ustach.

Ze względu na żebra obawiał się przytulić ją mocniej, ale pocałunek przedłużał się niepokojąco. W końcu Cash zdał sobie sprawę z dziwnej ciszy panującej dokoła. Podniósł głowę i się rozejrzał.

Policyjny radiowóz stał tuż przy podjeździe do domu. Drugi, nieoznakowany, parkował obok przy krawężniku; w środku siedział Judd Dunn. Po przeciwnej stronie ulicy stał wóz strażacki oraz ciężarówka monterów linii telefonicznej. Robotnicy wyjęli sprzęt, ale nie mieli żadnego zamiaru zabierać się do pracy. Dwie starsze panie patrzyły na niego z chodnika, uśmiechając się szeroko.

– Tego właśnie należy się spodziewać, gdy się całuje gwiazdę filmową w samym środku miasta! – zawołał Judd.

– Ja jej wcale nie całuję! – odkrzyknął Cash. – To ona mnie całuje!

– Akurat ci uwierzę!

– Ona chce mi kupić pierścionek!

Rozległy się rozbawione wiwaty.

– Teraz mam świadków – oznajmiła Tippy z satysfakcją.

Cash puścił ją i potrząsnął głową.

– Więcej prywatności miałem na szkoleniu wojskowym – mruknął.

– Szefie, proszę sobie nie przeszkadzać! – zawołał jeden ze strażaków.

Cash wyrzucił ręce do góry, cmoknął Tippy w policzek i uciekł do radiowozu.

Udało mu się namówić Tippy, by wybrała się z nim na bal, gdzie zbierano fundusze na kampanię wyborczą Calhouna Ballengera. Po raz pierwszy pokazała się w Jacobsville publicznie; pomimo wcześniejszych obaw, bawiła się doskonale.

Następnego ranka odważyła się wyjść do sklepu spożywczego. Chciała kupić kilka składników i przyrządzić lasagne na kolację. Ubrała się statecznie, narzuciła na głowę szal i ruszyła. Bez makijażu, w lekkim płaszczu, nie wyglądała jak gwiazda filmowa.

Stojąc w kolejce do kasy, zauważyła okładkę kolorowego pisma z nagłówkiem:

„Sfingowała własne porwanie, by wzbudzić współczucie po utracie nieślubnego dziecka. Teraz musi żyć w ukryciu".

Pod nagłówkiem znajdowało się zdjęcie Tippy oganiającej się od fotografów, zrobione w dniu, gdy wypuszczono ją ze szpitala. Sfingowane porwanie! Poczuła, że nogi uginają się pod nią; niewiele brakowało, by zginęła, a media nazwały to sfingowanym porwaniem!

Dopiero teraz zwróciła uwagę na szepty dwóch kobiet stojących za nią w kolejce.

– Mieszka z komendantem policji! Najpierw dla kariery poświęciła własne dziecko, potem, żeby zachować twarz, skłamała, że ją porwano, a na koniec wprowadziła się do domu obcego mężczyzny! I to właśnie tutaj, w Jacobsville! To skandal!

– Niektóre kobiety chyba nie chcą mieć dzieci – odrzekła druga ze smutkiem. – Widocznie uroda jest dla niej najważniejsza...

Urwała, widząc tuż przed sobą rozwścieczoną twarz Tippy.

– Straciłam dziecko, bo asystent reżysera okłamał mnie. Zapewniał, że skok jest zupełnie bezpieczny, a ja nie mogłam sobie pozwolić na utratę pracy. Ostatnio nie zarabiam zbyt wiele. A wie pani, dlaczego? – Ściągnęła szal z głowy i przetarła nim twarz, odsłaniając skaleczenia spod warstwy makijażu. – Dlaczego pani tak patrzy? Nie wyglądam jak gwiazda filmowa?

Obydwie kobiety zaczerwieniły się mocno.

– Pani Moore, bardzo mi przykro... – wyjąkała starsza.

– Chciałam mieć dziecko – wykrztusiła Tippy, z trudem powstrzymując łzy. – Niczego w życiu nie chciałam bardziej! Przyjaciel mojej matki porwał mojego brata, a ja wymieniłam go na siebie, żeby ocalić jego życie. I stąd to mam! – Wskazała na swoją twarz. – Plotki, które publikuje ta gazeta, są kłamstwem, i jeśli pani w nie wierzy, to nie jest pani w niczym lepsza od ludzi, którzy wypisują takie bzdury!

Po tych słowach odwróciła się do kobiet plecami, zapłaciła za zakupy i wyszła. Kilka osób patrzyło za nią z otwartymi ustami.

ROZDZIAŁ TRZYNASTY

Tippy cieszyła się, że pani Jewell ma dzień wolny i nie może jej teraz zobaczyć. Włożyła mięso do zamrażarki i usiadła w salonie, zalewając się łzami. W końcu wstała i zaparzyła kawę; w samą porę, bo na podwórku właśnie pojawił się samochód Casha, a jednocześnie ktoś zapukał do drzwi. Poszła otworzyć, myśląc z niechęcią o swoich czerwonych oczach.

Za progiem, z nieszczęśliwymi minami, stały dwie kobiety ze sklepu spożywczego. Jedna trzymała w rękach koszyk pełen krakersów i sera, przewiązany kokardą, a druga niewielki wazonik z żółtą różą. Tippy patrzyła na nie ze zdumieniem.

– Chciałybyśmy bardzo panią przeprosić za to, co mówiłyśmy wcześniej – powiedziała cicho starsza z kobiet. – Miała pani rację. Ludzie wierzą nawet w najgorsze bzdury, jeśli przeczytają je w gazecie.

Ale chciałyśmy powiedzieć, że już nie będziemy wierzyć w podobne kłamstwa i dopilnujemy, żeby nikt inny w Jacobsville też w nie nie uwierzył. Proszę. – Niezręcznie wepchnęła koszyk w dłonie Tippy.

– I jeszcze to – dodała młodsza, wyciągając do niej wazonik. – Nie będziemy pani zatrzymywać, chciałyśmy tylko przeprosić.

– Dziękuję – uśmiechnęła się Tippy. – To bardzo wiele dla mnie znaczy.

Za plecami kobiet pojawił się Cash.

– Jesteśmy z pana bardzo dumne, panie Grier – odezwała się starsza kobieta. – Mam nadzieję, że nie pozwoli pan, żeby ten łajdak Ben Brady pozbawił pracy pana albo tych policjantów.

– Nie pozwolę – obiecał solennie.

Kobiety uśmiechnęły się do niego i zniknęły. Gdy Cash i Tippy znaleźli się w kuchni, Cash popatrzył na trzymane przez nią przedmioty i w zaczerwienione oczy i zapytał:

– Co się stało?

– Poszłam do sklepu – przyznała – a one komentowały artykuł z pierwszej strony tego brukowca.

– Widziałem ten artykuł i dlatego wróciłem do domu. – Ujął ją za ramiona i popatrzył jej w twarz. – Podjąłem już kroki, żeby zapobiec podobnym rzeczom na przyszłość.

– A co zrobiłeś?

– Coś publicznego. Wiesz chyba, że najlepiej byłoby przywabić tego trzeciego porywacza tutaj i rozprawić się z nim na naszym terenie?

– Tak – westchnęła.

Pochylił się i pocałował ją czule.

– Wszystko będzie dobrze. Nie płacz już więcej.

– Dobrze – obiecała z bladym uśmiechem.

– Masz ochotę pójść dzisiaj ze mną na wiec poparcia dla Calhouna Ballengera? Poznasz miejscową elitę.

– Nie powinnam jeszcze wychodzić. Nie wyglądam dobrze.

– Bzdura. Jesteś bohaterką. Będziesz wyglądać doskonale.

Pochlebiło jej to, że chciał się z nią pokazywać publicznie.

– Dobrze – zgodziła się. – Właśnie robię lasagne na kolację.

– Moja ulubiona potrawa – oznajmił z szerokim uśmiechem.

– Zauważyłam. Lepiej uważaj.

Mrugnął do niej i zostawił ją samą razem z jej myślami.

Wiec odbywał się w restauracji Shea przy Victoria Road. Jeszcze do niedawna było to zaciszne i bezpieczne miejsce, ostatnio jednak nabrało rozgłosu po aferze z braćmi Clark, znanymi recydywistami: John Clark zginął w strzelaninie, jaka wynikła między nim a strażnikiem oraz Juddem Dunnem, gdy próbował obrabować bank. Jego brat Jack chciał w odwecie zastrzelić Judda, ale trafił w Christabel Gaines i wylądował w więzieniu za usiłowanie zabójstwa oraz odwetowe morderstwo popełnione na młodej kobiecie, która wcześniej wysłała go do więzienia za gwałt.

Cash z wyraźną dumą przedstawił Tippy zgromadzonym. Wszyscy mężczyźni poniżej pięćdziesiątego roku życia byli nią zachwyceni, ona jednak patrzyła tylko na niego, nieświadoma tego, że dostarcza doskonałej pożywki miejscowym plotkarzom.

Cash wciąż się obawiał, że trzeci porywacz może zagrażać bezpieczeństwu Tippy. Wzmocnił patrole dokoła swego domu i ciągle jej przypominał, by zamykała drzwi na klucz, gdy zostaje sama. Na myśl, że cokolwiek mogłoby się jej stać, przeszywał go zimny dreszcz.

Na tydzień przed przesłuchaniem swoich ludzi w ratuszu wrócił do domu na lunch i zastał ją w kuchni, przygotowującą jedzenie. Była boso, ubrana w rozkloszowaną dżinsową spódnicę i prostą bluzkę w niebieską kratkę. Włosy miała związane gumką, a jej twarz bez makijażu wyglądała świeżo i pięknie; Cash zatrzymał się w progu, patrząc na nią z przyjemnością.

Wstawiła słoik z dżemem do lodówki i obejrzała się przez ramię.

– Wcześniej dzisiaj wróciłeś! Właśnie robię chleb korzenny do sałatki z tuńczyka. Wszystko już prawie gotowe.

– Mam czas – odrzekł swobodnie. Usiadł na krześle, zdjął pas z kaburą i się przeciągnął. – Mogę sobie wziąć godzinę wolnego na lunch. W końcu jestem szefem.

Gdy patrzyła na jego uśmiech, serce zaczynało bić jej szybciej i czuła się młodą, beztroską dziewczyną. Nie mogła oderwać od niego wzroku. Był przystojny, pełen życia, atrakcyjny. Zauważył jej spojrzenie i napuszył się jak paw.

– Znowu się ślinisz na mój widok? – zapytał z humorem. – Może podejdziesz tu bliżej i zastanowimy się, co z tym zrobić?

Uniosła brwi i oddała mu uśmiech.

– A nie zasłabniesz z wrażenia?

– Sprawdźmy – prowokował ją.

Wydęła usta, odłożyła ścierkę, podeszła i oparła dłonie na jego piersi.

– Dobra, cwaniaczku. Zobaczymy, jak sobie radzisz z prawdziwą kobietą – wymruczała zmysłowo, trzepocząc rzęsami.

Cash poczuł, że siła woli opuszcza go w błyskawicznym tempie. Tippy pachniała mąką i przyprawami i z bliska dokładnie widział, dlaczego jej fotografie umieszczano na okładkach pism. Miała pięknie ukształtowaną strukturę kości twarzy, nieskazitelną cerę, bardzo długie rudobrązowe rzęsy, przejrzyste zielone oczy otoczone ciemniejszą obwódką. Jej nos był prosty, a usta wygięte w kuszący łuk. Serce mu przyspieszyło, a przez głowę przebiegły wspomnienia wspólnie spędzonej nocy.

Tippy z fascynacją obserwowała ledwo widoczne oznaki jego podniecenia. Zwykle wydawał się niewzruszony; teraz dostrzegła, że była to po prostu opanowana do perfekcji umiejętność skrywania uczuć. Z tak bliska nie potrafił ukryć wszystkiego. Upojona poczuciem własnej mocy, oparła się o niego i z zachwytem poczuła natychmiastową reakcję jego ciała.

– Ostrożnie – powiedział niskim, głębokim głosem. – Pani Jewell wiesza pranie na podwórku. – Ruchem głowy wskazał otwarte okno.

– Pani Jewell śpiewa przy pracy. Usłyszymy ją, gdy będzie się zbliżała.

Cash przełknął ślinę. Tippy zarzuciła mu ręce na szyję.

– Cóż warte jest życie bez ryzyka – szepnęła.

Otoczył ją ramionami, ale gdy skrzywiła się z bólu, przesunął dłonie na biodra.

– Przepraszam – wymamrotał. – Zapomniałem o twoich żebrach...

– Ja też. Nie przejmuj się. Chodź tu, daj mi wszystko, co masz...

– Jesteś niezmordowana – jęknął, pochylając się nad nią.

Uśmiechnęła się i poczuła jego usta na swoich. Już od jakiegoś czasu przestał ją onieśmielać. Oparł ją o ścianę i ogarnięty nieskrywaną namiętnością, zasypywał ognistymi pocałunkami.

– Właśnie o to chodziło – wymruczała Tippy.

– To samobójstwo – westchnął, wsuwając ręce pod jej spódnicę. – Nie mam nic w domu...!

– Pani Jewell brała udział w ujęciu sprawców włamania w poniedziałek – szepnęła Tippy bez tchu. – Skradziono między innymi dwa pudełka prezerwatyw. Założę się, że gdzieś sobie chomikuje jedną lub dwie. Zapytajmy...

Cash wybuchnął śmiechem.

– Tippy, na litość boską. Ja mam tylko godzinę przerwy na lunch!

W jej oczach zamigotały wesołe iskierki.

– No to zostało nam jeszcze całe czterdzieści osiem minut!

Oderwał się od niej i z trudem złapał oddech.

– Przez czterdzieści osiem minut nie zdążę oddać ci sprawiedliwości!

Tippy spojrzała na niego z desperacją.

– To ja chcę ci dać wszystko, co mam...

Na jego twarz wypłynął szeroki uśmiech.

– Najlepsze rzeczy zdarzają się wtedy, kiedy człowiek się ich zupełnie nie spodziewa. Poczekaj do przyszłego tygodnia.

– A co się stanie w przyszłym tygodniu?

– Będą niespodzianki. Nie powiem ci teraz, musisz poczekać, a sama się przekonasz. Ale mogę ci obiecać, że przynajmniej jedna z nich sprawi ci radość.

– No dobrze, skoro tak mówisz. – Roześmiała się. – W takim razie usiądź, a ja cię nakarmię.

– Skąd wiedziałaś, że lubię zapiekankę z tuńczykiem?

– Pani Jewell mi powiedziała. To chodząca encyklopedia wiedzy o tobie. Wiesz, że ona była kiedyś zastępcą szeryfa? I że umie strzelać?

– Wiem – odrzekł krótko.

Tippy się uśmiechnęła.

– Nie wsypała cię, to ja zauważyłam pistolet w łazience i zapytałam, skąd się tam wziął. Powiedziała, że prosiłeś ją o zachowanie tajemnicy. Ale ona jest tu po to, by mnie chronić, w razie gdyby Sam nasłał na mnie swoich bandytów, tak?

– Tak.

– To miło, że się o mnie troszczysz. Dziękuję ci – powiedziała Tippy, stawiając przed nim jedzenie.

Pociągnął ją do siebie i lekko pocałował.

– Wiem, że jesteś dorosła i przeważnie sama potrafisz o siebie zadbać, ale tym razem zagrożenie jest zbyt duże. Nie mam zamiaru pozwolić na to, by ktoś znów cię skrzywdził.

Poczuła przyjemne ciepło i uśmiechnęła się do niego bezradnie. Cash poczuł irracjonalny lęk i delikatnie, lecz stanowczo odsunął ją od siebie.

– Tylko nie zaczynaj znów mówić o pierścionkach, bo martwię się o ciebie – rzekł ostrzegawczo, zanim zdążyła otworzyć usta.

– Psujesz całą zabawę – westchnęła. – To ty wspominałeś coś o niespodziankach.

– Tak. Ale nie uda ci się odczytać w moich myślach, co to takiego – zapewnił ją pogodnie.

Odpowiedziała mu uśmiechem. Przeczuwała, co może się wydarzyć w ratuszu, gdyż pani Jewell opowiadała jej różne rzeczy. W mieście mówiono, że córka senatora Merrilla ma poważne kłopoty, a także o tym, że dwóch radnych i urzędujący burmistrz mogą wkrótce mieć jeszcze większe.

– Mam nadzieję, że Ballenger wygra wybory do senatu – powiedziała ni stąd, ni zowąd.

– Ja myślę, że wygra. Chcesz pójść ze mną na to posiedzenie komisji dyscyplinarnej w poniedziałek? – zapytał.

Bardzo potrzebował jej wsparcia, ale nie odważyłby się poprosić o nie wprost.

– Oczywiście, że chcę – odrzekła natychmiast. – Szkoda, że Rory'ego tu nie ma.

Cash nie powiedział nic więcej i ze wszystkich sił próbował ukryć tajemniczy uśmiech. Ale Tippy i tak go dostrzegła i zaczęła się zastanawiać, co on chowa w rękawie.

Dwa dni później miasteczkiem wstrząsnęła wiadomość, że Julie Merrill, córka senatora Merrilla, znalazła się w więzieniu okręgowym za próbę podpalenia. Julie była zagorzałą przeciwniczką Calhouna Ballengera i miała już wcześniej kłopoty prawne z powodu pomówień, jakie wielokrotnie rzucała na niego w telewizyjnych reklamach wyborczych. Teraz zaś wysłała podpalacza, by podłożył ogień pod dom Libby Collins, przyjaciółki Jordana Powella. Posiedzenie w sprawie zwolnienia za kaucją zaplanowano na poniedziałek rano, tego samego dnia, gdy miała się odbyć sesja rady miejskiej oraz posiedzenie dyscyplinarne w sprawie policjantów Casha. Niedoszły podpalacz wyśpiewał wszystko, co wiedział, i jak mówiły pogłoski, paragrafy, których można było użyć przeciwko Julie Merrill, mnożyły się jak króliki.

Cash wspominał, że posiedzenie może doprowadzić do politycznej burzy. Tippy była bardzo ciekawa, co się tam wydarzy, nie udało jej się jednak wyciągnąć od niego nic więcej. Za to w niedzielę rano Cash wyszedł z domu na godzinę i wrócił z Rorym.

– Nie wierzę własnym oczom! – wykrzyknęła Tippy, mocno ściskając brata. – Och, co za niespodzianka!

– Ja też jeszcze w to nie wierzę. Cash mówił, że jesteś smutna i trzeba cię rozweselić, więc załatwił z komendantem szkoły, żebym mógł zdać egzaminy wcześniej. Zostanę tu, dopóki będę mógł – opowiadał chłopiec, robiąc miny do Casha.

Ten się zaśmiał.

– Możesz zostać, dopóki Tippy tu będzie – obiecał, nie wspominając o tym, że tu też przygotowuje pewną niespodziankę.

Tippy jednak zrozumiała to dosłownie i zaczęła się zastanawiać, czy Cash ma już dosyć jej towarzystwa. Jej obrażenia prawie się wygoiły i właściwie mogła już wracać do pracy, tylko że Joel jeszcze się nie odezwał.

Wszyscy troje spędzili miłe popołudnie. Cash

obwiózł swoich gości po okolicy. Drzewa zaczęły już wypuszczać zielone listki i gdzieniegdzie kwitły wiosenne kwiaty. Pod wpływem kaprysu skręcił na ranczo Dunnów. Nie zastali Judda, ale Christabel była w domu z dziećmi.

W pierwszej chwili Tippy poczuła się nieswojo w domu, z którym łączyło ją tyle wspomnień z czasu, gdy kręciła tu swój pierwszy film. Był to emocjonujący fragment jej życia; źle traktowała Christabel, gdyż była zazdrosna o Judda, i teraz wstydziła się ówczesnego zachowania. Ale w ciągu ostatnich miesięcy wszystko się zmieniło.

Rory był zachwycony bliźniętami.

– Jakie one małe! – wykrzyknął, gdy Jared pochwycił jego palec w swoją małą rączkę. – I jakie ładne! – dodał z zachwytem.

Tippy i Cash wybuchnęli śmiechem na widok jego entuzjazmu.

– Rosną jak chwasty – stwierdziła Crissy, uśmiechając się do nich ciepło.

Cash trzymał Jessaminę na rękach i przemawiał do niej czule. Ten widok był dla Tippy bolesny.

– Masz piękne dzieci – powiedziała do Crissy, maskując uśmiechem ukłucie w sercu.

– Chcesz go potrzymać? – zapytała Christabel łagodnie, podając jej Jareda.

Tippy wzięła chłopca w ramiona i uśmiechnęła

się do niego, a gdy odpowiedział jej uśmiechem, rozpromieniła się i wykrzyknęła:

– Spójrzcie na niego!

– Obydwoje uśmiechają się przez cały czas – oznajmiła Crissy z dumą. – Mają już sześć miesięcy.

– Jared jest śliczny – zachwycała się Tippy.

Na widok wyrazu jej twarzy Cash poczuł ucisk w sercu. Nie pozwalał sobie myśleć o stałym związku z nią. Była modelką, aktorką, przywykłą do jupiterów i sławy. Ale w ciągu ostatnich tygodni wrosła w Jacobsville i stała się częścią jego życia. Dobrze dogadywała się ze wszystkimi i nawet historie z kolorowych pism nie zaszkodziły jej za bardzo w oczach mieszkańców miasteczka. Cash miał jednak pewne plany; po długiej rozmowie z miejscową lekarką, Lou Coltraine, która stała się jego sekretną wspólniczką w intrydze, chciał doprowadzić do opublikowania jeszcze jednego artykułu, by za jednym zamachem oczyścić imię Tippy i zadośćuczynić jej za poprzednie oszczerstwa. Był bardzo ciekaw, jak Tippy zareaguje na artykuł, wiązał jednak ze swym planem wielkie nadzieje.

Z dzieckiem na rękach wyglądała doskonale: promieniała, choć w jej oczach czaiła się odrobina smutku. Podniosła głowę i napotkała jego wzrok.

Crissy miała ochotę zaproponować im, by postarali się o jeszcze jedno dziecko, wyczuła jednak, że było na to za wcześnie. Ona i Tippy odnosiły się do siebie przyjaźnie, ale jeszcze do końca nie wyzbyły się rezerwy. Crissy wiedziała, że Tippy podświadomie uważa ją za rywalkę, chociaż na widok spojrzeń, jakie ci dwoje wymieniali między sobą, nie miała żadnych wątpliwości, że dni rywalizacji minęły. Namiętność istniejąca między nimi była aż nadto widoczna.

– Jak ci idzie przygotowanie do posiedzenia? – zapytała.

Cash wyszczerzył zęby w uśmiechu.

– Bardzo dobrze.

– To już jutro, tak?

– Przyjdź – zachęcił ją. – To będzie historyczne wydarzenie. Mam w zanadrzu kilka niespodzianek.

Crissy uśmiechnęła się szeroko.

– W takim razie przyjdę i przyprowadzę ze sobą Judda!

Zgodnie z obietnicą Crissy i Judd pojawili się w ratuszu i stanęli przy drzwiach razem z Tippy i Rorym.

– Nie mogę się już doczekać, żeby zobaczyć Casha w akcji – szeptał przejęty chłopiec. – Mówił, że to będzie lekcja polityki!

– Myślę, że kilka osób będzie się tu mogło dzisiaj sporo nauczyć – przyznała Tippy. – Cash ma jakąś niespodziankę dla burmistrza i radnych.

– A tak. – Judd się zaśmiał. – Podobno zobaczymy, jak rodzą się legendy. Za nic w świecie nie chciałbym, żeby mnie to ominęło!

Przystanęli na chwilę, żeby przywitać się z Jordanem Powellem i Libby Collins, którzy przyszli na posiedzenie razem.

Udało im się znaleźć miejsca siedzące, ale sala wkrótce wypełniła się po brzegi i mieszkańcy Jacobsville stali w dwóch rzędach dokoła krzeseł. Cash wraz z dwójką policjantów siedział przy stole przed burmistrzem i radą miejską. Naprzeciwko nich zajmował miejsce spięty i zirytowany radca prawny miasta. Na ścianie wisiało duże zdjęcie lotnicze Jacobsville oraz fotografie pracowników wydziału policji i straży ogniowej. Z boku znajdował się jeszcze wielki ekspres do kawy, bar z przekąskami i dwa telefony.

Burmistrz i radni szeptali coś między sobą z ożywieniem, gdy wtem stojący z boku rozstąpili się i w sali pojawiło się jeszcze kilku gości, na widok których burmistrz wyraźnie pobladł.

Między rzędami krzeseł przeciskał się wysoki, ciemnowłosy Simon Hart, generalny prokurator stanowy, w towarzystwie czterech swoich braci, dwóch senatorów oraz kilku mężczyzn, którzy wyglądali na dziennikarzy; dwaj z nich trzymali w rękach kamery telewizyjne. Simon wymienił uścisk dłoni z prawnikiem miejskim, który coś do niego szepnął, po czym posiedzenie zostało oficjalnie otwarte.

– To wbrew regulaminowi – zaprotestował burmistrz, podnosząc się z krzesła. – To jest posiedzenie dyscyplinarne...!

– To czysta farsa – odparował Cash, również wstając. – Moi funkcjonariusze, wypełniając swoje obowiązki, zatrzymali polityka za prowadzenie samochodu pod wpływem alkoholu. Z tego powodu są prześladowani przez pana oraz przez dwóch innych radnych. Jest pan spokrewniony ze wspomnianym politykiem i sam fakt, że nie wykluczył pan siebie z tego posiedzenia ze względu na konflikt interesów, już powinien zwrócić publiczną uwagę.

– Zgadza się – potwierdził Simon Hart. – Zostałem upoważniony przez gubernatora, by przekazać panu, że władze stanowe aktualnie prowadzą specjalne dochodzenie dotyczące pańskiej działalności. Ponadto pojawiają się coraz to nowe zarzuty dotyczące wszystkich osób wmieszanych w to naruszenie prawa.

Reporterzy trzaskali migawkami, dziennikarze telewizyjni włączyli kamery, a burmistrz wyglądał, jakby próbował przełknąć arbuza.

– Od samego początku sprzeciwiałem się zwoływaniu tego posiedzenia – rzekł krótko radca prawny miejski. – Ale radni nie chcieli mnie słuchać. Może teraz posłuchają pana!

Calhoun Ballenger podniósł się z miejsca.

– Z pewnością posłuchają obywateli Jacobsville – rzekł, podchodząc do stołu, przy którym siedział radca.

Wyjął z kieszeni grubą kopertę i podał ją kierownikowi Wydziału Prawa i Administracji.

– Jutro odbędą się nadzwyczajne wybory burmistrza i pan Brady będzie musiał stawić czoło swemu oponentowi przy urnach. Ale to jest petycja o odwołanie radnych Barry'ego i Culvera. Jest tu więcej podpisów, niż wymagają procedury. – Jego spojrzenie zatrzymało się na twarzach zaniepokojonych ojców miasta. – Sądzę, że na mocy tej petycji kierownik Wydziału Prawa i Administracji może ogłosić specjalne wybory mające na celu zastąpienie tych radnych innymi.

– Zgadza się – potwierdził spokojnie urzędnik. – Rozmawiałem już o tym z sekretarzem stanu.

Simon Hart skinął głową.

– Prawo w tym mieście zostało pogwałcone. Żaden funkcjonariusz policji nie powinien ponosić kary za to, że wypełniał swoje obowiązki – dodał, patrząc na komisarza Carlosa Garcię i posterunkową Danę Hall.

– Zgadzam się z panem w zupełności – oświadczył Cash.

Kolejny mężczyzna podniósł się ze swego miejsca. Tym razem był to strażak w pełnym umundurowaniu. Wyszedł na środek i stanął przed burmistrzem.

– Komendant Rand ze Straży Pożarnej Jacobsville. Zostałem upoważniony, by wypowiedzieć się w imieniu dwudziestu strażaków i dwudziestu pięciu funkcjonariuszy policji z tego miasta, a także innych osób zatrudnionych przez urząd miejski. Mam panu powiedzieć w imieniu ich wszystkich, że jeśli ci dwaj policjanci stracą pracę, albo jeśli straci ją komendant Grier, to my wszyscy również natychmiast i nieodwołalnie zrezygnujemy z posad.

Radni zaniemówili. Także i burmistrz wydawał się kompletnie ogłuszony. Jeszcze nigdy w całej historii Jacobsville nie widziano takiej solidarności funkcjonariuszy służb publicznych. Cash był zdumiony. Odwrócił się i spojrzał na Tippy i Rory'ego; obydwoje pokazali mu uniesione do góry kciuki.

Simon Hart postąpił do przodu i spojrzał burmistrzowi prosto w oczy.

– Teraz pana ruch.

Ben Brady zmusił się do uśmiechu.

– Oczywiście, nikt nie zamierza wyrzucać z pracy ani tych policjantów, ani komendanta Griera

– rzekł, omal się nie dławiąc własnymi słowami. – Nie mamy zamiaru pozbawiać ich pracy za, jak pan to określił, wykonywanie obowiązków! Wręcz przeciwnie, otrzymują za to pochwałę!

Na twarzach policjantów odbiła się ulga.

Ale Simon jeszcze nie skończył.

– Jest jeszcze jedna sprawa. W trakcie specjalnego dochodzenia w moim biurze natrafiliśmy na raporty, z których wynika, że kilkoro obywateli Jacobsville, w tym dwóch polityków, zaangażowanych jest w handel narkotykami. – Popatrzył wprost na burmistrza i radnego Culverta. – Oficjalny akt oskarżenia w tej sprawie powstanie, gdy materiały zostaną przekazane prokuraturze okręgowej.

– Bardzo chętnie się tym zajmę – oświadczył prokurator okręgowy z zimnym uśmiechem.

Burmistrz był bardzo blady; jego kariera polityczna waliła się w gruzy. Wybory miały się odbyć następnego dnia i po tym, co działo się na tej sali, nie mógł mieć wielkich nadziei, że uda mu się zachować stanowisko. W mieście wielkości Jacobsville było pewne, że wszyscy mieszkańcy poznają przebieg posiedzenia jeszcze przed północą.

– Doskonale – oznajmił słabym głosem. – Czy teraz sekretarz może odczytać szczegółowe sprawozdanie z poprzedniej sesji?

Posiedzenie nie trwało już długo. W ciągu pół godziny radzie miejskiej udało się omówić wszystkie bieżące sprawy i sesja została zamknięta, a publiczność zaczęła się rozchodzić.

Judd poklepał Griera po plecach.

– Gratuluję.

– Nie przypuszczałem, że tak wielu ludzi zechce mnie poprzeć – odpowiedział oszołomiony Cash.

Judd się uśmiechnął.

– Nie doceniasz swojej roli w tym mieście. Czy teraz już czujesz się jednym z nas?

– Tak, chyba tak – odpowiedział Cash zachrypniętym ze wzruszenia głosem i uścisnął wyciągniętą dłoń przyjaciela.

Następnego dnia urzędujący burmistrz, Ben Brady, zrezygnował z pełnienia funkcji i wyjechał z miasta. W nadzwyczajnych wyborach Eddie Cane zdobył dziewięćdziesiąt procent głosów i wygrał bez konieczności przeprowadzania drugiej tury. W wyborach do senatu Calhoun Ballenger wygrał prawybory w partii demokratów tak przytłaczającą większością głosów, że senator Merrill poczuł się upokorzony i nie chciał rozmawiać z mediami.

Z kolei Julie Merrill została zwolniona za kaucją i na prawo i lewo opowiadała publicznie o chwytach poniżej pasa, za pomocą których usiłowano zdyskredytować jej ojca w wyborach. Wystąpiła również w telewizji z atakiem na Calhouna Ballengera.

Wkrótce wybuchł jeszcze jeden skandal. Macocha Libby Collins, Janet, trafiła do więzienia za śmiertelne otrucie starego pana Brady'ego, ojca Violet, sekretarki prawnika Blake'a Kempa. Podejrzewano ją o otrucie większej liczby osób, ale nie było dowodów, które łączyłyby ją z innymi przypadkami śmierci. Nawet ekshumacja zwłok ojca Libby i Curta Collinsów nie dostarczyła takich dowodów. Proces zapowiadał się interesująco, podobnie jak proces Julie Merrill.

W tym samym tygodniu, kiedy odbywały się wybory, Blake Kemp w imieniu Calhouna Ballengera wniósł pozew przeciwko Julie Merrill o zniesławienie. Była to pierwsza zapowiedź tego, co miało się dziać wkrótce. Grunt palił się Julie pod stopami. Groził jej jeszcze proces o podpalenie, a poza tym Cash powoli gromadził dowody łączące ją z gangiem narkotykowym. Jej przyszłość malowała się w ponurych barwach. Ale gdy Cash miał wystarczającą ilość dowodów w ręku, by nakazać aresztowanie Julie, ta zniknęła z miasta.

ROZDZIAŁ CZTERNASTY

Rory czuł się szczęśliwy, mieszkając z Cashem i Tippy. Szybko zaprzyjaźnił się z chłopcem w swoim wieku, synem jednego z funkcjonariuszy Casha, który mieszkał o trzy domy dalej. Chłopcy mieli wiele wspólnego; obydwaj byli fanami gier wideo, a ponieważ Cash zaopatrywał Rory'ego w najnowsze hity, ten miał się czym dzielić z nowym przyjacielem.

Tymczasem Tippy z dnia na dzień była coraz bardziej zakochana. Cash jednak od czasu przyjazdu Rory'ego odsunął się na większy dystans; zastanawiała się dlaczego. Wspominał jej, że wkrótce wydarzy się coś, co może się jej nie spodobać, nie miała jednak pojęcia, co to takiego.

Przygotowała miskę popcornu i wszyscy troje obejrzeli film o najemnikach, który Rory bardzo chciał zobaczyć. Cash przez cały wieczór siedział z zaciśniętymi mocno ustami, a zaraz po zakończeniu filmu stwierdził, że jest zmęczony, i powiedział im dobranoc.

– Myślisz, że to ten film go zdenerwował? – zapytał Rory siostrę.

– Nie jestem pewna – przyznała. – Może. Nigdy nie mówi o swojej pracy ani o przeszłości. To bardzo tajemniczy człowiek.

– Kiedyś wszystko ci opowie – rzekł Rory z przekonaniem.

Tippy uścisnęła go, wzruszona, ale wcale nie była tego taka pewna. Od dnia, gdy Cash opowiedział jej o swojej żonie, nigdy właściwie nie otworzył się przed nią. Drażnił się z nią, prowokował, był dla niej dobry, ale zarazem zachowywał dystans. Tippy martwiła się o niego, bo widziała, że coś go gryzie, ale nie miała pojęcia co to takiego.

Było już dobrze po północy, gdy obudził ją jakiś dźwięk. Po korytarzu niósł się krzyk Casha, pełen cierpienia i bólu. Tippy w jednej chwili odzyskała przytomność i usiadła na łóżku, nasłuchując, niepewna, czy nie był to tylko sen. Po chwili krzyk się powtórzył.

Narzuciła na ramiona niebieski szlafrok i boso wyszła na korytarz. Pchnęła drzwi sypialni Casha i podeszła do łóżka. Po chwili zauważyła, że nie jest sama; po drugiej stronie łóżka stał już Rory ze zmartwioną twarzą. Zanim Tippy zdążyła coś powiedzieć, Cash rzucił się w pościeli, ciężko dysząc.

– Nie mogę tego zrobić. Nie mogę... go zastrzelić! To przecież tylko chłopiec! Nie...! Nie, synu, nie rób tego... nie zmuszaj mnie... nie!

– Nie wiem, czy powinniśmy go obudzić – powiedział Rory, gdy Tippy odruchowo pochyliła się nad śpiącym. – To może być niebezpieczne.

– Niebezpieczne? – zdziwiła się.

– Wielu żołnierzy i policjantów śpi z nabitą bronią pod poduszką.

– Nie! – jęknął znowu Cash, zrzucając z siebie kołdrę. Miał na sobie tylko czarne jedwabne bokserki. Cały był spocony i drżał jak w gorączce. – Zabiłem go. Zmusiliście mnie, niech was szlag trafi! Zabierzcie mnie stąd... niech oni przestaną... Boże drogi, mam... już... dość!

Tippy usiadła na skraju łóżka i położyła dłoń na jego piersi.

– Cash – szepnęła. – Cash, obudź się!

– Nie mogę... już... więcej... – wydyszał.

– Cash! – zawołała głośniej, potrząsając nim lekko.

W ułamku sekundy leżała już na plecach, przygnieciona jego ciałem. Cash trzymał ją za gardło w stalowym uścisku.

– Cash! – wykrzyknął Rory. – To jest Tippy! Tippy!

Dopiero teraz Cash oprzytomniał i jego oszalały wzrok skupił się na twarzy dziewczyny. Puścił ją i usiadł, nie mogąc złapać tchu z przerażenia na myśl o tym, co mogło się stać za chwilę.

– Miałeś zły sen – szepnęła, przykładając dłonie do szyi.

– Mówiłem jej, żeby tego nie robiła – wtrącił Rory.

Cash powoli odzyskiwał oddech.

– Nic ci nie zrobiłem? – zapytał z napięciem.

– Nie, tylko mnie przestraszyłeś. Śniłeś koszmar – powtórzyła.

Westchnął ciężko, przenosząc wzrok z niej na Rory'ego.

– To było najgłupsze, co mogłaś zrobić – rzekł bezbarwnie, nie próbując nawet przepraszać. – Popatrz. – Wskazał na kaburę z pistoletem, zawieszoną na wezgłowiu łóżka. – Jest naładowany. Przez całe życie spałem z bronią pod ręką. Mogłem cię zastrzelić!

– To nie jest mądry pomysł, spać z bronią, gdy w domu są dzieci – zauważyła Tippy.

– Nie jestem już dzieckiem – rzekł Rory z urazą.

– Ma rację – mruknął Cash.

– Ja też mam rację – dodała Tippy.

Cash odetchnął głęboko, wyjął magazynek, wyjął

z niego jedyny nabój i wrzucił wszystko do szuflady nocnej szafki.

– No i już – mruknął. – Jutro kupię blokadę spustu i sejf. Tylko nie wiem, co będzie, jak którejś nocy przez okno do domu wejdą uzbrojeni włamywacze!

– A spodziewasz się jakichś włamywaczy? – zapytała Tippy.

– Zawsze się ich spodziewam – odrzekł krótko. – Mam wrogów.

– Przecież mamy w Jacobsville doskonałą policję...

– Tippy, ja nie żartuję. – Przesunął dłonią po włosach i pochylił się, opierając łokcie na podciągniętych kolanach.

Był chory ze strachu. Przywykł do tego, że zawsze ma broń pod ręką, teraz jednak uświadomił sobie, jak bardzo niebezpieczne było trzymanie naładowanego pistoletu w sypialni.

– Przynieść wam coś do picia? – zapytał Rory. – Ja chyba mam ochotę na colę.

– Nie, dziękuję – rzekł Cash.

Tippy tylko potrząsnęła głową.

– Zaraz wrócę – powiedział chłopiec i wyszedł z sypialni.

– O tej porze powinien być w łóżku – powiedział Cash ze znużeniem.

– Był w łóżku, dopóki nie zacząłeś krzyczeć na cały głos. – Tippy usiadła wygodniej i podciągnęła nogi. – Porozmawiaj ze mną, Cash. Wyrzuć to z siebie, a poczujesz się lepiej.

Oparł się o poduszki i patrzył na nią w słabym świetle małej lampki nocnej.

– Mów – westchnęła. – Ty znasz wszystkie moje tajemnice.

To była prawda, a jednak się wahał. Wciąż nie mógł zapomnieć, jak na jego zwierzenia zareagowała była żona.

Tippy niepewnie wyciągnęła rękę i dotknęła jego ramienia.

– Ja nikogo nie osądzam. Z moją przeszłością nie mam do tego prawa. I bez względu na to, co usłyszę, nie zamierzam pakować walizek.

– Raz już tak myślałem – mruknął.

– Ale ja się tu nie znalazłam dlatego, że jesteś bogaty – odparowała.

Cash mocno zacisnął zęby.

– Jeśli chcesz powiedzieć, że...

– Stwierdzam tylko fakt – przerwała mu. – Żadna kobieta, która kochałaby cię naprawdę, nie zrobiłaby czegoś takiego. Nie opuszcza się cierpiącego człowieka ani nie odwraca do niego plecami z powodu czegoś, co kiedyś zrobił. Prawdziwa miłość jest bezwarunkowa.

– A skąd możesz wiedzieć takie rzeczy? – prychnął.

– Wiem – odrzekła cicho.

Cash odwrócił wzrok i próbował uspokoić oddech. Dobrze znany koszmar wytrącił go z równowagi.

– Nie masz pojęcia, z czym muszę żyć.

– Zastrzeliłeś chłopca.

Spojrzał na nią z niedowierzaniem.

– A skąd, do diabła, wiesz o tym?

– Krzyczałeś – wyjaśniła po prostu. – Oglądam wiadomości w telewizji i wiem, co się dzieje w krajach Trzeciego Świata. W oddziałach paramilitarnych jest tam mnóstwo dzieci, które doskonale potrafią się posługiwać nożem i bronią palną.

Przez twarz Casha przebiegł grymas. Tippy nie wyglądała na przerażoną ani nawet wstrząśniętą. Rozluźnił się nieco.

– Cullen walczył w Wietnamie – dodała cicho. – Opowiadał mi o tym. Nikt by nie przypuszczał, co tam widział. Był wyrafinowanym światowcem, ale on też patrzył na śmierć dzieci. Wiem o wojnie rzeczy, jakich Rory nawet nie podejrzewa.

– Ja walczyłem na Bliskim Wschodzie. W Ameryce Południowej. W dżunglach Afryki. Zarobiłem na tym wielkie pieniądze, ale przekonałem się, że płaci się też za nie wielką cenę. Nadal ją płacę.

Tippy lekko dotknęła jego ust palcami.

– Masz koszmary. Ja też. I Rory. Prawda? – zwróciła się do chłopca, który właśnie wsunął się do sypialni.

– Ledwo przeżyłem, kiedy Sam mnie pobił – potwierdził Rory, wchodząc do łóżka po drugiej stronie Casha. – Czasami budzę się w nocy z krzykiem. Ona też. – Wskazał siostrę.

Cash wypuścił wstrzymywany oddech.

– Tak jak ja.

– Ale dzisiaj już się więcej nie obudzisz – zapewnił go Rory i wsunął się pod kołdrę. – Dobranoc.

Tippy położyła się po drugiej stronie i oparła policzek na nagim ramieniu Casha. Miała wrażenie, jakby wróciła do domu.

– Dobranoc – powiedziała i ziewnęła.

Było jeszcze bardzo wcześnie. Za oknem wył wiatr i zaczynał padać deszcz. Pomyślała przelotnie, jakie to wielkie szczęście mieć ciepły, suchy dom, w którym można się schronić na noc. Ludzie nie doceniali tego, co mieli. W dzieciństwie wiele nocy spędziła na ulicach, zanim Cullen ją przygarnął.

Cash również poczuł się bezpiecznie, otoczony ciepłem dwóch przyjaznych ciał. Westchnął, leżąc na plecach. Sam nie wiedział, co ma myśleć. Miał ochotę zaprotestować i wypędzić ich ze swojego łóżka; w końcu był twardym facetem, który sam potrafił sobie radzić ze swoimi koszmarami. Po chwili jednak odepchnął od siebie tę myśl. A co tam, pomyślał. Przymknął oczy i również zasnął.

Następnego ranka nie wspomniał o nocnych zajściach ani słowem i na kilka dni zamknął się w sobie. Pokazywał Rory'emu, jak hodować robaki, i zabierał go na ryby. Tippy była wykluczona z tych wypraw, ale nie przeszkadzało jej to. Cieszyło ją zadowolenie brata.

Któregoś dnia wcześnie rano, gdy Rory jeszcze spał, a Cash wyszedł już do pracy, Tippy usłyszała jakiś dźwięk za kuchennymi drzwiami. Pani Jewell wyszła po zakupy, pomyślała więc, że to zapewne Cash zapomniał czegoś i wrócił. Postawiła na kuchence patelnię i sięgnęła do lodówki po jajka. Usłyszała skrzypnięcie otwieranych drzwi z siatki, ale ten ktoś, kto tam był, zamiast otworzyć następne drzwi kluczem, zaczął szarpać klamką. Tippy z dudniącym sercem przypomniała sobie o potencjalnych napastnikach i wpadła w panikę. W ciągu ostatnich tygodni opuściła ją świadomość zagrożenia, teraz jednak instynkty wróciły do życia.

Intruz kopnął w drzwi, jakby chciał je wyłamać. Tippy złapała telefon i nie spuszczając oczu z drzwi, pospiesznie wystukała 911.

– Komendant Grier? – zapytał dyżurny ze zdziwieniem.

– Nie, Tippy Moore. Ktoś próbuje się włamać do domu. Proszę jak najszybciej przysłać tu patrol.

– Już wysyłam. Proszę się nie rozłączać... Pani Moore?

Pomiędzy drzwiami a futryną pojawiła się szczelina. Tippy odłożyła telefon i ujęła w obie ręce ciężką żeliwną patelnię. Przez całe swoje życie, w ten czy inny sposób, była ofiarą; najpierw Sama Stantona, potem dominujących mężczyzn, a wreszcie porywaczy, którzy zagrażali jej życiu. Miała już tego serdecznie dosyć.

Mocno ściskając patelnię w obu rękach, stanęła tuż obok drzwi, w miejscu, gdzie otwierając się, nie mogły jej uderzyć. Bała się, ale nie zamierzała uciekać. Nie teraz. Ten, kto się tam czaił, miał odpokutować za grzechy wszystkich mężczyzn, którzy kiedykolwiek dopuścili się ataku na nią. Chłodny uchwyt patelni i jej ciężar dodawały jej pewności siebie.

Łomotanie do drzwi stawało się coraz mocniejsze; napastnik chyba uderzał w nie całym ciałem. Stare drewno zaczynało już pękać. Jeszcze dwa uderzenia i drzwi wypadły z zawiasów, a do kuchni wpadł wysoki, chudy mężczyzna w dżinsach i dżersejowej koszulce. W ręku trzymał pistolet. Cel wreszcie się pojawił! Tippy wzięła wielki zamach i z całej siły rąbnęła go patelnią. Pistolet poleciał pod ścianę, napastnik zawył. Paradoksalnie, jego cierpienie dodało Tippy sił.

– Zachciało ci się włamywać do cudzych domów?! – wrzasnęła z furią, znów biorąc zamach. Tym razem patelnia trafiła go w ramię, a kolejny cios dosięgnął kolana. – I napadać na mnie z pistoletem? A masz! Teraz ty zostaniesz inwalidą!

Napastnik wrzeszczał z bólu. Podskakując na jednej nodze i trzymając się za ramię, usiłował zbliżyć się do wyłamanych drzwi, ale Tippy nie zamierzała mu odpuścić. Wtargnął do domu, groził jej, więc nawet gdyby sama miała pójść do więzienia za napaść, najpierw musiał odpokutować za swoje zamiary!

– Możesz powiedzieć Samowi Stantonowi, że już po nim! – krzyczała, uderzając go patelnią po raz drugi w to samo ramię. Mężczyzna wrzasnął jeszcze głośniej i potknął się, usiłując wymknąć się za drzwi tyłem. – Nie mam zamiaru chować się w szafie i czekać, aż on naśle na mnie następnego podobnego do ciebie typa spod ciemnej gwiazdy!

– Ratunku! – jęknął włamywacz.

Opadł na kolana i niemal wyczołgał się za drzwi. Tippy znów uniosła patelnię, ale w tej samej chwili usłyszała na zewnątrz policyjne syreny i trzy radiowozy, jeden za drugim, zatrzymały się na podjeździe. W jednym z nich siedział Cash. W kilka sekund później do domu wpadli policjanci w mundurach i z bronią gotową do strzału.

– Uklęknij i załóż ręce za głowę. Już! – wrzasnął Cash z wycelowanym w bandytę pistoletem.

– Nie mogę... podnieść rąk – wyszlochał napastnik. – Ona mnie pobiła! Próbowała mnie zabić! Domagam się ochrony!

Do kuchni wszedł Rory, w spodniach od piżamy, i zatrzymał się pośrodku, przecierając oczy. Na widok policyjnych radiowozów drgnął i rozejrzał się uważniej.

– Co się tu dzieje? – zapytał Tippy, ściągając na nią uwagę wszystkich.

Policjanci również dopiero teraz ją zauważyli. Stała przy drzwiach, ściskając patelnię w obu rękach, z zarumienioną twarzą i włosami rozwianymi wokół twarzy. Nadal miała na sobie zieloną satynową piżamę i luźno narzucony na nią szlafrok. Wyglądała tak pięknie, że wszyscy na chwilę zamarli.

– Załóżcie mu kajdanki! – krzyknął Cash do dwóch policjantów, którzy wyrwali się z transu i zajęli napastnikiem.

Tippy podeszła do niego, zdyszana i z błyskiem w oczach.

– Ratujcie mnie! – wykrzyknął mężczyzna na jej widok. – Wszystko wam powiem, tylko zabierzcie ją stąd!

Sąsiedzi stali już na trawnikach po obu stronach ulicy i oglądali ten nieoczekiwany spektakl, który przełamał rutynę poniedziałkowego poranku. Jedna z kobiet zaśmiewała się w głos.

– Tippy? – zapytał Cash, podchodząc do niej. – Kochanie, nic ci się nie stało?

Potrząsnęła głową i opuściła patelnię.

– Myślałam, że to ty, dopóki nie zaczął szarpać za klamkę. A potem wyważył drzwi – wyjaśniła, patrząc za włamywaczem, którego dwóch policjantów prowadziło do radiowozu.

Nie spuszczając z niej oczu, Cash na ślepo schował pistolet do kabury.

– Na pewno nic ci nie zrobił?

– Raczej odwrotnie. – Uśmiechnęła się. – Wpadłam we wściekłość, kiedy zobaczyłam pistolet w jego ręku.

– Pistolet? – zaniepokoił się Cash.

– Leży w kuchni na podłodze. – Wskazała głową. – Wyleciał mu z rąk. – Zachwiała się i dodała: – Niedobrze mi.

– Tylko nie pokazuj tego po sobie, bo zepsujesz cały efekt – powiedział Cash szybko, ujmując ją pod łokieć.

Wzięła głęboki oddech i szepnęła:

– Już mi lepiej. Tylko łap mnie, gdybym chciała upaść.

– Będę pilnował – obiecał.

Tippy zwróciła się do zgromadzonych na podwórzu policjantów.

– Dziękuję wam – powiedziała bez tchu. – Jego pistolet leży na podłodze w kuchni. Chyba chciał mnie zastrzelić.

– To on był uzbrojony? – zapytał jeden z młodych posterunkowych z przerażeniem w głosie.

Tippy skinęła głową.

– To chyba kaliber 45.

– Zaraz go znajdę. Harry, daj mi torebkę i zadzwoń po śledczego. Wiem, że ma dzisiaj wolne – dodał Cash na widok wahania młodego policjanta – ale wierz mi, nie będzie ci miał tego za złe.

– Oczywiście – odrzekł podwładny. – Pani Moore, cieszę się, że nic się pani nie stało.

Odpowiedziała mu uśmiechem. Pozostali policjanci nadal patrzyli na nią w milczeniu. Tylko Rory wciąż jeszcze nie był pewny, co się właściwie zdarzyło.

– Uderzyłaś go patelnią? – zapytał z niedowierzaniem. – Jesteś bohaterką! Zaraz zadzwonię do Jake'a i wszystko mu opowiem!

Po tych słowach pobiegł do salonu. Cash objął Tippy wpół.

– Chodź. I daj mi tę patelnię, poniosę ją. Lepiej, żebyś się nie nadwerężała – dodał z kpiną w głosie.

Wybuchnęła śmiechem i szybko oddała mu patelnię.

– Chcesz mnie zaaresztować za napaść?

– To zależy. A planujesz napaść na mnie?

– Przy pierwszej okazji, jaka się nadarzy!

Cash nachmurzył się na widok wyłamanych drzwi, a gdy jego wzrok padł na pistolet pod oknem, w oczach błysnął mu gniew. Wyobraził sobie koszmarne scenariusze, do jakich mogło dojść, gdyby Tippy akurat nie miała pod ręką tej patelni. Ani on, ani jego ludzie nie mieliby szans dotrzeć tu na czas!

Przyciągnął ją do siebie i desperacko pocałował.

– Mógł cię zabić! – powiedział i przeszył go dreszcz.

Otoczyła go ramionami i oparła policzek na jego umundurowanej piersi.

– Nawet nie czułam strachu – powiedziała ze znużeniem. – Chyba zahartowałam się przy tobie.

– Ja też mam takie wrażenie – odezwał się rozbawiony głos od drzwi.

Tippy podniosła głowę i ponad ramieniem Casha zobaczyła Judda Dunna.

Cash też go zauważył i wyjaśnił z uśmiechem:

– Poradziła sobie sama za pomocą tego oto narzędzia. – Podniósł do góry patelnię. – Gdy tu przyjechaliśmy, bandyta uciekał przed nią, ze wszystkich sił wołając o pomoc.

– A niech mnie! – Judd wybuchnął śmiechem.

– Sąsiedzi będą o tym gadać przez najbliższych parę miesięcy – westchnął Cash. – Rory właśnie dzwoni do kolegi, żeby się pochwalić, jaką ma dzielną siostrę. Słynna elegantka Tippy Moore unieszkodliwiła napastnika za pomocą żeliwnej patelni.

– Przez niego nie zjadłam jajecznicy – mruknęła Tippy. – Właśnie stawiałam patelnię na kuchence, gdy on zaczął dobijać się do drzwi. Czy myślisz, że to jeden z kumpli Sama Stantona? Ten, który uciekł w Nowym Jorku?

– Bardzo możliwe – odrzekł Cash. – Zobaczymy. Jeszcze przed chwilą deklarował, że wszystko nam opowie, jeśli tylko uratujemy go przed tobą.

– Muszę w końcu zjeść śniadanie, bo inaczej to mnie trzeba będzie ratować – westchnęła. Odebrała Cashowi patelnię i podeszła do kuchenki. – Czy ktoś ma ochotę na jajecznicę? – zapytała nonszalancko.

Obydwaj mężczyźni wpatrzyli się w nią z zachwytem.

Sama przyrządziła kolację pomimo protestów Casha, który uważał, że po porannych przeżyciach powinna odpocząć, i proponował wyjście do restauracji. Tippy jednak wolała czymś się zająć, żeby nie mieć czasu na rozmyślania o tym, co się zdarzyło.

– Ona taka jest – stwierdził Rory, patrząc na

Casha porozumiewawczo. – Nigdy nie narzeka, nawet w najgorszej sytuacji.

– Zauważyłem – odrzekł Cash.

Dokończył stek i kawę i skrzywił się, myśląc o tym, z jaką łatwością trzeci porywacz dostał się do domu.

– Za słaba? – zapytała Tippy natychmiast.

Spojrzał na nią ze zdziwieniem.

– Co? Kawa? Nie, jest doskonała.

– Jesteś zdenerwowany tym, że on dostał się do domu...

Grymas na twarzy Casha jeszcze się pogłębił.

– Będziesz się musiał przyzwyczaić do tego, że ona czyta w myślach – oświadczył Rory pogodnie.

Cash zacisnął usta.

– Zauważyłem. – Uświadomił sobie jednak, że to Tippy potrzebuje teraz zrozumienia i życzliwości, dodał więc łagodniej: – Przepraszam.

– W porządku. – Uśmiechnęła się. – To ja powinnam cię przeprosić. Nie chciałam.

– To się po prostu dzieje samo – dokończył za nią.

– Ale ona to potrafi tylko ze mną i z tobą – wyjaśnił Rory. – Nie umie czytać myśli innych ludzi.

– Naprawdę? – zdziwił się Cash.

– Próbuje, ale nigdy jej to nie wychodzi.

To była wielka różnica; to było tak, jakby on i Rory stanowili część Tippy.

Tak naprawdę irytowało go wspomnienie lęku, jaki czuł, gdy wiedział, że w jego domu jest włamywacz i życiu Tippy zagraża niebezpieczeństwo. W ciągu kilku minut, jakie zajęło mu dotarcie na miejsce, przeżył piekło, wyobrażając sobie, co już mogło się stać. Nie lubił czuć się bezradny, a poza tym lęk, jaki wtedy odczuwał, nie był podobny do żadnego znanego mu lęku. Tippy stanowiła część jego życia, część jego samego, i gdyby miał ją stracić, to...

– Masz ochotę na lody? – zapytała. – Mamy czekoladowe.

– Chyba nie mam ochoty na deser.

– Ja też nie – przyznał Rory. – Jestem zmęczony. – Podniósł się z krzesła, podszedł do siostry i uścisnął ją mocno. – Cieszę się, że nic ci się nie stało – powiedział cicho, przymykając oczy. – Przecież wiesz, że mam tylko ciebie.

– To nieprawda – wtrącił Cash. – Masz jeszcze mnie.

Rory podniósł głowę i spojrzał na niego ze zdziwieniem. On sam uważał się tylko za kłopotliwego gościa, Cash jednak uśmiechał się do niego przyjaźnie.

– Dziękuję – rzekł chłopiec nieśmiało. – I wzajemnie. Ja też bym cię ocalił, gdybym mógł.

Na twarzy Casha odbiła się dziwna mieszanka uczuć.

– Będę o tym pamiętał – zapewnił poważnie.

– Jeśli nie masz nic przeciwko temu, to chciałbym teraz obejrzeć ten nowy film, który przyniosłeś – powiedział Rory.

– Oczywiście, idź i włącz go sobie. I tak dzisiaj nie ma nic ciekawego w telewizji.

Rory zniknął z jadalni. Tippy i Cash zostali jeszcze przy stole. Cash bawił się pustą filiżanką.

– Chcesz jeszcze kawy? – zapytała Tippy.

– Chętnie.

Podniosła się, ale gdy przechodziła obok jego krzesła, pociągnął ją za rękę i posadził sobie na kolanach.

– Gdy szedłem do wojska, wcale nie myślałem o robieniu kariery – powiedział cicho. – W szkole wojskowej mój sierżant zauważył, że celnie strzelam i podsunął mi myśl o oddziałach specjalnych. Dostałem zadanie i wykonałem je. Nie będę się wdawał w szczegóły. Moje zadania w większości były tajne. Wystarczy, jeśli powiem, że zabijanie również należało do moich obowiązków.

Tippy nie poruszyła się ani nic nie odpowiedziała; chciała, by Cash mówił dalej. Po raz pierwszy uchylał przed nią rąbka swych tajemnic. Przypuszczała, że jedyną osobą, której opowiadał o tym wcześniej, była jego żona.

– Nie skomentujesz tego? – zapytał, patrząc uważnie na jej twarz.

– Ty mówisz, ja słucham – odrzekła cicho. – Wiem, że to dla ciebie trudne. Nie osądzam cię ani nie krytykuję, ale jestem pewna, że opowiedzenie o tym dobrze ci zrobi.

– Raz już tak myślałem.

Pogładziła go po twarzy.

– To było wtedy. A ja nie jestem tchórzem.

Cash rozluźnił się nieco.

– Z całą pewnością udowodniłaś to dziś rano. Do końca życia pozostaniesz legendą tego miasta.

– Tak myślisz? – Uśmiechnęła się.

– Tak. – Usadowił ją wygodniej na swoich kolanach i mówił dalej. – Dopiero po drugiej tajnej operacji zacząłem rozumieć, co robię. Wystąpiłem z wojska, ale moja reputacja szła za mną i zanim się zorientowałem, co się dzieje, stałem się znany jako wolny strzelec wykonujący zadania specjalne. Dałem się przekonać, że wyrzuty sumienia z czasem znikną i że wykonuję konieczną pracę, dzięki której świat staje się bezpieczniejszy. Kupiłem to wyjaśnienie. Pracowałem dla rozmaitych agencji, krajowych i zagranicznych, często współpracowałem jako snajper z elitarnymi jednostkami. Mówiłem płynnie w kilku językach, to też mi pomagało, i potrafiłem naprawić każde urządzenie elektroniczne. Nigdy nie narzekałem na brak pracy.

Wziął głęboki oddech i w jego ciemnych oczach pojawił się lęk.

– A potem zacząłem mieć koszmarne sny. Jaskrawe, rzeczywiste koszmary, po których budziłem się z krzykiem. Widziałem twarze zabitych. Najpierw to się zdarzało raz na tydzień, potem już co drugi dzień. Myślałem, że jeśli porzucę to zajęcie, koszmary znikną. Zdążyłem już zarobić mnóstwo pieniędzy, które bezpiecznie leżały w szwajcarskim banku. Przez cały czas liczyłem na swoje szczęście i wiedziałem, że limit w końcu kiedyś się wyczerpie. Więc rzuciłem to i wróciłem do Stanów, zatrudniłem się w policji, tutaj w Teksasie, na kilka lat, a w końcu wylądowałem w Strażnikach Teksasu. Pewnego dnia podczas lunchu poznałem kobietę, ładną, drobną brunetkę. Flirtowała ze mną tak długo, aż w końcu poddałem się i umówiłem z nią na spotkanie. Zaraz po pierwszej randce wprowadziła się do mnie i w dwa tygodnie później wzięliśmy ślub.

Tippy usiłowała hamować zazdrość, ale kiepsko jej to wychodziło.

– Szybka robota – mruknęła.

– Tak. Zbyt szybka. Nie miałem pojęcia, że ona była kuzynką mojego dawnego kolegi z wojska. On nie wiedział dokładnie, jakie zadania wykonywałem, za to wiedział, że zarabiałem kupę pieniędzy i poinformował ją, że jestem bogaty. A ona kochała brylanty i życie na wysokiej stopie. Byłem zbyt zakochany, by zauważyć, że z trudem tolerowała mój dotyk i że ta tolerancja zwiększała się wraz z wartością prezentów, które jej dawałem.

Tippy się skrzywiła.

– Odkrycie tego musiało być dla ciebie bardzo bolesne.

– Było. Szalałem na jej punkcie. A ona sprawiała wrażenie, że jest we mnie zakochana. Gdy zaszła w ciążę, omal nie zwariowałem ze szczęścia. Nigdy wcześniej nie myślałem o dzieciach, ale wtedy byłem chyba najszczęśliwszym człowiekiem na ziemi. W przypływie szczerości opowiedziałem jej całą historię mojego życia. A resztę już znasz. Odeszła. Później się dowiedziałem, że i tak chciała się pozbyć ciąży, ale odpowiadało jej to, że może zrzucić winę na mnie. Uznała, że w ten sposób dostanie większe alimenty.

– I dostała?

– Miałem dobrego adwokata. Też był kiedyś najemnikiem, bardzo dobrym zwiadowcą. Kazał ją śledzić i nagrywał jej rozmowy telefoniczne. Mieliśmy dowody, których nie można było przedstawić w sądzie, ale wystarczyły, żeby ją wystraszyć i przekonać do przyjęcia jednorazowej kwoty. Zgodziła się, wypisałem czek i od tamtej pory jej nie widziałem.

– Czy nadal... myślisz o niej?

– Czasami – przyznał. – Ale nie z przyjemnością, ani nie z pożądaniem. Raczej z wrażeniem, że udało mi się w porę wymknąć z pułapki.

Uśmiechnęła się do niego z wyraźną ulgą.

– A jak się znalazłeś w Jacobsville?

– Jako Strażnik Teksasu nie mogłem się nigdzie osiedlić na stałe, przyjąłem więc jedyną dostępną ofertę i stałem się specjalistą od cyberprzestępczości w biurze prokuratora okręgowego w Houston. Miałem duże doświadczenie jako haker, bo wcześniej zajmowałem się tym na potrzeby wojska. – Potrząsnął głową. – Ale to nie było dobre rozwiązanie. Czułem się tam jeszcze bardziej obco. Wydawało mi się, że nigdzie nie będę potrafił się wpasować. Moja opinia ciągle szła za mną. – Spojrzał na nią ze słabym uśmiechem i mówił dalej: – Ciągle spotykałem kogoś, kto znał mnie wcześniej. O niektórych moich akcjach krążyły przesadzone pogłoski, a fakt, że byłem małomówny, jeszcze je uwiarygodniał. Już myślałem, że może wrócę do wojska, gdy mój kuzyn Chet odwiedził mnie w Houston i zapytał, czy nie interesowałaby mnie posada zastępcy komendanta policji tutaj, w Jacobsville. To było, zanim Ben Brady przejął obowiązki burmistrza, inaczej nigdy bym tu nie trafił. Ale ówczesny burmistrz i rada miejska jednogłośnie zaakceptowali moją kandydaturę i tak się tu znalazłem.

– Nigdy nie miałeś ochoty wyjechać i wrócić do życia pełnego adrenaliny? – zapytała cicho.

– Czasami – przyznał, patrząc na nią. – Aż do niedawna.

– Dlaczego?

– Sam nie wiem. – Wzruszył ramionami. – Moje życie zmieniło się, odkąd pojawiłaś się w nim ty i Rory, szczególnie, odkąd jesteście tutaj, w Jacobsville. Po raz pierwszy w życiu czuję się, jakbym miał rodzinę.

Tippy rzadko płakała, ale poranne wydarzenia nadwerężyły jej nerwy, a przy słowach Casha zaparło jej dech. Czy naprawdę tak myślał?

– Co się stało? – zapytał na widok łez spływających po jej policzkach.

– Ja też tak się czuję – przyznała. – I Rory również.

Cash poczuł zawrót głowy.

– Naprawdę?

Skinęła głową.

Przytulił ją mocno i pocałował. Była to najczulsza pieszczota, jakiej zaznała w życiu. Odpowiedziała mu z równą czułością.

Cash przymknął oczy. Miał wrażenie, że wreszcie wrócił do domu. Tippy oparła głowę o jego ramię i słuchała bicia jego serca.

Rory wetknął głowę w drzwi.

– Och, przepraszam! – zawołał, wycofując się szybko.
– Chodź tu – roześmiał się Cash. – O co chodzi?
– W telewizji jest stary film o wampirach z Belą Lugosim...
– Film o wampirach! – wykrzyknął Cash, zrywając się na nogi tak gwałtownie, że omal nie zrzucił Tippy na podłogę. – Przepraszam cię, kochanie, ale jestem absolutnym fanem Beli Lugosiego...
Tippy szeroko otworzyła usta.
– Niemożliwe! Naprawdę?
– To ulubione filmy Tippy – wtrącił Rory.
Cała trójka szybko wymieniła spojrzenia.
– Popcorn? – zapytał Cash z nadzieją.
– Mikrofalówka – przytaknęła Tippy i pobiegła do kuchni.
Dzień, dotychczas tak stresujący, nieoczekiwanie stał się magiczny. W głębi duszy wiedziała, że jej związek z Cashem ma przyszłość. Nigdy jeszcze nie była niczego równie pewna. Patrzyła, jak idzie do salonu z ręką na barkach Rory'ego. Zatrzymał się na chwilę i mrugnął do niej. Mury wreszcie runęły, pomyślała.

Tippy była przekonana, że jej lokalna sława zdobyta dzięki patelni szybko przeminie, tak się jednak nie stało. Dwa dni później cała historia została opisana przez jedną z popularnych gazet. Włamywacz został zabrany do Nowego Jorku przez dwóch agentów federalnych, którzy zanosili się śmiechem jeszcze długo po opuszczeniu Jacobsville.

Artykuł w gazecie zawierał jednak również i inne, bardziej intymne szczegóły. Miejscowa lekarka, Lou Coltrain, stwierdzała w nim, że Tippy Moore straciła dziecko z powodu okrutnego zachowania bezimiennego asystenta reżysera filmu, w którym właśnie występowała. Lekarka zapewniała, że cierpienie Tippy z powodu straty było prawdziwe. W artykule znalazła się także wypowiedź Joela Harpera, który zapewnił, że rola Tippy w filmie jest tak istotna, że zdjęcia zaczną się powtórnie dopiero wtedy, gdy aktorka będzie mogła wziąć w nich udział. Poza tym, dodał Harper, do scenariusza dopisano scenę, w której bohaterka broni się przed włamywaczem za pomocą patelni. Ta historia znalazła się nawet w serwisach informacyjnych i została rozpowszechniona w całym Teksasie.

Ostatni komentarz w artykule pochodził od miejscowego komendanta policji, Casha Griera, który oświadczył, że jego ślub z panią Moore odbędzie się w ciągu najbliższego miesiąca.

ROZDZIAŁ PIĘTNASTY

Tippy nie mogła uwierzyć własnym oczom. To niemożliwe, żeby Cash chciał się z nią ożenić. Przecież wielokrotnie powtarzał, że nigdy więcej nie popełni takiego kroku. Siedziała przy stole z gazetą w rękach i już kolejny raz czytała cały artykuł.

– Trzeci porywacz siedzi już w bezpiecznym odosobnieniu i nie wyjdzie stamtąd aż do rozprawy – powiedział Cash z rękami wbitymi w kieszenie. – A twoja reputacja poprawiła się ze względu na tego asystenta reżysera. Rozmawiałem z pewnymi ludźmi, których znam, i nie powinno być więcej żadnych prób zdyskredytowania ciebie, przynajmniej od tej strony. Przygotowaliśmy tę historię razem z doktor Lou Coltrain, żeby naprawić szkody.

– Czy to nie było trochę zbyt... drastyczne?

– Co? Wpisanie na czarną listę tego aroganckiego szczeniaka, który pracował z Harperem? Nie! Za to jestem ci bardzo wdzięczna. Myślałam o zaręczynach... tu jest napisane, że wkrótce bierzemy ślub!

Cash napotkał jej spojrzenie.

– Nie mamy już przed sobą żadnych tajemnic. Wiem wszystko o tobie, a ty wiesz wszystko o mnie. Mam pewną pracę i pieniądze w kilku zagranicznych bankach. Ale nawet gdybym tego nie miał, to jestem silny i nie boję się ciężkiej pracy. Rory może zamieszkać z nami, chyba że ma wielką ochotę spędzić następne osiem lat w szkole wojskowej.

Tippy z wrażenia nie mogła złapać tchu.

– Ja chyba śnię – szepnęła.

– To miły sen czy koszmar? – zapytał Cash.

– Bardzo miły. Nie mogę w to uwierzyć! – powtórzyła, rumieniąc się.

Cash się rozluźnił.

Patrząc na jej ożywioną twarz, poczuł przyjemne ciepło.

– Chcesz, żebym padł przed tobą na kolana? A może to raczej twoja rola? Masz już dla mnie pierścionek?

– Nie sądziłam, że będziesz chciał go przyjąć – wyjąkała.

– To znaczy, że będziesz musiała wybrać się na zakupy. Ale na razie...

Podszedł do niej, sięgnął ręką do kieszeni i wyjął czarne pudełeczko od jubilera. W środku znajdował się pierścionek ze szmaragdem otoczonym brylancikami; drobne szmaragdy i brylanty iskrzyły się również na obrączce.

– I jeszcze to – dodał i tym razem wyciągnął zezwolenie na zawarcie małżeństwa. – Przeprowadziłem już badanie krwi. Ty nie musisz, bo skorzystałem z wyników badania, które Lou Coltrain przeprowadziła przed konsultacjami ze specjalistą z San Antonio, który przyleciał tu do ciebie w zeszłym tygodniu.

– Nadal nie potrafię zrozumieć, jak udało ci się namówić go do przylotu. – Pokręciła głową.

– To stary przyjaciel Micaha Steele'a – wyjaśnił Cash krótko. – Mamy więc zezwolenie i jesteśmy umówieni z sędzią na pojutrze. Musisz tylko powiedzieć „tak", a ja zajmę się całą resztą.

Z dudniącym sercem patrzyła na zezwolenie i pierścionek, ale nie docierało do niej, co widzi.

– Nigdy nawet nie marzyłam, że to się może wydarzyć – szepnęła.

Cash pochylił się i pocałował ją czule.

– Powiedziałem ci wszystko o sobie i nie uciekłaś. Czy mógłbym ryzykować, że stracę kobietę, która nie tylko chce mnie takiego, jaki jestem, ale w dodatku potrafi jeszcze unieszkodliwić bandytę żeliwną patelnią? Takich kobiet nie spotyka się codziennie!

Zaśmiała się i wyciągnęła do niego ramiona.

– Będę się tobą opiekować do końca życia – szepnęła.

– To ja miałem powiedzieć – odrzekł, lekko zmieszany.

– W takim razie będziemy się opiekować sobą nawzajem – wymruczała, przyciągając jego twarz do swojej twarzy.

Ślub odbył się wcześnie rano. Tippy ubrana była w zielony jedwabny kostium, a w ręku trzymała bukiet żółtych róż. Cash włożył garnitur. Judd, Crissy i Rory byli świadkami. Sędzina z szerokim uśmiechem ogłosiła, że zostali mężem i żoną.

Rory uścisnął ich oboje, powstrzymując łzy.

– To najlepszy dzień mojego życia – oświadczył.

– Dla mnie też jeden z najlepszych – zgodził się z nim Cash.

Po raz pierwszy w życiu nie obawiał się długoterminowego zobowiązania; w duchu dziękował niebiosom, że postawiły Tippy na jego drodze. Ona chyba myślała tak samo, ale dostrzegał, że coś ją martwi.

Zapytał ją o to po lunchu, który zjedli razem z Dunnami i Rorym w miejscowej restauracji.

– Sama nie wiem – odrzekła szczerze. – Ale to coś złego. Przykro mi – dodała natychmiast. – Nie chciałam psuć dnia naszego ślubu.

– Nie popsułaś. Zaczynam już przywykać do tych twoich przeczuć – przyznał Cash. – Ale dzisiaj Rory zostaje na noc u Judda i Crissy, a my, bez względu na wszelkie złe przeczucia, urządzimy sobie prawdziwą noc poślubną, taką, o jakiej wielu ludzi może tylko pomarzyć.

– Nie mogę się już doczekać! – szepnęła Tippy z szerokim uśmiechem.

– To już jest nas dwoje – mruknął Cash z zadowoleniem.

Przez kilka następnych dni życie wydawało się niezwykle piękne. Cash i Tippy bardzo się ze sobą zbliżyli. Rory z uśmiechem patrzył, jak nieustannie trzymają się za ręce. Był teraz częścią rodziny, miał swoje miejsce na świecie. Jeszcze nigdy nie czuł się tak szczęśliwy.

Tippy również była bardzo szczęśliwa, ale niejasne, mroczne przeczucie nie chciało jej opuścić. Wiedziała, że coś nieprzyjemnego ma się wkrótce wydarzyć i martwiła się, choć starała się nie okazywać tego przed Cashem.

W piątek uczucie wzmogło się i Tippy siedziała w domu jak na szpilkach, na przemian martwiąc się o Rory'ego, który pojechał z kolegą i jego rodzicami do centrum handlowego, i o Casha, który był w pracy. W pewnej chwili zadzwonił telefon; Tippy odebrała i pomyślała, że skądś zna ten głos.

– Mówi sierżant William James z wydziału policji Ashton w Georgii – usłyszała.

To był policjant, który niegdyś mieszkał po sąsiedzku z jej matką i który ocalił ją tego dnia, gdy Sam Stanton dopuścił się na niej gwałtu, a potem, gdy Rory miał cztery lata, pomógł jej uzyskać prawo do opieki nad nim.

– Pamiętam pana! – zawołała.

– Mam dla ciebie wiadomości, ale nie wiem, jak je przekazać.

– Coś się stało z moją matką – odgadła Tippy natychmiast. – Przeczuwałam coś od samego rana.

Jej rozmówca nie wydawał się zdziwiony.

– Zawsze miałaś te przeczucia. Już od dzieciństwa.

– To bardziej klątwa niż błogosławieństwo – westchnęła. – Czy stało się coś złego?

– Tak. Twoja matka miała zawał. Chyba nie wiesz o tym, że już od miesiąca była na odwyku. Po raz pierwszy w życiu widziałem ją trzeźwą. Jest w złym stanie, ale chce cię zobaczyć przed śmiercią.

Tippy była wstrząśnięta.

– Czy ona umrze?

– Chyba tak.

– Niewiele miałam z niej pożytku, nawet gdy zdarzało jej się nie pić.

– Mimo wszystko to twoja matka.

– Tak – odrzekła Tippy i zawahała się krótko. – Przyjedziemy obydwoje z Rorym.

– Wiem, co ci się zdarzyło w Nowym Jorku – powiedział James. – Nie powinnaś przyjeżdżać tu sama. To może być niebezpieczne. Przydałby się ktoś, kto mógłby cię ochraniać. Jeśli chcesz, to przylecę do ciebie i wrócę do domu razem z wami.

– Dziękuję. – Tippy się uśmiechnęła. – Ale chyba uda mi się namówić Casha, żeby z nami pojechał.

– Casha Griera? – zapytał niepewnie policjant.

– Zna go pan? – zdumiała się.

– Słyszałem o nim. Dzwonił tu jakiś czas temu, żeby się dowiedzieć, jak się miewa twoja matka. Prosił nas wtedy, żebyśmy zwrócili na nią uwagę w razie, gdyby porywacze wyszli z aresztu za kaucją. Ona też była aresztowana za współudział, ale szybko ją wypuścili, bo zdobyła pieniądze na kaucję. Może bała się, że trafi do więzienia razem ze Stantonem, a może te lata picia i narkotyków zrujnowały jej zdrowie, ale w każdym razie nie pożyje już długo.

– Porozmawiam z Cashem, a potem do pana oddzwonię. Na jaki numer?

Zapisała numer i odłożyła słuchawkę, a potem ukryła twarz w dłoniach i rozpłakała się z żalu nad swoim dzieciństwem, którego nigdy nie miała, i nad matką, która jej nigdy nie chciała ani nie kochała. Musiała przekazać wiadomości Rory'emu, była jednak pewna, że on nie czuje do matki nic więcej niż ona. Po co właściwie miała jechać do domu i wystawiać się matce na strzał?

Zadzwoniła na komisariat i po kilku sekundach oczekiwania usłyszała głos Casha.

– Co się stało? – zapytał natychmiast.

Zdziwiła się.

– Dlaczego myślisz, że coś się stało?

– Nigdy nie dzwoniłaś do mnie do pracy.

– Teraz ty czytasz w myślach.

– To się udziela. Mów, o co chodzi.

Tippy wzięła głęboki oddech.

– Moja matka umiera. Chce się zobaczyć z Rorym i ze mną.

Cash się zawahał.

– Mówiłaś już o tym Rory'emu?

– Nie, jeszcze nie wrócił do domu z Houston. Chciałabym... żebyś był przy mnie, kiedy mu o tym powiem.

– Dobrze.

– Tak po prostu? – Uśmiechnęła się.

– Przecież jestem głową tego domu. Nawet jeśli nie umiem posługiwać się patelnią tak dobrze jak ty.

Popatrzyła na pierścionek na palcu i poczuła przyjemne ciepło w sercu.

– Podoba mi się to – oświadczyła.

– Mnie też. Zaraz wracam do domu.

– Możesz wyjść wcześniej? Nie będziesz miał przez to kłopotów? – zapytała, wiedząc, że pomimo zmian we władzach miejskich, Cash nadal miał jakieś kłopoty w pracy.

– Teraz już nie. Jakby co, to mam przecież wysoko postawionych przyjaciół. Ale wszystko będzie w porządku.

– Miałeś kłopoty przez tę Julię Merrill...

– Tym problemem zajmuje się teraz Houston, nie ja.

– Bogu dzięki – westchnęła.

– Och, a więc ty też się o mnie martwisz? – zapytał ze wzruszeniem.

– Przez cały czas – przyznała, ocierając z policzka resztki łez. – Szkoda, że moja matka nie była taka jak twoja.

– Sama wiesz, skarbie: gdyby babcia miała wąsy...

– Lubię, gdy nazywasz mnie skarbem.

– Damska szowinistka – oskarżył ją. – Nie powinno ci się to podobać.

– Ale podoba. Co chcesz na kolację?

– Dzisiaj ja gotuję. Ty pooglądaj sobie telewizję albo coś. Musisz ochłonąć po tej wiadomości. Winy twojej matki były wielkie, ale to mimo wszystko matka.

– Właśnie to samo myślałam – przyznała.

– I płakałaś.

– Skąd wiesz? – zdumiała się.

– Mówiłem ci, że to się udziela. Chcesz jeszcze dzisiaj polecieć do Georgii, tak?

– Tak. Mam tam znajomego...

– Sierżanta Williama Jamesa – uzupełnił.

– Mówił, że do niego dzwoniłeś.

– Tak. Sprawił na mnie wrażenie porządnego faceta.

– Zaproponował, że może tu przylecieć i towarzyszyć nam w podróży, ze względów bezpieczeństwa.

– Ja z wami polecę.

– Właśnie tak mu powiedziałam.

– Zarezerwuję bilety.

Tippy odetchnęła.

– Dziękuję ci, Cash.

– Nie ma za co. Zobaczymy się niedługo.

Rory wrócił do domu na chwilę przed Cashem. Zauważył, że Tippy była bardzo cicha, ale nie zadawał żadnych pytań. Gdy Cash pojawił się w domu w równie poważnym nastroju, chłopiec sam odgadł, co się stało.

– To coś z naszą mamą, tak? – zapytał przy kolacji.

– Tak – odrzekł Cash. – Miała zawał i lekarze sądzą, że nie przeżyje. Chce się zobaczyć z tobą i z Tippy.

– Czy ona umrze?

Cash skinął głową. Rory spojrzał na siostrę i wziął ją za rękę.

– Nie mam o niej ani jednego dobrego wspomnienia.

– Ja też nie – odpowiedziała.

– Ale mamy siebie nawzajem.

– I mnie – wtrącił Cash, pijąc kawę.

– I ciebie. – Chłopiec się uśmiechnął.

Tippy też uśmiechnęła się przez łzy.

Cash odsunął swoje krzesło od stołu, wziął ją na kolana i tulił, gdy płakała z twarzą przy jego piersi. Rory wsunął się pod jego wolne ramię.

– Nie ma sensu płakać po kobiecie, która traktowała nas jak śmieci – powiedziała wreszcie Tippy, ocierając łzy wierzchem dłoni.

– Rodzina to zawsze rodzina. Nie wybieramy sobie rodziców – zauważył Cash.

– Tippy mówiła, że ty miałeś dobrą matkę – powiedział Rory.

– Była wspaniała. Mój ojciec też, dopóki nie zakochał się w poławiaczce fortun i nie rozbił naszej rodziny. Ta dziewczyna oczarowała również moich braci, a mnie wysłano do szkoły wojskowej, bo jej nie lubiłem. Już od lat nie widziałem ojca.

– I braci też, prawda? Wszystkich oprócz Garona? – zapytała Tippy, przypominając sobie ich dawną rozmowę.

– Tak. Garon odwiedził mnie zeszłej jesieni. Mówił, że szukał tu w okolicy domu do kupienia, ale myślę, że był to tylko pretekst, żeby się ze mną zobaczyć.

– Czy Garon jest podobny do ciebie? – zapytał Rory.

– On jest najstarszy i bardziej porywczy ode mnie. Mieszka w San Antonio. Dwaj pozostali bracia nadal mieszkają z ojcem w zachodnim Teksasie.

– Czy któryś z nich pracuje w policji? – zapytała Tippy.

– Dwóch. Garon pracuje dla FBI.

– Nie miałeś żadnych sióstr? – To pytanie zadał Rory.

– W mojej rodzinie nie było żadnej dziewczyny od czterech pokoleń – uśmiechnął się Cash. – Dlatego zwariowałem na punkcie córeczki Judda i Crissy.

Uśmiechnął się do Tippy i pogładził palcem jej nos.

– Wyglądasz ładnie nawet wtedy, kiedy płaczesz. A teraz dokończmy kolację. Ty też, Rory. Musimy zaplanować wyjazd.

Wrócili na swoje miejsca, czując się już lepiej. Zanim skończyli jeść, łzy zupełnie obeschły.

ROZDZIAŁ SZESNASTY

Po trzech godzinach lotu wylądowali na międzynarodowym lotnisku Hartsfield-Jackson w Atlancie. Resztę drogi do Ashton w stanie Georgia przebyli samochodem, który Cash wynajął na lotnisku.

Ashton było małym, sennym miasteczkiem, mniej więcej tej samej wielkości co Jacobsville. Znajdował się tu stuletni ceglany budynek sądu, nadal używany zgodnie z przeznaczeniem, oraz prywatny college. Okolica była typowo rolnicza. Sierżant James, starszy mężczyzna o siwych włosach i zielonych oczach, wyszedł im na powitanie i zawiózł do motelu, gdzie zostawili bagaże, a potem do szpitala.

Pani Danbury leżała w izolatce, podłączona pod tuzin urządzeń i kroplówek. Twarz miała bladą i opuchniętą, a włosy, kiedyś rude, prawie zupełnie siwe. Tippy i Rory patrzyli na nią z mieszanymi uczuciami, wśród których jednak przeważał niesmak. Cash stał za nimi, opierając ręce na ich ramionach.

Matka uświadomiła sobie czyjąś obecność i otworzyła oczy – wodnistoniebieskie, podpuchnięte i pozbawione blasku. Na widok gości na jej czole pojawiła się zmarszczka.

– Tippy? – zapytała ochrypłym głosem.

– Tak – odrzekła Tippy, nie ruszając się z miejsca.

Kobieta westchnęła.

– Dziękuję, że przyjechałaś. Wiem, że nie miałaś na to ochoty. Czy to Rory? – zapytała, wpatrując się w chłopca. – Boże, jak ty urosłeś.

Żadne z dzieci nie odezwało się ani słowem. Kobieta na łóżku nie wydawała się tym zdziwiona.

– Nic nie możecie dla mnie zrobić – powiedziała. – Próbowałam wytrzeźwieć. Już od lat nie byłam trzeźwa. To nie było przyjemne – dodała ciężko. – Zaczęły mi się przypominać różne rzeczy... okropne rzeczy, które zrobiłam wam obydwojgu. – Zaczerpnęła powietrza, zakaszlała i skrzywiła się. – Rozmawiałam z księdzem i powiedział, że żaden grzech nie jest tak wielki, by nie mógł zostać wybaczony. O nic nie proszę – dodała, patrząc Tippy prosto w oczy. – Chciałam wam tylko powiedzieć, że bardzo żałuję tego, co wam zrobiłam. Gdybym mogła cofnąć czas i wszystko naprawić, nie wahałabym się ani chwili. – Znów urwała, by zaczerpnąć tchu. – Powiedziałam im wszystko... że Sam i ja razem wymyśliliśmy to porwanie, bo potrzebne nam były pieniądze na narkotyki. Podałam nazwiska, miejsca, wszystko. Sam już do końca życia nie wyjdzie z więzienia. Jesteście bezpieczni.

Tippy popatrzyła na Rory'ego i Casha. Na ich twarzach nie było żadnego wyrazu, podobnie jak i na jej. Tych kilka słów spóźnionych przeprosin nie mogło odkupić bezmiaru nieszczęść, jakich zaznali z powodu matki.

Starsza kobieta dobrze o tym wiedziała. Przymknęła oczy.

– Tippy, żałuję, że nie mogę ci powiedzieć, kim był twój ojciec, ale wiem tylko, jak miał na imię. Ted. Lubił szybkie samochody i to wszystko, co o nim wiem. Tamtej nocy byłam naćpana i prawie nic nie pamiętam. Ale wiem, kim jest ojciec Rory'ego. Stoi za wami.

Rory zaniemówił. Odwrócił się i spojrzał na sierżanta, który był dla nich tak miły. Tippy uśmiechnęła się z ulgą; a więc jednak Sam Stanton nie był ojcem jej brata!

– Może to ci wynagrodzi choćby część krzywd – dodała matka. – On też aż do tej chwili nie wiedział, że jesteś jego synem. Bardzo... bardzo żałuję. Bardzo.

Zamknęła oczy i nie otworzyła ich już więcej.

Pogrzeb był skromny; wzięło w nim udział tylko kilku sąsiadów. William James nie był pewien, jak ma się zachować wobec Rory'ego, wymienili jednak adresy i zamierzali pisać do siebie. Sierżant James był wdowcem i nie miał innych dzieci, Rory był więc dla niego najbliższą osobą na świecie.

Matka zostawiła po sobie bardzo niewiele dobytku i mnóstwo długów. Tippy spłaciła je wszystkie, pokryła też czynsz za przyczepę kempingową, w której matka mieszkała. Nie czuła przy tym prawie żadnych emocji; zbyt wiele w życiu wycierpiała. Obydwoje z Rorym czuli tylko ulgę.

Potem cała trójka wróciła do Jacobsville. Cash skontaktował się z policją federalną i dowiedział się, że oświadczenie pani Danbury, złożone na łożu śmierci, wystarczy, by zapewnić Stantonowi i jego kompanom wyrok dożywocia. Proces miał się rozpocząć za kilka miesięcy.

Tymczasem jednak Tippy uświadomiła sobie, że wszystkie jej powody do trosk zniknęły. Twarz wygoiła się już zupełnie, żebra też. Nic już jej nie zagrażało. Mogła wrócić do pracy. I rzeczywiście, Joel Harper zadzwonił następnego dnia po ich powrocie i podał jej datę rozpoczęcia zdjęć. Cash nie miał nic przeciwko temu. Ucałował żonę i zapewnił ją, że obydwaj z Rorym doskonale dadzą sobie radę podczas jej nieobecności i że przyjadą odwiedzić ją na planie filmowym. Nie miała ochoty wyjeżdżać, obiecała jednak Joelowi, że dokończy film, spakowała się więc i poleciała do Chicago, gdzie miały się odbywać pozostałe zdjęcia.

– Dzwoń – powiedział Cash z naciskiem, żegnając się z nią na lotnisku. – I nie rób żadnych niebezpiecznych rzeczy! Masz męża i małego brata, którzy gotowi są umrzeć ze zdenerwowania, jeśli znów coś ci się stanie.

– Będę o tym pamiętać – uśmiechnęła się. – Wy też uważajcie na siebie.

Przez całą drogę do Chicago płakała. Tęsknota za Cashem była tak wielka, że nie mogła się skupić na pracy. Ale musiała wypełnić zobowiązanie, zagryzła więc zęby, powtarzając sobie, że już za kilka tygodni będzie mogła wrócić do domu. Te tygodnie jednak wydawały się nie do przejścia. Dzwoniła do domu co wieczór i starała się nie okazywać po sobie przygnębienia.

W drugim tygodniu zdjęć pojawiły się poranne mdłości. Joel Harper natychmiast zauważył, co się dzieje, i w tajemnicy przed Tippy uświadomił całą ekipę o jej stanie. Zarządził, by pozwalano jej robić sobie przerwy w pracy tak często, jak miała na to ochotę.

Tippy w pierwszej chwili nie wierzyła w ciążę, ale gdy po kilku dniach do mdłości dołączyła się senność i ciągłe zmęczenie, ogarnęła ją euforia. Potwierdziła swój stan testem kupionym w aptece, ale ani słowem nie wspomniała o tym Cashowi. Na razie był to jej wyłączny sekret. Bardzo jednak uważała, by nie robić nic niebezpiecznego ani ryzykownego. Zauważyła, że Joel i dwóch jego asystentów również starają się ją chronić.

Przepełniała ją niewiarygodna radość. Nie obawiała się już reakcji Casha; widząc go z Jessaminą, zrozumiała, że kochał dzieci. Ich własne dziecko wyleczyłoby wszystkie rany. Kupiła włóczkę i bambusowe druty i w wolnych chwilach dziergała malutkie ubranka.

Oczywiście, jakiś dziennikarz przyplątał się na plan i bez trudu dodał dwa do dwóch. Artykuł o tym, że świeżo poślubiona pani Moore robi na drutach ubranka dla dziecka, ukazał się już po zakończeniu zdjęć, gdy Tippy wróciła do Jacobsville.

Trzeciego dnia po powrocie do domu siedziała w salonie, wtulona w ramiona Casha, i oglądała telewizję. Rory'ego nie było w domu – wyjechał z kolegami na kilkudniowy biwak.

– Będziesz musiała jeszcze tam wrócić? – zapytał Cash.

– Chyba nie. Joel twierdził, że nakręcił już wszystko, co chciał. Na wszelki wypadek zrobił nawet kilka dodatkowych scen.

– Na wszelki wypadek?

– No wiesz, za kilka tygodni będę już wyglądała zupełnie inaczej.

Cash, zaabsorbowany strzelaniną na ekranie, nie zrozumiał sensu tych słów.

– Dlaczego masz wyglądać inaczej? – zapytał bez emocji.

Tippy sięgnęła do kieszeni bluzy i pomachała czymś przed jego nosem. To coś było różowe i miękkie i wyglądało jak maleńka skarpetka. Na ten widok Cash otworzył usta ze zdziwienia i zajrzał jej głęboko w oczy.

– Niespodzianka. – Uśmiechnęła się.

Pochwycił ją w ramiona i zasypał gradem pocałunków.

– Jestem taka szczęśliwa! Nie mogłam w to uwierzyć, gdy zaczęłam zwracać śniadania!

Cash, walcząc ze łzami, kołysał ją w ramionach.

– Dziecko. Będziemy mieli dziecko!

Tippy westchnęła z zadowoleniem.

– Bardzo bym chciała mieć bliźnięta, tak jak Judd i Crissy, ale w mojej rodzinie nigdy nie było bliźniąt. A u ciebie?

– Też nie. – Podniósł głowę i przyjrzał się jej. – Nie jestem pewien, czy przyjmujesz zamówienia, ale życzyłbym sobie dziewczynkę z rudymi włosami i zielonymi oczami.

– A ja bym chciała ciemnowłosego, ciemnookiego chłopca.

– Chyba po prostu będziemy kochać to, co się urodzi – stwierdził Cash filozoficznie.

– Pewnie, że tak. Cieszysz się?

– Jak jeszcze nigdy w życiu – odrzekł ze wzruszeniem.

– Dobrze cię rozumiem. – Przymknęła oczy i wtuliła się w niego. Ona też czuła się szczęśliwa jak jeszcze nigdy w życiu.

Rory podskoczył do góry, wykrzykując z radości.

– Będę wujkiem! Będę wujkiem!

– Na to wygląda – zgodził się Cash, poklepując go po ramieniu.

– To fantastyczna wiadomość, siostro. Chłopaki zzielenieją z zazdrości!

– A skoro już o tym mowa – przerwał mu Cash poważnym tonem. – Czy chcesz wrócić w przyszłym roku do akademii, czy też wolałbyś zostać z nami i chodzić do szkoły w Jacobsville?

Rory popatrzył na niego niepewnie.

– Chyba będę wam tutaj przeszkadzał...

– Czyś ty zwariował? – oburzył się Cash. – A kto będzie chodził ze mną na ryby? Przecież nie ona. – Wskazał na Tippy. – Ona mdleje za każdym razem, kiedy wspomnę o robakach!

Tippy zakryła usta dłonią i pobiegła do łazienki.

– Widzisz? – Pokiwał głową Cash. – Nie możesz mnie z tym zostawić samego. Musisz zostać!

Rory się rozpromienił.

– Wolałbym zostać.

– Ja też bym wolał – zapewnił go Cash i potargał mu włosy. – Przywiązałem się do ciebie.

Tippy wyszła z łazienki z mokrym ręcznikiem przy ustach.

– Jeśli jeszcze raz usłyszę coś o robakach, to pójdę do kuchni po tę patelnię – zagroziła.

Obydwaj natychmiast przyłożyli dłonie do piersi.

– Przysięgamy! – zawołali jednocześnie z taką powagą, że Tippy musiała wybuchnąć śmiechem.

Tippy i Crissy bardzo się ze sobą zaprzyjaźniły. Sytuacja w ratuszu i na komisariacie uspokoiła się i Cash mógł się teraz skupić na programie socjalnym. Jego dawny dystans zniknął bez śladu; teraz zachowywał się jak klasyczny przyszły ojciec. Podwładni byli rozbawieni jego nagłym zainteresowaniem książkami na temat pielęgnacji niemowląt i sami bez trudu domyślili się prawdy. Cash zaczął znajdować na swoim biurku upominki: przeważnie były to niemowlęce buciki w najrozmaitszych kolorach, dziecinne ubranka, grzechotki i łyżeczki. Czuł się oszołomiony i zaintrygowany entuzjazmem współpracowników.

– To proste – tłumaczył mu Judd. – Będziesz miał rodzinę, a to oznacza, że zdecydowałeś się zapuścić tutaj korzenie. Oni wszyscy widzą przed sobą perspektywę pewnych miejsc pracy i przywilejów emerytalnych. Gdybyś teraz zdecydował się wyjechać, to nie udałoby ci się dotrzeć nawet do granicy okręgu.

Cash próbował ukryć, że te słowa sprawiły mu wielką przyjemność, ale uśmiechał się od ucha do ucha.

Mijały tygodnie. Oboje z Tippy byli zapraszani na różnego rodzaju spotkania towarzyskie i w końcu większość ludzi zaczęła dostrzegać w Tippy zwykłą kobietę, a nie tylko gwiazdę filmową. Stali się zwykłymi obywatelami miasta, częścią społeczności.

Słowo „rodzina" nabrało dla nich nowego znaczenia, gdy trzej bracia i ojciec Casha pojawili się pewnego dnia w mieście i w porze lunchu zastukali do drzwi. Była ciepła, wczesnojesienna sobota. Tippy stanęła w drzwiach, patrząc na nich ze zdumieniem. Siwowłosy ojciec wyglądał jak starsza kopia Casha. Trzej pozostali mężczyźni również byli trochę do niego podobni – wszyscy wysocy, o potężnym wyglądzie. Żaden się nie uśmiechał. Wszyscy popatrzyli na jej brzuch i obrączkę na spoczywającej na nim dłoni i wymienili znaczące spojrzenia.

– Czy zastaliśmy Casha? – zapytał najstarszy brat.

– Tak. Jest za domem. Gra w piłkę z moim bratem.

– A... kim pani jest? – zapytał ojciec.

– Jestem Tippy Grier, żona Casha.

Na ich twarzach odbiło się zdumienie.

– Mówiłeś, że to historia wymyślona przez brukowce i że tam drukują same kłamstwa – mruknął najstarszy brat do ojca. Ten tylko wzruszył ramionami.

– Byłem tego pewien.

Najstarszy brat utkwił w Tippy przeszywające spojrzenie czarnych oczu, bardzo podobnych do oczu Casha. Włosy miał jednak jaśniejsze, jasnobrązowe z ciemnoblond pasmami.

– Jest pani w ciąży, tak? – zapytał bez ogródek.

– Proszę nie zwracać na niego uwagi, on pracuje w FBI. – Wyszczerzył zęby najmłodszy. – I zupełnie nie ma poczucia humoru, tak samo jak Cash.

– Cash ma doskonałe poczucie humoru – stwierdziła Tippy.

– Czy myśli pani, że zechce z nami porozmawiać? – zapytał cicho ojciec.

– Oczywiście, że tak – odrzekła z przekonaniem. – Może wejdziecie?

Zawahali się.

– Proszę bardzo. – Otworzyła szeroko drzwi i obdarzyła ich promiennym uśmiechem. – Akurat zaparzyłam kawę i upiekłam sernik. Właśnie miałam zawołać Casha i Rory'ego. Wystarczy dla wszystkich.

Powoli i niepewnie czterej mężczyźni przestąpili próg domu.

– Pójdę zawołać Casha – powiedziała Tippy, ale mężczyźni chyba jej nie usłyszeli: wszyscy czterej patrzyli ponad jej ramieniem.

– Już nie musisz – powiedział Cash, przenosząc wzrok z jednej twarzy na drugą.

Miał przed sobą rodzinę, której nie widział od lat, jeśli nie liczyć nieoczekiwanej wizyty starszego brata, która chyba miała przygotować grunt pod to spotkanie. Z mieszanymi uczuciami patrzył na dwóch młodszych braci, gdyż to oni, wraz z ojcem, stali kiedyś po drugiej stronie barykady.

Stanął obok Tippy i zapytał:

– Czy już ci się przedstawili?

– Jeszcze nie. – Uśmiechnęła się.

Ten uśmiech, który w jednej chwili zmienił ją w modelkę o twarzy znanej z okładek pism, urzekł wszystkich mężczyzn.

– Jestem Vic – oznajmił ojciec Casha. – A to Garon – wskazał na wysokiego agenta FBI. – Parker – to był szczupły mężczyzna o falujących ciemnych włosach i zielonych oczach – pracuje w straży ochrony przyrody. A ten w kowbojskim kapeluszu, którego nigdy nie zdejmuje, to Cort – dodał z odrobiną ironii, wskazując na muskularnego syna o ciemnych oczach i nonszalanckim wyglądzie. – Cort zarządza naszym ranczem w zachodnim Teksasie.

– Jestem Tippy – przedstawiła się z uśmiechem. – Miło mi was poznać. Proszę, częstujcie się kawą i ciastem.

Mężczyźni poszli za nią do kuchni.

– Gotujesz? – zapytał uprzejmie Garon, gdy Tippy nalewała kawę.

– Oczywiście, że gotuje – odrzekł Cash nieco sztywno.

– Ach. To by wyjaśniało tę historię z patelnią, o której czytaliśmy w gazetach – mruknął Parker z kpiącym uśmiechem.

– To tylko wymysły brukowców – odrzekł Garon z niesmakiem.

– Akurat tym razem napisali prawdę – wyjaśnił Cash. – Tippy wytrąciła włamywaczowi z rąk automatyczną czterdziestkę piątkę i pobiła go tą patelnią tak, że gdy przyjechałem, ciągnąc za sobą jeszcze dwa radiowozy, facet klęczał za progiem, błagając nas o ochronę. Ta historia przeszła już do legendy.

– Muszę oprawić tę patelnię w ramki i powiesić na ścianie – wtrąciła Tippy.

– Myśleliśmy, że to małżeństwo to też tylko kolejny wymysł brukowców – mruknął Garon.

– Jak widzisz, nie – odrzekł Cash, zatrzymując

wzrok na twarzy żony. – Już nigdy nie wypuszczę jej z rąk.

– Nie mam zamiaru nigdzie uciekać – odrzekła.

Vic pił kawę, w milczeniu przyglądając się synowi i synowej.

– Nigdy nie przypuszczałem, że się ożenisz i osiądziesz w jednym miejscu – powiedział w końcu. – Chociaż miałem nadzieję, że kiedyś to się stanie.

– Potrzebowałem dużo czasu, żeby zapuścić korzenie – przyznał Cash.

– To moja wina – rzekł Vic cicho. – Miałem też nadzieję, że nie będzie jeszcze za późno na przeprosiny. Garon powiedział, że nie wyrzuciłeś go za drzwi, gdy cię odwiedził, więc postanowiliśmy dać ci trochę czasu, a potem zobaczyć, czy nie udałoby się naprawić stosunków. Jak myślisz?

Nie patrzył na syna, ale mocno zaciskał dłonie na kubku z kawą. Cash wziął głęboki oddech.

– W końcu zrozumiałem, dlaczego kiedyś stało się to, co się stało – przyznał, zatrzymując wzrok na twarzy Tippy. – Nie mógłbym odejść od Tippy, nawet gdybym był już wcześniej żonaty.

Tippy wstrzymała oddech z wrażeniem, że unosi się w powietrzu. Cash nigdy dotąd nie powiedział jej wyraźnie, co do niej czuje, choć czasem okazywał to bez słów. Wziął ją teraz za rękę i znów spojrzał na ojca.

– Żaden z nas nie staje się młodszy – powiedział. – Chyba już czas zakopać topór wojenny.

Vic uśmiechnął się po raz pierwszy.

– Najwyższy czas.

– My też mamy nowiny – oznajmił Garon. – Chcemy kupić stare ranczo Jacobsów.

– Słyszałem, że je oglądaliście – zdziwił się Cash. – Ale przecież nie zajmujecie się końmi.

– I nie mamy takiego zamiaru. Będę hodować bydło. Czystej rasy Black Angus.

– Ty? – zdziwił się Cash. Jego starszy brat był przecież prawnikiem.

– Muszę gdzieś mieszkać. – Garon wzruszył ramionami, spoglądając na najmłodszego, Corta, który przez cały czas nie zdjął kowbojskiego kapelusza. – On chce się ożenić.

– Z kimś miejscowym? – zapytał Cash niepewnie. Prawie nie pamiętał sąsiadów z dzieciństwa.

– Jeszcze nie ma szczęśliwej wybranki – wyjaśnił Parker. – Ale chce mieć rodzinę i zamierza w tym roku zająć się poszukiwaniem odpowiedniej kandydatki.

– To zarozumialec – mruknął Garon. – Uważa, że jest przystojny.

– Bo jestem – odrzekł Cort swobodnie i wszyscy wybuchnęli śmiechem.

– Ale nie tylko dlatego szukamy czegoś w tej

okolicy – dodał Garon. – Potrzebna nam baza operacyjna położona bliżej ciebie niż ta w zachodnim Teksasie.

– Poza tym – wtrącił Vic – słyszeliśmy, że tutaj jest bardzo sprawna policja.

– Możesz na to liczyć. – Cash się uśmiechnął.

Wizyta trwała dość długo i była bardzo udana. Rory, który dołączył do grupy, był zafascynowany agentem FBI i przez dobry kwadrans wypytywał go dokładnie, których przedmiotów musi się uczyć w szkole, żeby zostać agentem po skończeniu szkoły średniej.

Cash poczuł, że istnieje szansa na odnowienie rodzinnych więzi. Nie wszystkie rany były już wygojone, ale wiedział, że z czasem tak się stanie.

Po kilku godzinach bracia wyjechali, a Rory poszedł do salonu oglądać film.

– Oni są bogaci, prawda? – zapytała Tippy, gdy nowy mercedes, jeden z najdroższych modeli, zniknął sprzed domu.

Zauważyła również, że wszyscy Grierowie nosili ubrania dobrych marek, drogie, choć nieostentacyjne.

– Bardzo. Ojciec sądził, że pieniądze zatrzymają mnie w domu i zmuszą do podporządkowania się, ale nic z tego. Bardzo się pomylił.

Tippy przytuliła się do niego.

– Wiedziałam to już wtedy, gdy po raz pierwszy znalazłam się z tobą sam na sam. Odwoziłeś mnie ze szpitala do hotelu. Wtedy, gdy Crissy została postrzelona.

Cash objął ją mocno.

– Zdziwiłaś mnie tamtego dnia. Podobało mi się to, co zobaczyłem.

– Nie okazałeś tego.

– Nie odważyłem się – przyznał z uśmiechem. – Nie miałem zamiaru dać się uwieść modelce, która była symbolem seksu.

– To były tylko pozory. – Wzruszyła ramionami. – Nauczyłam się sprawiać takie wrażenie, ale w głębi duszy zawsze byłam nieśmiałą introwertyczką.

Cash pocałował ją w nos.

– I nadal nie nosisz okularów.

– Czasem noszę, gdy ciebie nie ma w domu – roześmiała się.

– Jesteś próżna – oskarżył ją. – Zupełnie niepotrzebnie. Myślę, że w okularach wyglądałabyś bardzo atrakcyjnie.

– Naprawdę? – zapytała bez tchu.

Pocałował ją mocniej. Całe jej ciało natychmiast zareagowało na jego bliskość.

– Słabo mi – szepnęła. – Chyba muszę się położyć. Możesz mi przynieść mokry ręcznik i zamknąć drzwi do sypialni.

– Rory...

– Pomyśli, że znowu mam mdłości, i będzie oglądał swój film. Możemy się zachowywać bardzo cicho.

– Mów za siebie – sapnął i znów ją pocałował. – Jak tak dalej pójdzie, to wkrótce dorobimy się całej gromadki dzieci.

– Podoba mi się ten pomysł. Gromadka dzieci i może jeszcze pies.

– Mógłbym przynieść z powrotem węża...

– Może raczej pies – stwierdziła Tippy stanowczo. – Rory uwielbia psy.

Cash westchnął.

– Może raczej pies – zgodził się w końcu z uśmiechem.

ROZDZIAŁ SIEDEMNASTY

Początek lutego był niezwykle ciepły. Dziecko Tippy miało się urodzić lada dzień. Choć jej życie z Cashem i Rorym było sielanką, martwiła się, bo Cash odebrał telefon ze stolicy, o którym później nie wspomniał jej ani słowem. Zapewne znowu była to jakaś oferta brudnej pracy. Pomimo ich miłości Cash miewał okresy dziwnego niepokoju; nawet teraz Tippy nie była pewna, czy jest on w stanie osiąść na dobre w Jacobsville, a wiedziała, że gdyby zdecydował się wrócić do życia, jakie prowadził kiedyś, ona nie byłaby w stanie tego znieść.

Jej życie z kolei było niesłychanie wygodne. Joel Harper już dawno skończył swój film; Tippy zbierała teraz tantiemy za pierwszą rolę. Joel zaproponował jej kolejną, ale nie chciała podejmować żadnych decyzji przed urodzeniem dziecka. Choć wielu kobietom udawało się łączyć karierę z macierzyństwem, Tippy nie była przekonana, czy tego właśnie chce. Razem z Cashem mieli więcej pieniędzy, niż mogli wydać; ona sama przeżyła już swoje dni chwały jako modelka i aktorka i nie miała ochoty spędzać reszty życia w złotej klatce, szczególnie, gdy w grę wchodziły dzieci, którymi trzeba było się zająć. W Jacobsville czuła, że tu jest jej dom; tutaj nie osaczały jej hordy reporterów. Wciąż słynna tu była historia Mata Caldwella, który rozpędził na cztery wiatry dziennikarzy przed ślubem ze swoją ukochaną Leslie, która miała za sobą tragiczną przeszłość, i od tamtej pory dziennikarze kolorowych pism rzadko pojawiali się w tej okolicy.

Na razie Tippy znalazła w Jacobsville wszystko, co było jej potrzebne do szczęścia, i wiedziała też, że jeśli w przyszłości zechce wrócić do filmu, Cash zrobi wszystko, co w jego mocy, by jej pomóc. Teraz jednak myślała tylko o zbliżającym się porodzie. Lekarz wyznaczył jej dokładną datę, dzieci jednak rzadko trzymały się kalendarza. Zastanawiała się, co będzie, jeśli zacznie rodzić, gdy nikogo nie będzie w pobliżu.

Wody odeszły następnego dnia, przy śniadaniu.

Rory właśnie zszedł z góry z książkami w ręku, a Cash zapinał koszulę, gdy Tippy krzyknęła na widok kałuży obok swoich nóg.

– Nie ma się czym martwić – stwierdził Cash, widząc jej przestrach. Posadził ją na krześle i wysłał Rory'ego po ręczniki. – Dziecko po prostu zaczyna się rodzić. Jedziemy do szpitala. Nie martw się.

Tippy natychmiast się uspokoiła. Rory rzucił jeden ręcznik na podłogę i podał jej drugi.

– Pójdę otworzyć samochód – powiedział.

– Dobrze – rzucił Cash. – Zaraz tam będziemy.

Z uśmiechem kota z Cheshire wziął Tippy na ręce.

– No to jedziemy rodzić – szepnął wesoło.

Tippy objęła go za szyję.

– Och, Cash, taka jestem szczęśliwa!

– Ja też. Czy skurcze już się zaczynają? – zapytał, gdy Tippy napięła się i jęknęła.

– Tak!

– Oddychaj, kochanie. Oddychaj tak, jak uczyliśmy się w szkole rodzenia. – Narzucił jej rytm oddechu i Tippy zaczęła go naśladować, choć przy każdym skurczu ból stawał się coraz większy.

Posadził ją na przednim fotelu samochodu. Rory usiadł z tyłu i pojechali do szpitala. Po drodze Cash zadzwonił do Lou Coltrain, która była ich lekarzem rodzinnym. Lekarka obiecała, że skontaktuje się z położnikiem i przyśle go na oddział.

Cash dostał od pielęgniarek fartuch i maskę

i wszedł na oddział porodowy razem z Tippy; Rory musiał zostać w poczekalni.

– Mój Boże, mamy już prawie pełne rozwarcie! – wykrzyknął lekarz, gdy Tippy zajęła miejsce na stołku porodowym. – Już widzę główkę. Przyj, przyj, to nie potrwa długo!

– Czy to dziewczynka? – zapytał Cash z nadzieją.

Doktor Warner podniósł na niego rozbawiony wzrok.

– Na razie nie mogę odpowiedzieć, bo widzę dziecko od niewłaściwego końca.

Cash siedział obok Tippy i trzymał ją za rękę.

– Jestem tutaj – powtarzał, gdy zaczynała jęczeć. – Wszystko będzie dobrze. Jeszcze trochę.

Po niecałych pięciu minutach Tippy trzymała już w ramionach umyte i zawinięte w kocyk dziecko. Cash pochylił się nad nim, wstrzymując oddech.

– Dziewczynka – szepnął takim tonem, jakby odkrył tajemnicę życia. – Dziewczynka!

Jedna z pielęgniarek spojrzała na niego ze zdumieniem.

– Nie chciał pan mieć syna?

– Może później – odrzekł. – Teraz chciałem mieć córeczkę z rudymi włosami i zielonymi oczami. Taką samą jak moja żona.

Przez kilka następnych godzin Cash nie mógł się oderwać od Tippy i dziecka. Dopiero teraz Tippy odważyła się zadać mu pytanie, które dręczyło ją już od kilku dni.

– Nie przyjmiesz żadnej propozycji pracy z dala od domu, prawda? – wykrztusiła, patrząc na niego z lękiem.

– Nie! – oburzył się Cash. – Oczywiście, że nie!

– Przepraszam – westchnęła, ocierając łzy. – Słyszałam, jak rozmawiałeś przez telefon, i tak się bałam, że może nie czujesz się tu szczęśliwy...

– Jestem bardzo szczęśliwy – zapewnił ją z czułością. – Odrzuciłem tę propozycję. Robię się już za stary na takie rzeczy. Właśnie dlatego przyjąłem pracę w policji. Przecież mam tu swoje życie, rodzinę, wszystko, o czym zawsze marzyłem. Nie zamierzam z tego rezygnować.

– Dziękuję! – szepnęła Tippy i pocałowała go czule.

– Ja też ci dziękuję – odrzekł. – Za to, że mnie kochasz. Za ten mały skarb, który mi dałaś. Za wszystko. Nigdy nie ośmielałem się marzyć o takim szczęściu.

– Ja też – przyznała ze łzami w oczach.

– Pojadę teraz do domu i przywiozę ci trochę rzeczy. Obiecuję, że nie ucieknę sprzed szpitala, żeby wziąć udział w jakiejś czarnej operacji.

– Tylko wracaj szybko – poprosiła.

Cash popatrzył na swoją córkę, która właśnie z zapałem ssała pierś matki.

– Jak ją nazwiemy? Może Tristina Christabel?

Kiedyś Tippy poczułaby ukłucie zazdrości, ale teraz, gdy Crissy była jej najbliższą przyjaciółką, ten pomysł wydawał się zupełnie naturalny.

– Podoba mi się to imię. – Uśmiechnęła się.

– Mnie też. – Mrugnął do niej i zniknął za drzwiami.

Idąc przez parking, usłyszał nad głową warkot helikoptera. Podniósł głowę i zobaczył, że z helikoptera wyrzucono malutki spadochron. Maszyna zawróciła i skierowała się w stronę bazy lotniczej w San Antonio.

Cash obserwował spadochron z ciekawością, a gdy ten opadł w pobliżu, zauważył doczepioną do niego małą czarną torebkę. W środku był sweterek z golfem, dresowe spodnie, buciki, czapeczka kominiarka i rękawiczki – wszystko w niemowlęcym rozmiarze i w czarnym kolorze. Do golfa doczepiona była srebrna przywieszka z napisem: CIA.

Cash z rozbawieniem odprowadził wzrokiem helikopter, dopóki maszyna nie znikła za lasem. Tippy w to nie uwierzy, pomyślał, troskliwie pakując wyposażenie małego komandosa z powrotem do woreczka. Wrócił myślami do dawnych dni, a potem rozejrzał się po miasteczku, za którego bezpieczeństwo był odpowiedzialny, i poczuł, że dokonał właściwego wyboru. Zapalił silnik i pojechał spokojnymi uliczkami w stronę domu.

To było najlepsze Boże Narodzenie w życiu całej trójki. Calhoun Ballegner z łatwością pokonał przeciwnika i został nowym senatorem swojego okręgu. Janet Collins dostała dożywocie za zamordowanie starego pana Hardy'ego. Julie Merrill wciąż czekała na proces. Lista oskarżeń przeciwko niej była coraz dłuższa i teraz obejmowała również podpalenie oraz handel narkotykami. Oskarżenie o dystrybucję narkotyków objęło także byłego burmistrza i dwóch członków rady miejskiej, ale Ben Brady zniknął w tajemniczych okolicznościach. Proces porywaczy Tippy miał się rozpocząć dopiero w lecie, ona jednak nie widziała powodu do obaw. Przedśmiertne wyznanie matki gwarantowało bandytom długie wyroki. Była to jedyna dobra rzecz, jaką jej matka kiedykolwiek zrobiła dla swoich dzieci. Rory pisał listy do swego biologicznego ojca i z wielką radością uczył się od niego różnych rzeczy. Tippy wiedziała, że już nigdy się nie dowie, kto był jej ojcem, pocieszała się jednak myślą, że może to lepiej – gdyż mógł się okazać jeszcze gorszy niż matka i Sam Stanton. Miała Casha i dzięki temu potrafiła znieść wszystko inne. Z dnia na dzień byli w sobie coraz bardziej zakochani.

Ale najwięcej radości dostarczała im mała Triss. Wszyscy byli nią oczarowani: rodzice, wujek Rory, a także zwykli mieszkańcy Jacobsville. Pod wielką choinką leżała równie wielka sterta kolorowo opakowanych prezentów dla niej.

Film z udziałem Tippy miał wejść do dystrybucji za pół roku. Oznaczało to, że będzie musiała poświęcić trochę czasu na jego promocję, Cash jednak postanowił już, że będą jeździć wszędzie we czworo, razem z Rorym i Triss.

– Jeśli chcesz, to możesz wrócić do aktorstwa – powiedział jej.

– Myślałam o tym – uśmiechnęła się – ale nie jestem pewna, czy chcę. Jest mnóstwo rzeczy, którymi mogę się zająć tu, na miejscu. Na przykład mogę otworzyć agencję modelek albo dokończyć college i uczyć aktorstwa.

– Nie będzie ci brakowało sławy i wielkiego świata? – zapytał cicho.

Tippy dopiero teraz uświadomiła sobie, że on miał podobne wątpliwości jak ona sama. Uśmiechnęła się i przytuliła do niego.

– Jesteśmy do siebie podobni. Ja też już miałam swoje lata sławy i podniecenia. Teraz chcę tylko wychowywać dzieci i spędzać jak najwięcej czasu z tobą.

Skinął głową ze zrozumieniem.

– Sława i majątek nic nie znaczą, kiedy nie ma się z kim nimi podzielić.

– Ja też tak myślę! – zawołała.

– To przez to czytanie w myślach – roześmiał się Cash.

Pocałował ją i zaniósł do domu na rękach, ku rozbawieniu kolegów Rory'ego, którzy właśnie grali w salonie w gry wideo. Triss bawiła się obok w kojcu.

– Proszę pana, czy naprawdę był pan Strażnikiem Teksasu? – zapytał jeden z chłopców.

– Kiedyś tak – przytaknął Cash, stawiając Tippy na podłodze.

– Zastrzelił pan kogoś?

Jeszcze kilka miesięcy temu to pytanie wytrąciłoby go z równowagi, ale od dnia, gdy wyznał Tippy całą swoją przeszłość, a potem jeszcze porozmawiał z miejscowym pastorem, był już innym człowiekiem.

– Policjanci są po to, żeby nikt do nikogo nie musiał strzelać – powiedział chłopcu. – Możesz mnie cytować.

– Cash, chcesz z nami zagrać? – zapytał Rory.

Cash wykrzywił twarz w zabawnym grymasie.

– Mam pozwolić, żebyście mnie roznieśli na strzępy? Jeszcze czego!

Wszyscy wybuchnęli śmiechem. Tippy wyjęła Triss z kojca i we trójkę wyszli z salonu.

– Jak myślisz, kim ona będzie, kiedy dorośnie? – zapytała Tippy.

Cash popatrzył na żonę, a potem na córkę.

– Na pewno będzie piękną kobietą – odrzekł z przekonaniem.